LE GÉNIE DE L'INDE

DU MÊME AUTEUR

La Révolution conservatrice américaine, Fayard, 1983, Pluriel, 1984.

La Solution libérale, Fayard, 1984, Pluriel, 1985, ouvrage couronné par l'Académie française.

L'État minimum, Albin Michel, 1985.

L'Amérique dans les têtes, fascinations et aversions (en collaboration), Hachette Littérature, 1986.

La Nouvelle Richesse des nations, Fayard, 1987, Livre de Poche, 1988.

Les Vrais Penseurs de notre temps, Fayard, 1989, Livre de Poche, 1991.

L'État des États-Unis (en collaboration), La Découverte, 1990.

Sortir du socialisme, Fayard, 1990, Livre de Poche, 1992.

No a la decadencia de la Argentina, Atlantida, Buenos Aires, 1990.

Hacìa un nuevo mundo, Emécé, Buenos Aires, 1991.

Faut-il vraiment aider les Russes ? (en collaboration), Albin Michel, 1991.

En attendant les barbares, Fayard, 1992, Livre de Poche, 1994.

Le Capital, suite et fins, Fayard, 1994, Pluriel, 1995, prix Ugo Papi de l'Académie des sciences morales et politiques et prix Albert Costa de Beauregard.

Le Bonheur français, Fayard, 1995, Pluriel, 1996.

Le monde est ma tribu, Fayard, 1997, Livre de Poche, 1999.

Une belle journée en France, Fayard, 1998.

La Nouvelle Solution libérale, Fayard, 1998.

La langue française à la croisée des chemins (en collaboration), L'Harmattan, 1999.

Guy Sorman

LE GÉNIE
DE L'INDE

Fayard

Que le Génie de l'Inde se marie
avec le Génie de l'Occident !

Romain ROLLAND, message au Mahatma Ghandi, 1936

PROLOGUE

Le voyage d'Alexis

Les Tocqueville parvinrent à Cannes en novembre 1858. Les médecins espéraient que le soleil de la Côte d'Azur guérirait l'illustre académicien de sa tuberculose ; mais l'hiver fut pluvieux. Dans les premiers jours d'avril 1859, les voisins de la villa Montfleury aperçoivent Alexis de Tocqueville se promenant au bras de son infirmière. Le 19, il se meurt ; il n'a que cinquante-quatre ans. Bien qu'il eût démissionné du ministère des Affaires étrangères pour protester contre le coup d'État du 2 décembre 1851, Napoléon III n'avait cessé de prendre des nouvelles de son adversaire. Tocqueville laissait derrière lui deux ouvrages majeurs, *De la démocratie en Amérique* et *L'Ancien Régime et la Révolution* ; la maladie et ses charges publiques l'ont empêché d'en écrire un troisième auquel il songeait et qui aurait été consacré à l'Inde.

Depuis sa *Démocratie*, publiée alors qu'il n'avait pas quarante ans, Tocqueville avait acquis le statut de prophète des temps nouveaux. Il avait aperçu le futur en Amérique et en avait conclu au caractère inéluctable de l'« équité des conditions » : tel était donc le sens de l'Histoire façonné par les révolutions de France et d'Amérique. Il n'avait pas été le seul à chercher ce sens de l'Histoire, mais sa gloire tient à ce qu'il paraît ne s'être pas trompé sur sa direction, contrairement à Michelet, Auguste Comte ou Marx, engagés dans une quête identique. Partout la démocratie a progressé comme Tocqueville l'avait annoncé, et elle conduit bien vers l'égalité des conditions, selon un modèle dont les Américains furent les précurseurs. Un mouvement qui ne réjouissait guère Tocqueville, mais il ne le regrettait pas non plus : il le constatait, tout en s'inquiétant de ce qu'il pût devenir opprimant — « totalitaire », dira-t-on au XXᵉ siècle.

La méditation tocquevillienne avait donc pour objet le souci de préserver la liberté en démocratie ou malgré la démocratie. La liberté menacée par le populisme, ce qui était une observation classique au XIXᵉ siècle, mais aussi par l'étatisme, avertissement plus inattendu qui conclut son analyse de *L'Ancien Régime et la Révolution* : contrairement aux interprétations reçues en son temps, Tocqueville y affirmait que la Révolution n'a pas brisé le cours de l'Histoire, mais parachevé l'œuvre de la monarchie en renforçant la puissance de l'État au détriment des corps intermédiaires et des particularismes locaux. Tocqueville, prophète de l'égalitarisme, devint au surplus celui de l'étatisme. Parce qu'il avait annoncé les progrès de l'égalité et de l'État, qui sont des faits, mais aussi de l'égalitarisme et de l'étatisme, qui en sont les compagnons de route, Tocqueville le clairvoyant allait être institué au XXᵉ siècle comme le fondateur du libéralisme moderne.

Ce ne sont pas les deux livres bien connus de Tocqueville qui nous occuperont ici, mais le troisième qu'il n'a pas écrit, et le voyage en Inde qu'il n'a pu entreprendre ; sur celui-ci, il nous aura légué quelque cent pages de notes préparatoires, non publiées de son temps. Certainement ce voyage en Inde aurait-il été symétrique de celui qu'il effectua en Amérique : une enquête sur l'inégalité des castes, une « antidémocratie » virtuelle. Sollicitons-nous les notes de Tocqueville au-delà de ce qu'il envisageait de faire ? À les suivre, il semblait s'intéresser avant tout à la colonisation britannique de l'Inde en un temps où les Français édifiaient leur propre empire en Afrique. Mais comment ne pas deviner chez l'auteur plus que lui-même n'en a écrit sur cette passion soudaine pour l'Inde, immé-

diatement après *De la démocratie en Amérique* ? Il lit sur le
sujet tout ce qui paraît. Envisagea-t-il de s'y rendre ? On
ne sait, soit que sa santé rendît l'aventure aléatoire, soit que
ses fonctions de parlementaire puis de ministre l'aient
occupé tout entier après 1840. Ses écrits, pour l'essentiel,
se cantonnèrent à des réflexions à partir d'ouvrages du
temps publiés par des administrateurs britanniques, et un
best-seller de l'époque, *Mœurs, Institutions et Cérémonies
des peuples de l'Inde* (1825) par le père Dubois, célèbre
missionnaire qui avait vécu en Inde.

Comme d'autres écrivains contemporains, en particulier
Marx, Hegel et Victor Cousin qui, à la même époque, s'ex-
primèrent eux aussi sur l'Inde, Tocqueville fut vivement
impressionné par le fait qu'elle paraissait être une civilisation étrangère, précisément, au fameux « mouvement de
l'Histoire ». Elle semblait ne pas progresser ; on l'eût dite
immobile, « une société pétrifiée », note Tocqueville. Non
seulement elle ne se démocratisait pas, mais, par le système
des castes, l'inégalité en paraissait le fondement. « Dans un
pays de castes, l'idée de la patrie disparaît », écrit-il.
Contrairement à l'Europe, l'Inde n'avait donc pas d'État,
et la vie sociale s'y déroulait entièrement dans des communautés villageoises que Tocqueville a appelé « districts » ou
« communes ». Bien entendu, la connaissance de l'Inde qui
affleurait alors en Europe était fragmentaire, ce qui permet-
tait à nos penseurs de projeter sur ce grand écran oriental
toutes leurs fantaisies personnelles.

Envers cette Inde réputée arriérée, Tocqueville partageait
avec Marx une certaine condescendance. L'un comme
l'autre jugèrent la colonisation anglaise positive parce
qu'elle éveillait le pays ; lors de la révolte des Cipayes
de 1857, Tocqueville soutint les Anglais au nom de la
« civilisation ». Mais, au contraire de Marx, absolument
méprisant envers tout ce qui était indien, Tocqueville repéra
des institutions qui lui convenaient, en particulier les

panchayats, ou conseils de villages. Selon Karl Marx, la vie y était « stagnante, végétative, passive », tandis que Tocqueville devina dans ces conseils de petites républiques autonomes, « une espèce de régime municipal », des mini-cités démocratiques qui lui rappelaient la Grèce ancienne. La réalité était moins belle : les panchayats, en ce temps-là, étaient des conseils d'anciens ou de notables qui administraient les intérêts de leur caste plus souvent que ceux de la communauté entière.

Au travers des notes de Tocqueville, on devine qu'il aurait cherché en Inde ce dont il avait la nostalgie en Europe : des démocraties locales capables de résister à l'étatisme national. Pareillement, au fil de ses lectures, il porta à la caste supérieure des brahmanes une attention particulière qui me semble s'expliquer par son attachement à l'aristocratie. En Europe, selon Tocqueville, celle-ci avait été conservatrice des libertés avant de le devenir de ses seuls intérêts ; les brahmanes n'étaient-ils pas en Inde l'équivalent de ce qu'avait été en Occident la noblesse à son zénith ?

De nombreuses notes témoignent aussi de ses efforts pour percer la complexité de la religion hindoue. Celle-ci commençait tout juste à intéresser les philosophes euro-péens ; Victor Cousin, dans de célèbres leçons au Collège de France, en 1832, crut repérer dans l'hindouisme un système philosophique aussi légitime que la pensée grecque. Mais il considérait que l'hindouisme avait « dégé-néré ». En Orient, les Européens ont toujours le sentiment d'arriver trop tard. Par rapport à quel âge d'or ? Nul ne saurait le situer.

Si Tocqueville attachait une grande importance politique aux religions, c'est parce qu'il y voyait un garde-fou contre l'égalitarisme. Toute société, si elle devenait areligieuse, risquait selon lui d'être emportée par les passions démo-cratiques au point d'y perdre le sentiment de la liberté.

Au total, l'hindouisme qui structurait la société indienne, les républiques locales des panchayats, l'apport du progrès par le détour de la colonisation constituaient, pour Tocqueville, comme un avers de la démocratie américaine. On ne s'aventurera pas pour autant à produire à sa place l'ouvrage qu'il n'a pas écrit, ni à présumer de ses conclusions. En revanche, il est possible de mener à bien l'enquête qu'il n'a pu entreprendre et de se poser des questions voisines des siennes. Ses interrogations restent d'actualité, probablement parce qu'elles sont éternelles.

L'État ? Il n'existait pas en Inde au temps de Tocqueville. Celui qui est apparu en 1947, dans le sillage de la décolonisation, inclinerait-il, comme le craignent les libéraux, vers l'oppression ? Nous envisagerons que cet État puisse menacer la démocratie. L'Inde est en effet une démocratie, mais on s'interrogera sur sa substance. Celle-ci est-elle d'importation occidentale, ou existe-t-il en Inde un esprit républicain ? Cette démocratie incarne-t-elle le sens de l'Histoire ? se demanda Tocqueville. On se demandera de surcroît si l'Histoire a un sens ou n'en a aucun. La liberté, l'égalité ? Les castes qui laissaient Tocqueville interloqué ont perduré ; mais il observa que les Anglais, en Inde, se conduisaient eux aussi « comme une caste ». En aurait-il conclu qu'il existe une universalité de l'esprit de caste qui ne serait pas propre à l'Inde ? La liberté et l'égalité sont-elles consubstantielles à la nature humaine, ou des constructions culturelles récentes et fragiles ? Tocqueville s'interrogeait. Certains en Asie défendent maintenant des « valeurs asiatiques » au nom desquelles la solidarité communautaire devrait l'emporter sur la liberté individuelle ou sur l'égalité des conditions. La liberté et l'égalité, tout comme le progrès, seraient-elles seulement des notions impérialistes que les Occidentaux plaqueraient sur des civilisations différentes ? Tocqueville envisageait que le cheminement de la liberté en Occident était intimement lié au christianisme. Alors, les hindous et les musulmans de l'Inde ignoreraient-ils spontanément la liberté si les Occidentaux ne la leur avaient imposée ?

Le progrès ne peut-il surgir que de l'Occident, comme le supposaient Tocqueville et Marx ? En notre temps, les partisans de la mondialisation économique en sont plus persuadés encore que ne l'étaient les libéraux et les marxistes du milieu du XIXe siècle. En marge de l'abbé Dubois, Tocqueville nota que « de tous les pays civilisés, l'Inde est le plus pauvre et le plus misérable ». Serait-ce en raison des castes, de la colonisation, du fanatisme religieux ? Il n'eut pas le loisir de répondre à cette interrogation, qui a resurgi à notre époque, sur la relation entre le développement économique et les cultures qui seraient censées y conduire. Mais, à l'heure de la mondialisation, on s'interroge aussi sur la nécessité et la nature du développement. Conduit-il au progrès moral, culturel, humain ? Ce n'est plus évident. En Inde, le Mahatma Gandhi a esquissé une autre voie, celle d'un progrès moral plus que matériel.

À l'origine du présent livre, en sus de Tocqueville, dans un registre plus spirituel et moins politique, un autre grand éclaireur nous a conduit vers l'Inde : Romain Rolland. Au fil de sa vie et de son œuvre, celui-ci guetta la Lumière qui réconcilierait les hommes et leurs croyances en un Tout. Cette quête de ce qu'il nomma l'« Unité de l'humanité » passa par la musique, ses romans et biographies de compositeurs, par le pacifisme en 1914 et par le communisme, comme chez bien d'autres intellectuels de son temps, mais pas au-delà des purges staliniennes de 1934. Néanmoins, c'est avant tout de l'Inde que Romain Rolland attendit la rédemption d'un Occident qu'il voyait sombrer dans le nationalisme et le matérialisme. À partir des années 20, découvrant les écritures sacrées de l'Inde, la poésie de

Rabindranath Tagore (qui le précéda dans les faveurs du prix Nobel : 1913 pour l'un, 1915 pour l'autre), le mouvement de réforme religieux au Bengale, une sorte de protestantisme hindou, puis le Mahatma Gandhi, Romain Rolland se donna à ce qu'il appela la « Grande Cause » : la réconciliation du génie occidental (que symbolisaient pour lui les cathédrales médiévales) avec le génie de l'Inde, incarnation de l'« Orient ». Par sa biographie de Gandhi, publiée en 1924, il révéla le premier à l'Occident le « nouveau Christ de l'Orient » ; ironique sur cet éloge excessif, Gandhi déclara qu'il lui faudrait désormais se hisser à la hauteur de l'interprétation que Romain Rolland avait donnée de lui. Puis vinrent les biographies des « saints » du Bengale, Ramakrishna et Vivekananda, en 1928, deux ouvrages qui provoquèrent en Europe une passion mystique pour les pratiques hindoues. Romain Rolland eût préféré que toutes les religions fusionnent en un théisme universel, à l'instar de ce que prêchait son héros, Vivekananda : un œcuménisme que ranimera Pierre Teilhard de Chardin après la Seconde Guerre mondiale. Il mourut en 1944, l'année où naquit l'auteur du présent ouvrage, lequel n'est en aucun cas un avatar de Romain Rolland...

Tocqueville, que l'on sait animal à sang froid, avait cherché la signification de l'Inde ; Romain Rolland en guettait le message ; le premier se passionna pour la société réelle, le second pour l'âme des peuples. Nos deux éclaireurs ne s'opposent pas, ils se complètent. Ils se rejoignent aussi en ce que Romain Rolland, pas plus que Tocqueville, ne se rendit en Inde ; ses propos sur ce pays furent fondés sur des lectures, des correspondances, des rencontres avec les intellectuels indiens qui lui rendaient visite en Suisse. Avait-il besoin d'aller là-bas ? Il en captait les messages cosmiques mieux que les voyageurs ; il était poète et non reporter. Il ne cessa cependant de projeter ce voyage, se renseignant sur les transports et le climat. Mais toujours il renonçait, invoquant sa santé ou celle de son père. Aurait-il pressenti une déception possible ? Ou percevait-il mieux de loin que de près ? On rappellera ici que l'anthropologue dominant du XXe siècle, qui a vu dans les sociétés primitives ce que nul n'avait compris avant lui, Claude Lévi-Strauss, fut celui qui voyagea le moins et qui, même, disait haïr les voyages. Mais, pour ceux qui n'ont pas la puissance imaginative de nos éclaireurs, le voyage en Inde reste l'alternative obligée.

Depuis que Romain Rolland a posé la plume, il y a plus d'un demi-siècle, on observera qu'aucun autre auteur français n'a osé embrasser l'Inde avec l'excès qui fut le sien. Soit il n'est plus de mise de se poser des questions aussi ambitieuses et inaccessibles que l'« Unité de l'humanité », soit l'Inde décourage par sa complexité. Les recherches qui lui sont consacrées en deviennent toujours plus spécialisées : à un extrême, les indologues se livrent à des dissections savantes et, à l'autre, les journalistes se réfugient dans des stéréotypes généralement misérabilistes. L'Inde en soi ne ferait-elle plus sens, n'aurait-elle plus rien à nous dire, ne recèlerait-elle plus aucun message ?

Cet « oubli » de l'Inde étonne ; il me paraît en partie s'expliquer par contraste avec la Chine contemporaine. On sait que, depuis le XVIIIe siècle, l'intelligentsia européenne recherche le salut à l'extérieur : bien des nations se sont succédé dans cet office, l'Inde en particulier, au siècle des Lumières, puis la Russie et la Chine. Longtemps la Russie mena le bal par son despotisme éclairé au temps de la Grande Catherine, puis par sa prétendue avance révolutionnaire depuis 1917. Après l'effondrement du stalinisme, la Chine maoïste a pris le relais de l'espérance ; elle le conservera aussi longtemps qu'elle ne se banalisera pas à son tour en démocratie libérale... Et tant pis pour l'Inde, qui a le tort de n'être qu'une démocratie molle, peu révolutionnaire,

compliquée de surcroît ! Au mieux parlera-t-on d'elle pour
ses défaillances : un assassinat politique, un accroc à la
tolérance religieuse... Pourtant, si l'on voulait bien se
réveiller, il apparaîtrait que la pauvre Chine, civilisation en
ruine depuis la Révolution culturelle de 1966, n'a rien à
offrir que l'Occident ne connaisse déjà, tandis que l'Inde
reste la grande civilisation que l'Occident n'a pas engloutie.
L'envers du tableau qui attirait Tocqueville, le message
qu'entendait Romain Rolland sont toujours présents, intacts
ou presque ; autant qu'à leur époque le voyage en Inde reste
une remontée vers la différence absolue.

Accomplir le voyage qu'Alexis de Tocqueville et
Romain Rolland n'ont pu entreprendre ne conduit pas
seulement à découvrir l'Inde, mais à nous découvrir,
révélés par l'Inde ; ce qui est la fonction secrète de tout
voyage. Particulièrement en Inde, et parfois jusqu'à l'hypnose. Au temps de Tocqueville, pour nous en tenir aux
narrations françaises dont on dispose, les voyageurs se trouvaient en Inde et ne la voyaient pas. Ou alors ils mêlaient
inconsciemment ce qu'ils voyaient et ce qu'ils avaient
entendu dire. Le père Dubois, qui n'était pas le plus sectaire
de ces conteurs et qui fut le plus lu, jugeait tout à la mesure
de l'Europe chrétienne : ce qui s'en rapprochait lui semblait
civilisé, ce qui s'en éloignait était barbare, ce qui lui
ressemblait ne pouvait être qu'emprunté. Il faudra attendre
les anthropologues du XXe siècle et la mauvaise conscience
occidentale pour que le regard sur l'Inde change, jusqu'à
s'inverser. Après 1968, une nouvelle vague de narrateurs
nous rapporta une Inde psychédélique, tout aussi irréelle
que celle des bayadères de nos opéras. Ici, enfin, nous
porterons sur l'Inde un regard plus serein.

S'il avait réalisé son projet, Tocqueville se serait rendu
en Inde par un paquebot des Messageries impériales qui
l'aurait conduit en six semaines de Marseille jusqu'à Pondichéry. Il y aurait découvert que les Britanniques avaient

bayadère : danseuse sacrée de l'Inde

abandonné aux Français une miette d'empire, sans port, d'un abord difficile. Le *Godaveri* aurait mouillé au large, dans des eaux peu profondes, et Tocqueville aurait dû franchir la barre dans un canot à fond plat qui l'aurait déposé au bout d'une estacade de trois cents mètres, perpendiculaire au front de mer. Il en subsiste quelques piliers battus par l'océan Indien. L'écrivain aurait certainement été conduit au palais du gouverneur français, édifié pour Dupleix, aujourd'hui occupé par le gouverneur indien.

Hommage ou clin d'œil, nous commencerons aussi notre périple par Pondichéry (en janvier 1999). Mais, d'emblée, il apparaîtra que nous ne trouverons pas en Inde et que nous n'y chercherons pas non plus ce que Tocqueville y aurait vu : l'Inde a changé, elle change encore. À l'inverse d'une tradition constante du voyageur, nous délaisserons l'« Inde éternelle » pour lui préférer l'Inde véritable ; nous nous passionnerons pour la rencontre, voire l'affrontement entre l'archaïque et le moderne, entre ce qui est immuable et ce qui se transforme, entre ce qui reste tribal et ce qui se mondialise. Plutôt que les vieilles pierres, nous préférerons les Indiens bien vivants.

Ici, pour la première fois, on vient d'écrire « les Indiens », non sans hésitation et même avec quelque remords. Tout au long de cette aventure, il sera souvent question d'« Indiens ». Mais de qui parle-t-on ? A-t-on le droit d'écrire « les Indiens », comme si tous se ressemblaient, sortaient du même moule ? Je n'ai évidemment pas rencontré un milliard d'Indiens, mais seulement une poignée d'entre eux. Tous ne parlaient pas une langue connue de moi. Le plus grand nombre de mes interlocuteurs étaient anglophones, et quelquefois parlaient français, ce qui les distinguait plutôt comme modernes, voire occidentalisés, appartenant le plus souvent aux castes supérieures. J'ai aussi côtoyé plus d'Indiens hindouistes que musulmans, ou que de sikhs ou de jaïns, ce qui orientera certainement mon propos. J'ai peu connu d'Indiens « tribaux », qui vivent à l'écart et sont néanmoins indiens. Mon échantillon n'a donc pas été aussi représentatif que, disons, un village entier où certains anthropologues viennent séjourner un an ou deux. J'essaierai de corriger mes impressions personnelles par des lectures ; mais la documentation se trouve rédigée par la même catégorie sociale que j'ai déjà mentionnée. On gardera donc ces restrictions à l'esprit, sans renoncer pour autant à parler des « Indiens » — sauf à ne plus pouvoir écrire sur rien ! De fait, si un Indien particulier ne coïncide pas avec le schéma préétabli qui s'appelle l'Inde, il est probable que, sur le grand nombre, il se trouvera en Inde, comme chez n'importe quel autre peuple, des caractères dominants ; ceux-ci forment comme une constante et imprègnent les comportements particuliers de chacun. Dans le même temps, on veillera le plus souvent à attribuer ce qui sera avancé à des individus bien particuliers plutôt qu'à des Indiens en général ; et ce livre sera aussi beaucoup écrit à la première personne, ce qui n'est pas dans la tradition des essais français. Chez nous, « on » préfère généraliser avec des « nous » ou des tournures impersonnelles. Ici, « je » sera préféré à « nous » ou à « on », de manière à signaler clairement que le propos n'engage que son auteur. Le « je » devra donc être interprété comme un signe de modestie intellectuelle.

Pourquoi l'Inde maintenant ? Quelle est son actualité puisqu'il ne suffit pas, à Paris, que le sujet soit éternel : il convient au surplus d'être à la mode ? L'actualité de l'Inde est à mon sens impérieuse, dictée par l'aube du XXIe siècle. Il est clair que l'Occident a vaincu la matière, qu'il a remporté la course à la puissance. Il est tout aussi évident qu'au creux de cette béatitude matérielle l'on ressent comme un manque, une absence qui n'a pas de nom : le désenchantement, peut-être. Il me paraît aussi que nous ne trouvons pas en nous, malgré les prouesses de nos théologiens, de nos saltimbanques et de nos philosophes, les ressources nécessaires à un réenchantement. L'Inde, comme une alternative, est donc là, immuable, avec son patrimoine de mystères et sa prétendue sagesse. Prétendue, parce que les Indiens ne sont guère plus sages ou déraisonnables que ne le sont les Occidentaux, mais ils le sont différemment.

C'est la différence que l'on guettera en Inde, à juste raison, car elle en regorge. Et puis cette civilisation a produit l'un des plus extraordinaires gourous, saints, idéologues, philosophes — on ne sait trop — de l'histoire contemporaine : Gandhi, l'incompris. En Inde autant qu'en Occident, après sa mort, il fut rejeté en même temps que statufié. Ce qui épargne la peine d'entendre son avertissement qui me paraît à l'usage du XXIe siècle bien plus encore que du sien : Gandhi nous dit que le progrès ne suffit pas, que proclamer l'égalité ne revient pas à instaurer l'équité, que la résistance passive est plus héroïque que la violence. Longtemps avant que l'on ne parle de mondialisation et même que l'on n'invente le mot, Gandhi nous a exhortés à préserver nos différences de culture et nous a dit que l'on s'entend mieux à rester distincts qu'à vouloir se ressembler. En notre temps d'abondance toujours relative, ou de croyance en l'abondance, il paraît important de découvrir par Gandhi, le « fakir à demi nu », ainsi que l'appelait Churchill, la vertu de l'ascèse, pas seulement personnelle, mais en tant qu'éthique alternative de la société future.

Si Tocqueville et Romain Rolland sont ceux qui m'ont incité à partir pour l'Inde, Gandhi, souvent, au cours de la pérégrination, éclaire le chemin. On sait qu'il réfutait toute distinction entre la politique, la morale, la religion et l'économie ; ce *Génie de l'Inde* sera donc gandhien, indiscipliné, irrévérencieux et soucieux de brouiller tous les genres.

Première partie

L'harmonieuse anarchie

1

Un milliard de républicains

La climatisation et le style international ayant effacé la géographie, l'aéroport de Madras pourrait se trouver n'importe où à travers le monde. Mais, d'emblée, la lenteur calculée de l'officier de l'immigration et la morgue du douanier nous resituent : voici une nation écrasée par sa bureaucratie. Les portes s'ouvrent : la chaleur, les couleurs, les bruits, les odeurs, le désordre, les ordures, les saris, les turbans, tout prend à la gorge. Certains Européens parvenus jusqu'en Inde, pris de panique, ne songent plus qu'à retourner chez eux. Mais il faut fendre la foule des mendiants et des faux porteurs, apprendre très vite à distinguer les vrais chauffeurs de taxi des intermédiaires et des arnaqueurs. Chemise blanche, pantalon à l'occidentale, l'indispensable stylo-bille agrafé à la poche, certains affectent la modernité ; d'autres, culotte bouffante et chemise flottante, jouent la tradition. Je suis le conseil prodigué par mes amis indiens de choisir un chauffeur âgé, preuve qu'il a de la chance, celle d'avoir survécu à l'épreuve de la route. Les voitures qui attendent le chaland sont toutes des Ambassador : les usines indiennes produisent depuis cinquante ans ce modèle unique, inspiré des anciens taxis londoniens, lourd comme un camion. Puis on entre dans Madras et on cherche Madras ; cette ville a-t-elle jamais eu la forme d'une ville ? Du temps des Britanniques qui l'ont fondée, de même que Bombay ou Calcutta, peut-être fonctionnait-elle ? Elle est maintenant engloutie dans un magma de bus, scooters, vaches et charrois appartenant à tous les âges de l'humanité. En Inde, les époques s'ajoutent par strates les unes par-dessus les autres, l'une ne remplace jamais l'autre. Comme dans toute agglomération du tiers-monde, les villageois ont fait craquer la ville par leur nombre et leurs coutumes. Par millions, les immigrants ont colonisé plus qu'ils n'habitent Madras ; chacun se taille un quartier, une enclave, un espace à l'échelle de la famille ou de la communauté rurale. Même urbanisés, la plupart des Indiens restent des campagnards ; repliés sur leur hameau à l'intérieur de la ville, ils ne se soucient pas des parties communes : les rues sont défoncées et les égouts crevés.

Nous traversons Madras à la recherche d'une autoroute signalée vers le sud, mais je n'aperçois que des coolies en procession qui acheminent du gravier dans des bassines en plastique transportées sur leur tête : l'autoroute en construction le restera longtemps, mais on m'assure qu'elle a déjà été inaugurée plusieurs fois par des ministres venus tout exprès de Delhi. S'extraire des faubourgs exige des heures de tâtonnements dans un labyrinthe d'immeubles inachevés, de camps de toile, de marchands ambulants et de buffles luisants qui se faufilent dans les embouteillages. Quand la voiture s'englue, des enfants frappent à la vitre, portent la main à la bouche pour me persuader qu'ils ont faim ; un vieillard surgi de la foule les chasse à coups de bâton. Puis la ville devient clairsemée, des cocotiers ombrent la route, des panneaux publicitaires peints mala-droitement proposent aux nouveaux riches des golfs, des plages privées, des cures d'amaigrissement. En direction de Pondichéry, la route zigzague entre la vie et la mort : les chauffeurs croient au karma, le destin qui remplace la prudence. Au volant de camions ou d'Ambassador, tous foncent et klaxonnent, tandis que les dieux décident du résultat. Les véhicules privés de karma gisent dans les fossés ; leurs chauffeurs survivent rarement. On ne connaît ici ni service d'urgence ni assurances. Dans les autocars et par-dessus, les passagers agrippés au toit, aux fenêtres, aux marchepieds, comme des grappes humaines montées sur roues, saluent d'un grand rire collectif les exploits de ceux qui foncent en sens inverse ; les chauffeurs calent souvent l'accélérateur avec une brique, ce qui évite de ralentir.

Voici les premières rizières, face à l'océan Indien, le long de la côte de Coromandel. Des femmes en sari, les pieds dans la boue, repiquent, cassées en deux par l'effort ; partout dans le monde, la riziculture a toujours produit quelque forme d'esclavage. Nous traversons une rivière qui s'écoule doucement vers la mer ; à la surface, une trentaine de têtes coiffées de turbans en serviette-éponge flottent comme une guirlande entre les deux rives. Ce sont des pêcheurs qui repèrent le poisson et l'attrapent à la main ; ils sont tous trop pauvres pour acheter des filets, et eux n'ont guère besoin de la cure d'amaigrissement proposée plus haut.

L'Inde n'a jamais vécu dans l'isolement. Sur cette côte, il y a deux mille ans, les Romains achetaient des épices et des pierres précieuses à la population tamoule ; Portugais, Espagnols, Danois, Hollandais, Arabes, Britanniques et Français vinrent ici en commerçants, en missionnaires, puis en colonisateurs. Du port de Mahabalipuram, à mi-chemin vers Pondichéry, au VIIe siècle de notre ère, des navigateurs indiens transportèrent la cannelle, le poivre et leur civilisation jusqu'à Java et Bali. Le monde indien est plus vaste que l'Inde, à l'instar de l'Occident qui dépasse l'Europe ; mais l'indianisation ne fut jamais violente. Autour des temples hindous de Mahabalipuram s'affairent les marchands de Coca-Cola, Pepsi et Fanta. Interdits en Inde jusqu'à la « libéralisation » économique de 1991, ces sodas gardent l'attrait de la nouveauté : leur prix est excessif au regard de la pauvreté locale, mais leur consommation élève le statut social. Des touristes réclament en vain de l'eau de coco.

Dans un paysage brûlé de soleil et qui devient lunaire, des hommes maigres comme un fil de fer, vêtus d'un pagne minuscule, ratissent la lagune avec de grands râteaux de bois ; des femmes en sari écarlate et pourpre, le nez, les oreilles, les doigts et les orteils incrustés de bijoux d'or et d'argent, transportent les paniers de sel blanc sur leur tête. Leur parure ne témoigne pas de leur richesse, mais de l'incertitude du destin : en cas de maladie ou de mauvaises récoltes, les bijoux seront gagés ou vendus pour survivre. Entre la route et l'océan s'élève la centrale nucléaire de Kalpakam : à droite, les salines blanches ; à gauche, l'usine noire. Ici encore, le progrès a empilé par strates toutes les époques de l'humanité et n'en a éliminé aucune ; deux ou trois mille ans séparent les collecteurs de sel des ingénieurs de l'usine. Tous ensemble, ils font l'Inde contemporaine.

En cette saison qui est celle des récoltes, la route est coupée par des monceaux de paille ; les paysans battent le riz sur cette aire improvisée avec une fausse hâte. Ils s'étonnent de nous voir surgir, puis nous fraient lentement un passage. Quelle agitation ! Tout au long du chemin, des hommes et des femmes vont et viennent, transportant toujours quelque chose ; les Tamouls ont la réputation de n'être jamais en repos, et, s'ils restent pauvres, ce n'est guère par paresse.

Dans les villages que l'on traverse, des foules d'écoliers se rendent à l'école ou en sortent. Ils vont pieds nus, vêtus d'un uniforme occidental : culotte bleue et chemise grise pour les garçons, robe bleue et foulard noué autour du cou pour les filles. L'école, c'est le progrès et c'est l'Occident : tel est le sens de cet accoutrement, incongru dans ce paysage. Pauvre Gandhi qui ne voyait pas l'utilité de l'indépendance si celle-ci conduisait à mimer les colonisateurs ! Depuis que le gouvernement « progressiste » du Tamil Nadu procure aux enfants un déjeuner par jour, la fréquentation scolaire s'est accrue et, les salles étant trop petites pour les contenir tous, ils se relaient. La scolarisation n'élimine pas la ségrégation ; on repère les enfants des castes brahmanes qui viennent en classe avec leur eau et leur repas afin de ne pas se mêler aux castes impures. De ces écoles-garderies, les jeunes Indiens ressortiront rapidement : dès que les garçons atteignent l'âge de travailler, les parents les récupèrent, tandis que les plus riches iront dans des écoles privées. Les filles partent à l'âge de la puberté parce que, au-delà, la scolarité est jugée périlleuse. « Sous l'influence britannique, l'Inde est devenue puritaine », regrettait l'historien Alain Daniélou. D'autres attribuent ce « puritanisme » à l'influence musulmane. D'autres encore estiment que dans l'hindouisme classique la licence n'était permise qu'aux dieux mais que le peuple fut toujours chaste. « Toute la violence de l'Inde vient de la répression sexuelle », dit l'écrivain sikh Khushwant Singh, auteur entre autres de romans licencieux.

À l'approche de Pondichéry, les palmeraies se font plus épaisses, les hameaux bâtis en terre plus serrés, et la foule sur la route plus dense. Lors du premier voyage que j'effectuai en Inde — c'était en 1975 —, les Indiens étaient deux fois moins nombreux : cinq cents millions ; en l'an 2000, plus d'un milliard. Je regarde la foule en la divisant mentalement par deux ; à l'époque, les Indiens n'étaient pas moins pauvres, ils l'étaient même plus, mais tout était plus calme et silencieux. Maintenant, les villes et les campagnes explosent comme un vêtement lâche aux coutures.

À l'entrée de Pondichéry, devant une barrière rouge et blanc, un gendarme nous arrête. Il reproche au chauffeur de ne pas avoir le permis nécessaire pour entrer dans Pondichéry, un État différent du Tamil Nadu dont nous venons. Le chauffeur tombe des nues. Encore un tour de vis de la bureaucratie pour écraser le peuple : l'État en Inde est rarement l'ami des pauvres. Le gendarme menace de saisir le véhicule, annonce au chauffeur qu'il ira en prison, mais, par égards pour l'étranger que je suis, j'aurai le droit de finir mon voyage à pied. Dans sa main ouverte derrière son dos, je glisse un billet graisseux de cent roupies. Tout s'arrange : un guichet apparaît, qui vend des autorisations exceptionnelles. Trois comparses à l'uniforme déboutonné s'arrachent à leur sieste pour rédiger des formulaires en plusieurs exemplaires. Un colporteur apporte du thé au lait pour qu'ils tiennent le coup. On m'en offre une tasse ; il est épais, chaud et très sucré. Le chef relit très lentement les formulaires, puis les tamponne un par un ; il oublie de m'en donner copie, mais je lui dois cent roupies de plus ! Un Indien s'en serait tiré à moins, mais j'ignorais le tarif d'un gendarme. L'Inde n'est pas un État gouverné par le droit. Est-ce quand même une démocratie ?

En Inde, des suffrages s'achètent en bloc en passant par des grossistes intermédiaires, un chef de caste à la campagne, un boss de quartier, une mafia, des syndicats : à quel seuil de corruption la démocratie bascule-t-elle dans ce que l'économiste britannique Peter Bauer a appelé la *kleptocratie*, le règne des voleurs ? Et qu'est-ce qu'une démocratie ? Le philosophe Karl Popper a proposé d'appeler démocratie non pas les régimes qui sélectionnent leurs dirigeants par le suffrage mais ceux qui s'en débarrassent sans violence. Cette distinction permet de considérer comme non démocratique la vaste catégorie des nations qui désignent leurs chefs, mais n'ont ensuite aucun droit de s'en défaire. Appliqué à l'Inde, le critère de Popper laisse perplexe : l'assassinat politique y rivalise parfois avec le suffrage.

À la définition de Popper, incertaine pour l'Inde, on préférera donc celle du sociologue bengali Ashis Nandy ; lui estime que l'Inde est une démocratie parce que le « coût de la dissidence » y est faible ; le désaccord avec le pouvoir n'est pas sanctionné, ou fort peu. Pour un intellectuel comme Ashis Nandy, le coût est nul ; ce ne serait pas le cas si, par exemple, il était chinois à Pékin. Pour des paysans pauvres, le coût est un peu plus élevé ; leur dissidence pourra être pénalisée par quelque retard dans les services publics, par exemple le refus d'installer une pompe à eau dans leur village. Mais l'Inde est, à certains égards, une société plus démocratique que la France : l'anticonformisme y est accepté sans restrictions, peu de normes sociales s'imposent, la liberté des débats est sans limites. Au nom de la liberté d'expression, il s'écrit des livres et il se produit des spectacles à la gloire de l'assassin du Mahatma Gandhi, le « père de la nation ». L'équivalent ne serait pas toléré en Europe.

En admettant que l'Inde soit une sorte de démocratie, comment l'est-elle devenue et pourquoi l'est-elle restée, cas unique parmi les pays dits du tiers-monde ? Je rappellerai que, jusque dans les années 70, le régime indien était généralement décrit en Europe comme un reste attardé de la colonisation, tandis que certaines élites occidentales adoraient la Chine maoïste et l'idée de révolution ; d'autres commentateurs occidentaux vantaient l'autoritarisme « éclairé » de la dictature militaire du Brésil ou du Mexique. En 1968, l'économiste social-démocrate suédois Gunnar Myrdal, considéré comme le spécialiste de l'Inde, à laquelle il consacra un gros ouvrage, *Le Drame de l'Asie*, écrivit que « l'anomalie démocratique » de l'Inde devait disparaître. Il estimait qu'elle ne saurait rester démocratique, le peuple y étant trop pauvre et illettré ; la démocratie, à ses yeux, ne pouvait qu'être le privilège des nations embourgeoisées. Au surplus, il fallait que cette démocratie disparaisse, car le sous-développement tenait à la « mollesse » de l'État ; une théorie de l'« État mou » qui valut à Myrdal le prix Nobel d'économie en 1974.

Aucune grande voix à l'Ouest, pas même chez les libéraux, ne défendait alors la démocratie indienne, ce qui confirme que tous les intellectuels pensent souvent la même chose en même temps. Trente ans plus tard, les mêmes ou leurs successeurs n'imaginent pas d'autre régime que la démocratie libérale ; de nouveau, tous pensent pareillement, mais à l'intérieur d'un paradigme de rechange qui a chassé l'ancien. Ce nouveau paradigme de la démocratie est-il pour autant définitif ? Prisonniers à notre tour de notre temps, nous l'ignorons.

Mais, par contraste avec les années 70, nous sommes devenus moins européocentriques, un peu plus attentifs aux distinctions culturelles ; c'est par sa différence avec l'Occident, et non par sa ressemblance, que l'on explique maintenant la démocratie en Inde. Dans cette nouvelle interprétation, la contribution des colonisateurs n'est pas oubliée, mais elle est relativisée : les Britanniques, semble-t-il, apportèrent en Inde une forme particulière du parlementarisme plutôt que l'esprit démocratique en soi. Celui-ci a indiscutablement préexisté à la colonisation. Tocqueville l'avait justement pressenti. La distinction entre les formes de la démocratie et son esprit permet de comprendre pourquoi, dans d'autres nations colonisées par les Britanniques — en Afrique, en Birmanie ou en Irak —, le théâtre parlementaire subsiste, mais habile des dictatures : la culture démocratique en est absente. En Inde, en revanche, on doit admettre que le génie de la démocratie s'enracine dans des traditions antérieures à la domination européenne, en particulier dans la tolérance religieuse, paradoxalement dans les castes, et dans les très anciens gouvernements locaux des panchayats.

Si l'on admet que le monothéisme et les Églises centralisées peuvent conduire aux idéologies totalitaires, ainsi qu'en témoignent l'histoire de l'Europe et l'actualité islamique, on conviendra que les Indiens semblent vaccinés contre cette tentation-là. Non seulement de grandes religions comme le jaïnisme, l'hindouisme, l'islam, le sikhisme ou le christianisme y cohabitent depuis des siècles, mais chacune est fragmentée en un nombre infini d'obédiences et de communautés. Pour nous en tenir au culte dominant, l'hindouisme, qui compte plusieurs millions de dieux, prépare mal les esprits à l'absolutisme en politique. Est-ce la raison de l'échec du communisme en Inde, alors que, selon les marxistes, les conditions objectives seraient réunies pour qu'il y prospère ? Là où le Parti est parvenu à s'implanter, dans les États périphériques du Kerala, du Bengale et du Tripura, c'est parce qu'il incarne une culture régionale contre l'État central ou contre les immigrants. Ce n'est pas au nom de la révolution sociale ni de l'athéisme...

Pareillement, les castes, en raison de leur diversité infinie (elles se comptent par milliers, et il s'en crée sans cesse de nouvelles) et de leur fermeture sur elles-mêmes, ont fait échec depuis au moins vingt siècles à toutes les tentatives de despotisme : la caste peut être considérée comme dictatoriale envers ses membres, mais elle paraît imprenable de l'extérieur. Cette résistance de la caste, semblable en cela à une tortue romaine, aura été perçue dès le XVIIIe siècle par des voyageurs occidentaux. Desvaulx écrivit en 1777 : « L'autorité des castes est un frein qui arrête les abus que pourraient faire les princes de la leur. » Cette division en castes aura également empêché la concentration du pouvoir dans les mains des guerriers dès l'instant où ceux-ci trouvaient toujours en face d'eux, et plutôt au-dessus d'eux, les brahmanes investis de l'autorité religieuse, seuls interprètes autorisés des textes sacrés. Au contraire des empereurs chrétiens en Occident et confucianistes en Chine, les monarques en Inde ne parvinrent jamais à devenir absolus ; quand, au IIe siècle avant notre ère, le célèbre roi Ashoka essaya d'unifier et de transformer les Indes en théocratie bouddhiste, son projet unitaire ne lui survécut pas. Les conquérants musulmans se montrèrent plus raisonnables ; après quelque prurit de destruction de l'« idolâtrie » hindoue, ils s'en accommodèrent et renoncèrent à islamiser leurs conquêtes. Les

Britanniques abusèrent sans doute de l'anarchie indienne, mais ils en respectèrent l'harmonie paradoxale ; l'Inde, sous leur contrôle, resta un puzzle de provinces, de principautés et de cultes.

Il est vrai que, depuis l'indépendance et pour la première fois de son histoire, l'Inde est gouvernée depuis un seul centre et par un État de type occidental ; depuis cinquante ans, au nom du progrès, les partis au pouvoir n'ont eu de cesse que de renforcer ce centre, quitte à supprimer la démocratie, comme l'a fait Indira Gandhi (approuvée par les dirigeants occidentaux) de 1973 à 1975. Au moment où j'écris, à la veille de l'an 2000, il se trouve que le parti qui gouverne à New Delhi (le BJP) se réclame d'une idéologie nationaliste, l'Hindutva, que certains qualifient de « fondamentaliste ».

L'Inde contemporaine se trouve donc tiraillée entre une très ancienne tradition démocratique à la base et des fanatiques de l'État au sommet, entre les conservateurs de la pensée gandhienne et les partisans d'un progrès calqué sur l'Occident. Pour les gandhiens qui rejoignent la préférence de Tocqueville, il est souhaitable que l'État reste « mou », et l'Inde une collection de cinq cent mille villages où continueront à vivre, dans une « harmonieuse anarchie » — l'expression appartient à Gandhi —, 80 % des Indiens. Considérant le XXᵉ siècle comme achevé, mieux vaut un État mou qui promet peu qu'un État fort qui prétend changer la société. L'État mou inquiète avant tout les Occidentaux ou ceux des Indiens qui vivent à l'heure occidentale ; les autres semblent aussi insensibles qu'ils l'ont toujours été à ce qui se passe au sommet.

On doit au cinéaste bengali Satyajit Ray une représentation éloquente de cette magnifique indifférence à tout pouvoir : dans *Les Joueurs d'échecs*, deux aristocrates absorbés dans leur partie ne daignent pas s'interrompre, tandis qu'au loin les troupes britanniques s'emparent de

Lucknow, leur capitale. Ces joueurs n'étaient pas des patriotes, ils n'étaient pas non plus des traîtres, pour la raison qu'ils n'identifiaient pas leur civilisation à l'État. Cette indifférence envers le pouvoir n'est-elle pas aussi une stratégie de survie sur un continent qui n'aura cessé de voir passer des envahisseurs ? La vie politique en est « amollie », quel que soit l'effort des partis pour la radicaliser.

Devinant cette nature « molle » du centre, Tocqueville imagina que l'Inde était une collection de républiques à la manière des cités grecques, dirigées par des conseils locaux, les panchayats (ce qui veut dire « cinq sages », en sanskrit, la composition coutumière du pouvoir exécutif local). Il en déduisit qu'il pourrait exister une forme d'organisation des sociétés autre que l'État-nation, que celle-ci serait tout aussi démocratique, mais à la base plutôt qu'au sommet. Son intuition, quelque peu nourrie d'affabulations de voyageurs, était optimiste, mais prémonitoire. Les panchayats, rares en son temps, se sont multipliés ; leur pratique n'est pas aussi démocratique que l'avait envisagé Tocqueville, les femmes en sont souvent absentes, mais ils restent, me semble-t-il, une utopie de rechange à l'État-nation. Celui-ci étant une invention politique occidentale du XVIIIe siècle érigée en norme universelle depuis le milieu du XXe, qui prophétiserait qu'il s'agit de la forme ultime de toutes les sociétés au XXIe ? Je n'en conclus pas que le panchayat constitue une alternative évidente, mais le pari tocquevillien mérite d'être pesé.

Dans l'Inde multiple, il se rencontre autant de panchayats différents que de villages. Il nous faut aussi distinguer entre le panchayat traditionnel issu de la coutume et le panchayat légal, qui est l'équivalent de nos conseils municipaux ; parfois les deux se confondent, parfois non. Ici, ils coexistent, ailleurs, il sont en conflit. Dans bien des villages où le panchayat traditionnel fonctionne, on a oublié d'élire le panchayat légal ; à côté, c'est le contraire. À New Delhi, des réformateurs bien intentionnés souhaiteraient que l'Inde entière se réorganise autour des panchayats légaux, ce que nous appelons en Europe la décentralisation. Mais un panchayat identique, qui serait reproduit dans les cinq cent mille villages de l'Inde et tous les quartiers des métropoles, épouserait-il l'irrégularité du terrain ? Ce n'est pas acquis, alors que les panchayats traditionnels m'ont paru la véritable émanation des cultures locales : parce qu'ils sont hétéroclites, ils fonctionnent. Ou, en me gardant de généraliser, je n'évoquerai ici que le panchayat de Veerampatinam ; situé dans un faubourg de Pondichéry, retenu pour les besoins de l'illustration, il correspond à l'idée que l'on se fait d'une démocratie locale non corrompue par l'esprit de parti.

La description la plus inexacte de Veerampatinam consisterait à y voir un village indien comme les autres ; sur cinq cent mille villages de l'Inde, je n'en connais au mieux que quelques centaines, mais je n'en ai jamais vu deux qui se ressemblent. Contredisant l'apparent désordre qui est commun à la plupart des hameaux du Tamil Nadu, les huttes et maisons de Veerampatinam sont disposées de manière parfaitement symétrique le long d'une voie de sable perpendiculaire au littoral. Au sommet de cette voie, le temple dédié à la déesse Ranuka fait face à l'océan. Selon le niveau de vie ou le statut des pêcheurs, qui constituent la quasi-totalité des habitants, les logis sont bâtis en adobe avec un toit de palmes, en brique ou en béton colorié. Certains toits sont surmontés de grandes antennes paraboliques ; dans l'Inde des villages, la télévision est un symbole hiérarchique, qui va du récepteur portable noir et blanc chez les plus humbles à la couleur parmi les classes moyennes et, au mieux, aux chaînes câblées comme expression du succès économique. À l'arrière du temple, des hangars sans murs servent d'écoles ; celles-ci contiennent difficilement des hordes d'enfants en uniforme. Les latrines ont été oubliées ; les écoliers recourent au champ voisin, ignorant le conseil élémentaire du Mahatma Gandhi qui suggérait à chacun d'enterrer ses propres excréments. Pourquoi chaque Indien est-il propre et toute l'Inde est-elle sale ? C'est un mystère que je n'ai pu éclaircir.

Au-delà de ce champ, au plus loin de l'océan, le bourg des « parias » ; ce terme tamoul, qui désigne les intouchables locaux, est devenu générique, tout comme le mot « coolie », issu de la même langue, pour désigner les travailleurs de force. Le chef du village m'expliquera qu'il n'y a pas de parias à Veerampatinam, tout en indiquant le lieu où ils résident ; sans doute signifiait-il par là que les parias le restaient, mais sans être pour autant intouchables. Le paria végète au bas de l'échelle économique, mais la plupart des interdits traditionnels, tels ceux qui prohibaient les contacts avec les autres castes, voire de croiser leur regard, semblent ici se dissiper ; ils participent d'ailleurs au panchayat, ce qui est un signe de leur relative intégration sociale.

Au long de l'allée qui descend du temple à la mer, le marché aux poissons, quelques épiceries et gargotes, des marchandes de fleurs pour les offrandes à la déesse ; un hangar en parpaings au toit de tôle, aéré par deux grands ventilateurs, fait office de maison commune. L'assemblée du panchayat s'y tient tous les dimanches à neuf heures du matin. Vingt-cinq membres la composent, mais seulement des hommes, assis en tailleur sur des nattes de paille disposées en demi-cercle. Pour interdire les discriminations, la Constitution de l'Inde prévoit dans les panchayats légaux des quotas réservés aux femmes et aux basses castes ; mais ces panchayats-là n'existent souvent que sur le papier, et, quand des femmes et des parias y siègent, ils sont le plus souvent manipulés.

À Veerampatinam, les membres ont été élus pour un an par l'ensemble de la population, toutes castes confondues ; nul ne pouvant effectuer deux mandats successifs, chacun, à un moment donné de sa vie, y siégera au moins une fois. Parmi eux, les vingt-cinq en désignent cinq qui constituent le bureau : président, vice-présidents, trésorier et secrétaire. Ce mandat non renouvelable interdit que l'assemblée ne se politise et que l'appartenance au panchayat ne devienne un métier ; cette pratique rappelle la démocratie athénienne et rejoint les propositions de politologues contemporains inquiets de la confiscation du pouvoir par des « castes » politiciennes. On rappellera aussi le propos de Milton Friedman suggérant de choisir les parlementaires au hasard des pages d'un annuaire téléphonique : le résultat, estime-t-il, ne serait pas pire, et l'on s'épargnerait le coût des élections. C'est ce que pensent la plupart des Indiens qui tiennent leur classe politique en piètre estime. « Depuis des siècles, a écrit le Bengali Nirad Chaudhuri dans sa célèbre *Autobiographie d'un Indien inconnu* publiée en 1951, les convictions politiques du paysan et du travailleur indiens tiennent en un seul article : ne jamais croire les politiciens. La méfiance envers l'État est indéracinable. » La légitimité du panchayat provient donc aussi de ce qu'il écarte les politiciens ; c'est une institution à basse tension idéologique, qui conforte la neutralité et la vitalité de la démocratie locale. Vu d'ici, en bas de l'Inde, l'État central n'existe pas ; au mieux connaît-on Pondichéry, la capitale voisine.

La manière dont siègent les membres de l'assemblée contribue à la solennité de la séance ; face à leur demi-cercle est disposée une autre natte sur laquelle devront s'accroupir les pétitionnaires. Certains sont expulsés parce qu'ils ne s'asseyent pas au centre de la natte qui leur est réservée ; toujours il s'agit de jeunes gens en querelle avec l'ordre ancien, qui viennent devant le panchayat mais tentent d'en perturber les rites. Le public reste à l'extérieur, mais, par les fenêtres ouvertes, il contemple et entend les débats. L'assemblée ne se saisit pas elle-même, mais se prononce sur les affaires dont elle est saisie par écrit une semaine à l'avance ; toute pétition tardive ou floue est rejetée. Quant aux compétences du panchayat traditionnel, elles sont définies par la coutume, de même que son mode de décision et l'exécution de ses sentences ; le terme de *sentence* paraît ici plus indiqué que celui de décision, car le panchayat agit comme un tribunal plutôt que comme une municipalité. Sa fonction est moins d'innover que de maintenir un certain ordre social, et l'ordre des choses.

Lors de la séance à laquelle je fus convié, privilège accordé plus facilement à un étranger qu'à un villageois, le premier cas me parut plus grave qu'il ne l'était aux yeux de l'assemblée : une veuve pétitionnaire exigeait compensation pour l'assassinat de son mari. Le meurtrier, assis sur la natte à côté de la veuve, fit valoir la légitime défense : pêcheurs l'un et l'autre, ils s'étaient battus au couteau pour une affaire d'argent. Les membres du panchayat prirent tous la parole, souvent ensemble, en une cacophonie tamoule intraduisible par mon interprète, dépassé ; l'Inde entière n'est-elle pas une cacophonie de langues, de religions et d'opinions ? Ce pour quoi l'on ne s'y ennuie jamais ! Je compris qu'en une sorte d'enchère on s'opposait des chiffres. Le secrétaire de séance inscrivit un chiffre sur un morceau de papier qui circula parmi l'assemblée ; chacun rectifia par écrit. Revenu au point de départ, il apparut que la somme de soixante-quinze mille roupies représentait une moyenne. Dans les panchayats, on ne vote jamais, toute décision est obtenue par consensus, dût-on y passer des heures. Le condamné protesta ; il ne disposait pas d'autant d'argent. « Tu as une maison ? » s'enquit le président du panchayat. Le pêcheur acquiesça. La maison et tout ce qu'elle contenait furent sur-le-champ accordés à la veuve ; le meurtrier ne les récupérerait que s'il payait le prix du sang. La veuve parut satisfaite ; après un bref instant de réflexion, le meurtrier donna son accord. Tout avait été réglé en un quart d'heure, à la satisfaction générale.

Après ce meurtre en ouverture, le panchayat n'examina jusqu'à deux heures de l'après-midi que des affaires d'argent. Mais chacune d'elles suscita plus d'altercations et de conciliabules que l'assassinat, sans doute parce que les dettes constituent tout ce que les pauvres ont en partage. Les pêcheurs de Veerampatinam, comme les paysans alentour, vivent au-dessus de leurs moyens, sans quoi ils ne pourraient pas vivre du tout ; on s'endette pour acheter un filet de pêche, ouvrir une boutique, acheter un téléviseur, manger ou, souvent, pour rembourser une dette plus ancienne. Bien entendu, les banques ne prêtent pas aux pauvres. Un pêcheur provoqua le rire complice du panchayat en expliquant que, pour acquérir un canot, il avait tenté sa chance auprès d'un banquier de Pondichéry ; celui-ci avait demandé au pêcheur ce qu'il pouvait avancer comme garantie ; fort sérieusement, le pêcheur avait proposé l'océan ; il fut jeté à la rue.

C'est donc l'usurier qui prête, à des taux usuraires (de l'ordre de 20 % par mois !) Il est sur la natte, l'usurier, aux côtés du mauvais payeur. L'assemblée soupèse longuement la validité de la créance, son ancienneté, les réelles capacités de remboursement du débiteur. On prend son temps. Un marchand apporte des boissons fraîches, Coca-Cola, Fanta. À chacun sa paille, ce qui règle les conflits d'impureté entre castes que provoquerait la présence de gobelets. Tous s'expriment avec aisance, chacun écoute les arguments de l'autre. Comment, dans une même civilisation, peut-on cultiver un tel esprit démocratique avec l'esprit de caste ? De fait, ils coexistent. Aucune des décisions rendues ce jour ne fut contestée par les pétitionnaires, et l'on m'assura que toutes seraient respectées.

Interloqué, en particulier par le crime du pêcheur, je m'étonnai, quelque temps après, auprès d'un magistrat de Pondichéry que ni la police ni la justice ne fussent saisies. Lui était plus sage : si la justice était intervenue, dit-il, le meurtrier serait en prison pour la vie ; la veuve, trop pauvre pour payer un avocat et soudoyer un juge, n'aurait obtenu aucune réparation. Il valait donc mieux s'en remettre au panchayat qu'à l'État de non-droit ; seul un Européen pourrait s'en étonner.

« N'auriez-vous pas avantage, me demanda ce même magistrat, à redécouvrir vous aussi les vertus de la médiation, plutôt que de verser dans la judiciarisation à l'excès ? » L'observation paraissait fondée, mais la médiation suppose une culture communautaire forte, des valeurs partagées qui s'évaporent en Europe, tandis qu'elles perdurent dans le village indien. Ce sont ces valeurs et la pression sociale qui garantissent le respect des décisions du panchayat. L'assemblée ne dispose d'aucune autre autorité que celle qui lui est reconnue par la communauté ; si le pêcheur sanctionné ne s'exécutait pas, il serait exclu du village, voué à une mort sociale...

Les Indiens sont contraints par la communauté dans laquelle ils sont fondus, mais ils se satisfont d'un État faible ; en Europe, nous sommes des individus plutôt libres, sous un État pesant. Qui a le plus de génie politique et qui devrait envier l'autre ? Le génie ne se décrète pas et il voyage difficilement, mais l'Inde enrichit notre réflexion, particulièrement au regard de la doctrine libérale. Les doctrinaires libéraux se réclamant à la fois de l'individualisme et de l'État minimal, n'y aurait-il pas une contradiction entre ces deux exigences ? Si la culture communautaire est forte, on peut se passer d'un État excessif ; mais la contrainte qu'exerce la communauté sur les individus peut être plus pénible que celle d'un État. Et si disparaissent en même temps les liens communautaires et l'État, le risque d'une anarchie non éclairée et non harmonieuse devient considérable. Voilà qui paraît en tout cas ruiner les utopies libertaires, fondées sur la stricte interdépendance d'individus responsables et qui préconisent l'absence pure et simple d'État. Tocqueville avait cru surmonter ces contradictions internes à la théorie libérale en admettant que la démocratie ne fonctionnerait jamais que sur une communauté de valeurs. Il lui paraissait ensuite que la faible dimension de la commune et la décentralisation permettaient à la fois de préserver des valeurs partagées et de freiner la mégalomanie de tout État.

Mais qu'est-ce aujourd'hui qu'une commune ? N'est-ce pas une entité ridiculement petite sur le marché mondial, à l'échelle de l'Europe, tout autant qu'en Inde où la croissance démographique et l'exode vers les villes dissolvent les frontières communales dans un grand magma urbain ? À Veerampatinam, il suffit de quelques centaines de mètres pour se retrouver dans un faubourg de Pondichéry ; combien de temps encore la communauté des pêcheurs vivra-t-elle à la marge de cette capitale, sans se fondre avec elle ? Mais, en même temps qu'agissent ces forces agglutinantes, il en est d'autres qui fragmentent les grands ensembles et reconstituent des « communes » d'un type nouveau. Devrait-on dire « communauté » plutôt que « commune » ? La commune garde un parfum d'espace territorial, tandis que le mouvement communautaire contemporain a un fondement culturel, les deux pouvant coïncider ou non. À Veerampatinam, on observe que la base est à la fois territoriale et culturelle, puisqu'il s'agit à la fois d'une commune administrative et d'une communauté de pêcheurs. Mais, demain, on peut imaginer que, les attaches territoriales se délitant, les familles se dispersant, elles conserveront malgré tout un sentiment d'appartenance

et le désir de cogérer leur communauté, fût-elle diaspo-
rique. Au XXᵉ siècle dont nous sortons, c'eût été un vœu
pieux que le temps aurait dissout. Mais, si l'on considère
qu'Internet, et tout ce qui gravite autour du nouveau monde
de la communication, va bouleverser nos habitudes, il est
probable que les comportements politiques au XXIᵉ siècle
en seront affectés. À la base géographique de la démocratie
classique pourrait s'ajouter ou se substituer une base culturelle, charpentée par un réseau électronique plus instantané
que n'importe quelle réunion de panchayat en Inde ou de
conseil municipal chez nous. Est-ce un hasard si les inter-
nautes recourent au vocabulaire communal, s'ils proviennent
souvent d'anciennes « communes » soixante-huitardes, et
se reconnaissent comme membres de « communautés
branchées » ?

Par-delà de cette métaphore, on pressentira la naissance
de nouvelles formes de vie sociale, à la fois très individua-
listes et très communautaires. Nous ne dirons pas que le
dilemme libéral entre État et individu se trouvera ainsi
résolu, mais il sera pour le moins rénové par la cyberculture
et la nouvelle actualité que celle-ci confère aux communes.
Sans prophétiser, il n'est pas niable, sur la base des constats
actuels, que les allégeances envers les États-nations se
dissolvent, en particulier parmi les générations jeunes et
« branchées », et que, simultanément, des allégeances
nouvelles s'affirment au sein des communautés dites
virtuelles. Le Citoyen cède la place au Netoyen : le Net, le
Web, la Toile — quel que soit le vocabulaire que l'on
retient — tendent à se substituer à la Cité. On peut donc
envisager que les formes classiques abandonneront progressivement le terrain à des formes neuves, plus locales — au
sens géographique ou culturel du mot —, plus consen-
suelles aussi, fondées sur des valeurs retrouvées de cohabitation non exclusivement partisanes. Dans ces nouvelles
communautés, on peut supposer que la quête de l'harmonie

se substituera aux querelles de partis. Le panchayat comme représentation de l'« anarchie harmonieuse » deviendrait alors une utopie de rechange à nos vieux États-nations pour l'époque où ceux-ci viendraient à se périmer.

Mais, quel qu'en soit notre désir, il nous faut admettre qu'il existe aussi des courants contraires. Tandis qu'en bas de l'Inde l'on espère une « république des villages », en haut, le spectacle est tout à fait différent.

2

Le char d'Arjuna

Un chef de parti grimé en héros de l'Antiquité. Il parade, juché sur un char ; la foule l'acclame, l'inonde de fleurs ocre et blanches. Tout se passe comme si ce candidat aux élections et le héros antique, dans la conscience du public, ne faisaient qu'un.

Il n'y a sans doute qu'en Inde que la scène et la passion qu'elle déchaîne peuvent se produire sans susciter d'étonnement. C'est en 1990 que L. K. Advani, le leader du parti nationaliste hindouiste — le Rassemblement populaire indien (BJP) —, mobilise ainsi ses partisans au long d'une traversée en char de tout le nord de l'Inde. Le BJP, minuscule au Parlement à cette époque, est depuis lors devenu le parti dominant ; rétrospectivement, l'épopée du char apparaît comme un point de départ vers la conquête du gouvernement central.

Depuis 1988, une coalition nationaliste autour du BJP dirige l'État indien, ce qui met un terme au règne à peu près ininterrompu depuis l'indépendance du parti social-démocrate du Congrès et de la dynastie Nehru qui l'incarne : c'est une révolution politique. Si celle-ci reste négligée par les Occidentaux, admirateurs inconditionnels des Nehru, c'est parce qu'elle s'inscrit mal dans nos schémas de pensée. Le BJP se prétend économiquement progressiste et libéral, mais moralement conservateur, à la manière dont Ronald Reagan en son temps illustra une « révolution conservatrice américaine ». Notre interprétation, fondée sur l'observation sans préjugés, sera que l'idéologie du BJP est certes ancrée en Inde mais qu'elle est aussi révélatrice d'une réaction identitaire ou intégriste, commune à nombre de civilisations « orientales » confrontées à la mondialisation occidentale. C'est pourquoi il nous faut revenir à notre char antique en portant une attention soutenue à sa signification locale autant qu'universelle ; il ne s'agit pas de n'importe quel char, mais de celui d'Arjuna, le héros du *Mahabharata*. Les Indiens connaissent Arjuna et son char à la manière dont les Hellènes devaient être familiers des héros de l'*Iliade* et de l'*Odyssée*. Tout Indien apprend dès l'enfance comment Arjuna, le héros du clan des Pandava, a vaincu ses frères ennemis, les Kaurava, grâce aux conseils du pilote du char, lequel n'était autre que le dieu Krishna. Dans la civilisation indienne, plus qu'une légende, plus qu'un mythe, le *Mahabharata* est source de la connaissance véritable et de toute sagesse. Les héros de cette épopée ne sont pas lointains, littéraires ou abstraits, mais familiers, immédiats et concrets. Les dieux qui participèrent à la grande bataille n'ont jamais vraiment déserté l'Inde ; ils sont perçus comme présents parmi les hommes et vénérés par tous, y compris par les Indiens qui se reconnaissent comme modernes et plutôt occidentalisés. En Inde, le plus grand nombre est indifférent à la distinction occidentale entre histoire passée et actualité, entre vérité et mythes, entre personnages historiques et dieux. Lorsque le char électoral entrait dans les villages, je me souviens que des cohortes l'ornaient de guirlandes et que des prêtres offraient des sacrifices ; en adhérant au mythe, la foule le transformait en objet politique réel. Le char pouvait ne pas être celui d'Arjuna, il suffisait qu'il en fût la représentation acceptée pour que son impact psychique se manifestât ; le mythe devient réalité de par l'adoration du dévot.

En Occident aussi, on connaît des chefs qui se firent passer pour des empereurs, pour des sauveurs, pour des prophètes ou des messies. Mais il me paraît qu'en Inde il est plus facile de passer du mythe à la politique en raison d'une relation à l'Histoire différente de celle qui prévaut en Occident. Chez nous, l'Histoire est passée, les héros sont morts, l'avenir se trouve en principe devant nous. En Inde, l'histoire linéaire faisant autorité selon un déroulement chronologique qui fait sens n'est pas inscrite au cœur de la tradition. Il existe bien entendu une « histoire de l'Inde », mais, jusque dans les temps récents, les années 20, elle a été écrite de l'extérieur par des pèlerins ou des voyageurs, par les envahisseurs musulmans puis par les Britanniques. Les lettrés indiens préféraient pour leur part raconter les mythes éternels, qu'ils estimaient plus importants que ce que nous jugeons, à l'Ouest, être la « grande » Histoire. Alors que l'histoire occidentale suit la flèche du temps, les narrations indiennes sont plutôt des spirales, et sur des durées si longues qu'elles échappent à notre entendement ; cette très longue durée, de surcroît, est perturbée par d'incessants avatars : les dieux se réincarnant, Krishna n'est pas loin et Arjuna peut revenir. Malgré un enseignement qui est en Inde de caractère occidental, il me paraît que, dans l'esprit du public, l'attachement à la véracité des mythes comme la foi en la présence des dieux vivants cohabitent avec l'histoire moderne. Comme souvent en Inde, les vérités du moment et les croyances ne s'évincent pas les unes les autres, elles s'additionnent. C'est, me semble-t-il, parce que le BJP a su, en politique, additionner les mythes antiques avec la promesse du progrès « moderne », qu'il est devenu un peu plus qu'un parti au pouvoir ; parti dominant, sa doctrine, l'Hindutva, est devenue la référence obligée de toute réflexion contemporaine sur l'Inde réelle.

Comment traduire *Hindutva* ? « Hindouisme », symétrique d'« islamisme », serait source de confusion. Mieux vaudrait inventer le néologisme d'*hindouité*, comme on dit francité ou germanitude ; en allemand, on dit *Deutschtum* pour exprimer tout ce qui serait éternellement « germanique ». Le terme d'Hindutva est d'ailleurs un néologisme proposé par un idéologue nationaliste des années 30, Savarkar, pour exprimer ce qui n'avait alors pas de nom. L'Hindutva mêle une conception à la fois religieuse, nationale et culturelle de l'Inde. Serait un authentique Indien, selon cette doctrine, celui qui reconnaît que le territoire compris entre l'Indus et l'océan Indien est sa patrie, mais aussi une terre sacrée ; cet Indien authentique doit être hindou ou, à la rigueur, adepte d'une religion née en Inde, comme le bouddhisme ou le jaïnisme. Par suite, les musulmans et les chrétiens, fussent-ils en Inde depuis mille ans, sont considérés comme des invités. À ce titre, il leur est demandé de se conformer aux coutumes hindoues, tel le respect des fêtes, ce que beaucoup pratiquent spontanément dans cette civilisation du syncrétisme. Mais l'Hindutva ne règle pas la question symbolique essentielle, qui est la place de la vache. C'est le totem hindou ; or les musulmans la mangent. De leur côté, les hindous mangent du porc, qui est le tabou musulman. Entre totem et tabou, l'Hindutva n'offre pas de voie intermédiaire.

L'Hindutva peut donc être considéré comme un désir radical d'authenticité culturelle ; telle est l'interprétation de ses partisans. Ou bien serait-ce un mouvement intégriste, antimusulman, antilaïque, pendant de l'intégrisme islamique ? Les « progressistes » indiens le qualifient de fasciste, qualificatif volontiers repris dans les médias occidentaux ; mais cet anathème ne saurait tenir lieu d'analyse. Sa seule vertu est de conférer un grand confort intellectuel au commentateur, voire de lui épargner la peine du voyage.

On peut aussi minorer l'influence de l'Hindutva et réduire les victoires du parti nationaliste à une simple alternance partisane. Selon cette version molle de l'Histoire, il faudrait croire qu'après un long règne du parti social-démocrate du Congrès les Indiens auraient viré à droite par simple désir de changement et pour protester contre le népotisme et la corruption de la famille Nehru. Mais la version molle ne permet pas d'appréhender le climat intellectuel de l'Inde en ce début de millénaire. Tout y tourne autour de l'Hindutva ; ses adversaires s'y réfèrent incessamment, autant que ses partisans ; l'air en est comme imprégné ; les dirigeants de l'Hindutva ont créé des comportements nouveaux qui affectent jusqu'au costume. Le militant porte un vêtement traditionnel ; son front est orné de pâte de santal, trace du sacrifice, la *puja*, mais il est aussi équipé d'un téléphone portable. L'Hindutva, ce n'est pas le retour à l'Inde des ancêtres, mais l'addition de l'éternité et de la modernité, une voie indienne vers le progrès matériel sans renoncement à la culture hindoue. Cette recherche d'un accommodement entre culture classique, religion et technique rappelle bien « l'alliance du moralisme et de l'ordinateur » chère à Ronald Reagan ; mais le reaganisme n'était pas xénophobe, alors que l'Hindutva, sur ce point, est plutôt trouble.

Hormis cette relation complexe avec l'islam, qui n'est pas un « détail » et sur laquelle on reviendra, l'Hindutva ne serait-elle pas la voie indienne vers le développement qui ressemblerait d'une certaine manière à la voie japonaise, un collage réussi de tradition et de changement ? C'est ce que me paraît signifier le char d'Arjuna.

Pour l'observateur occidental que l'on supposera ici rationaliste — ce qui n'est pas l'équivalent d'objectif —, tous les détails du char font sens. Commençons donc par la structure que dissimulent la décoration et les guirlandes : c'est une camionnette Toyota. Le char est donc moderne, il n'est pas tiré par quatre chevaux, comme le fut, paraît-il, celui d'Arjuna. Rien, ici, n'étant dû au hasard, on en déduira que les nationalistes de l'Hindutva, contrairement au Mahatma Gandhi, ne rejettent pas les machines modernes. Pour s'en justifier, ils avancent une lecture spécieuse du *Maharabhata*, l'ancien devant systématiquement légitimer le nouveau. Dans l'épopée, dit-on au BJP, les héros recouraient à toutes les armes dont ils pouvaient disposer à l'époque, en particulier à une arme secrète, le mystérieux *pasupata*, « arme absolue » que Shiva confia à Kama. Les partisans de l'Hindutva y voient une préfiguration de l'arme nucléaire, et une invite à s'en servir. Bien entendu, il s'agit là d'un anachronisme, et d'un texte mythologique dont on peut tirer toutes les métaphores. Mais, dès leur arrivée au pouvoir, les dirigeants du BJP ont procédé à de nouveaux essais nucléaires ; le mythe a beau être antique, il agit sur le présent.

De même, le choix de la marque Toyota ne m'a pas paru fortuit : les Japonais en Asie n'ont pas la même image qu'en Europe. Aux yeux des Indiens nationalistes, le Japon est la nation asiatique qui, à deux reprises, a vaincu des Occidentaux : les Russes en 1905, puis les Américains en 1941. Les Japonais ont également démontré que des Asiatiques pouvaient rivaliser avec les Occidentaux dans l'informatique, la construction navale ou les machines-outils. Tandis que les Occidentaux ressentent les Japonais comme des élèves trop appliqués, les Indiens voient en eux des rivaux de l'Occident et des alliés possibles. Pendant la Seconde Guerre mondiale, certains nationalistes indiens rejoignirent l'armée japonaise dans l'espoir de mettre un terme à la colonisation britannique par la force.

Voilà donc pour la Toyota. J'ai constaté en outre qu'elle était climatisée, ce qui, en Inde, est un luxe ; là encore, au contraire de l'ascèse gandhienne, voyons-y une aspiration des nationalistes au confort que procure la technique. Loin de pratiquer le renoncement, l'Hindutva en nie l'opportunité ; il paraît à ses militants que la technique en soi est neutre au regard des valeurs culturelles. La climatisation du char me semble ainsi révéler que bien des mouvements de type intégriste, en Inde et au-dehors, se comportent plutôt comme des modernisateurs matérialistes que comme des moralistes archaïsants.

Passons à la carrosserie ; elle représente le char d'Arjuna et a été reconnue comme telle par les foules indiennes. Mais à quoi ressemblait ce char mythique ? Nul n'en sait rien. Au mieux pourra-t-on l'imaginer à partir de certains bas-reliefs antiques ; mais ceux-ci sont postérieurs de quelques millénaires à l'époque présumée de l'événement. En réalité, au BJP, on a recopié le char tel qu'il était apparu dans une célèbre adaptation télévisée de l'épopée, produite à Bombay et qu'à peu près tous les Indiens avaient regardée. Le char est donc l'invention d'une tradition qui se fonde sur l'adaptation télévisée d'un mythe. Dans la même veine, il est significatif que le BJP — mais pas ce seul parti — présente aux élections de nombreux acteurs de cinéma qui interprètent des héros et héroïnes mythologiques. Ronald Reagan devint certes président des États-Unis mais ce ne fut pas en raison des rôles qu'il avait interprétés, tandis qu'en Inde l'acteur est celui qui rend le mythe vivant et sensible, au même titre que la Toyota fait entrer le char dans l'histoire immédiate.

Comment se fait-il que l'Hindutva déferle maintenant en Inde ? Idéologie des années 30, nationaliste et xénophobe, on l'aurait attendue au moment de l'indépendance et non cinquante ans après. Il se trouve qu'elle s'impose après le long règne d'une idéologie progressiste et laïque que Nehru avait incarnée. N'est-ce pas paradoxal ? Au surplus, et au désespoir de ces progressistes, indiens ou étrangers, les masses « incultes » adhèrent moins spontanément à l'Hindutva que les nouvelles classes moyennes éduquées : ce sont celles-ci qui se reconnaissent dans ce mouvement religieux et high-tech, moralement conservateur mais économiquement progressiste. Des classes moyennes qui fournissent les cadres du parti, ainsi qu'on va maintenant le constater.

Dix ans après la cavalcade du char d'Arjuna, le BJP est au pouvoir à New Delhi. À cinq heures du matin, dans les quartiers sud de la capitale, les rues sont désertes et appartiennent aux vaches. Pas plus hautes qu'un animal de compagnie, efflanquées à faire pitié, elles errent dans la ville endormie à la recherche d'épluchures ; à défaut, elles se rabattent sur le *Times of India* de la veille qui paraît constituer leur ordinaire. Nul ne s'en prend à ces tristes animaux aussi longtemps qu'ils tiennent sur leurs pattes. Dès que la mort rôde, des bouchers musulmans s'approchent et se jettent sur la bête pour la découper en morceaux ; la vache n'est sacrée que vivante. Il existe cependant des fondations pieuses qui recueillent le bétail agonisant pour lui épargner l'indignité d'être mangé.

Delhi-Sud est une banlieue bâclée ; de hauts immeubles sans style défini, des routes inachevées et des centres commerciaux en grand nombre. Mais ici s'amorce l'ascension sociale et matérielle de ce qu'on appelle les « nouvelles classes moyennes ». Elles recrutent dans les castes intermédiaires ces demi-privilégiés que sont les salariés des entreprises, les cadres de l'administration, les commerçants, les entrepreneurs indépendants et aussi les trafiquants. On affecte, à Delhi-Sud, des manières modernes ; les adolescents portent des jeans, les filles des Nike avec leur sari ; tous exhibent des téléphones portables, totem des classes moyennes, et parlent *hinglish*, un anglais mâtiné de langue locale. La jeunesse de Delhi-Sud ne participe pas vraiment au monde occidental, mais elle le mime en s'inspirant des spots publicitaires de la télévision indienne. Nous autres, Occidentaux blasés, suréquipés, n'y voyons qu'une version frelatée de la consommation américaine ; mais, pour un jeune Indien qui échappe à la misère, consommer, c'est encore se libérer.

À cinq heures, le jour se lève difficilement entre de gros nuages noirs porteurs de mousson ; quelques hommes se faufilent hors de leur immeuble : ils gagnent leur voiture particulière, ce qui est en Inde le signe d'une certaine prospérité, puis ils convergent vers notre lieu de rendez-vous, un terrain de sport qui paraît à l'abandon. Mais repérer en Inde ce qui est à l'abandon n'est pas aussi simple que chez nous : tout est entre-deux. Chacun se change dans sa voiture et en ressort en uniforme, chemise blanche et culotte courte de couleur kaki. Après que le soleil a rapidement séché la pelouse, la petite troupe se range en ordre militaire derrière un porte-drapeau. L'oriflamme n'est pas celui de la République indienne, mais une bannière ocre frappée du trident de Shiva. Sous l'autorité d'un chef, en kaki lui aussi, mais plus âgé, nos hommes se livrent à des exercices de gymnastique, suivis d'une sorte de parcours du combattant. L'ensemble ne requiert pas trop d'efforts et ne dure qu'une demi-heure, pour ne pas empiéter sur les obligations professionnelles qui vont suivre. Le chef prononce une harangue en *hinglish* où je ne repère que les mots « Hindutva » et « Cachemire », qui est pour les Indiens l'équivalent de ce que fut pour les Français l'Alsace-Lorraine en 1914, le rôle de l'Allemagne étant tenu par le Pakistan. Pour finir, on chante à pleine voix des airs martiaux, puis on se sépare après avoir clamé : « Vive notre Mère l'Inde ! » On regagne sa voiture, on réintègre son costume de cadre, chemise blanche en synthétique, cravate et pantalon noir ; l'attaché-case est resté sur la banquette arrière. Chacun file vers son bureau où il est envisageable qu'il ne se passera rien. Le bureau indien idéal est celui où il ne se passe jamais rien, particulièrement dans le secteur public ; le but des études supérieures en Inde est souvent d'atteindre au nirvana de la non-activité climatisée.

La parade à laquelle on vient d'assister était une réunion — supposée secrète — du Mouvement des volontaires nationaux (RSS), le vivier des militants de l'Hindutva ; l'homme qui occupe le poste de Premier ministre de l'Inde, au moment où j'écris, reconnaît en faire partie. On aura reconnu dans ces rites l'héritage de l'époque à laquelle le RSS fut fondé : au cours des années 30, dans toutes les nations, des idéologues ont tenté de faire la synthèse entre le grand air, la virilité, la force, la nation, l'État. En Europe, cela a conduit au fascisme ; en Inde, au BJP. D'Europe on veut croire, après que l'histoire officielle a été écrite, que tous les Indiens furent enthousiasmés par la résistance passive à la Gandhi ; ils le furent tout autant par des partisans du redressement national, de la violence et de la guerre contre les Britanniques. Il est d'ailleurs significatif que l'assassin de Gandhi, qui s'appelait Nathuram Godse, soit issu du RSS. On raconte qu'au jour de sa mort Gandhi se comporta comme s'il attendait son meurtrier. Celui-ci salua le Mahatma avant de tirer. Au cours de son procès, Godse expliqua son crime comme une protestation contre l'image féminine que Gandhi donnait de l'Inde et son manque de virilité face à la sécession pakistanaise. Godse reste un héros pour nombre d'Indiens. Il y a cinquante ans comme à ce jour, Gandhi, victime offerte, et Godse, meurtrier respectueux, apparaissent comme deux figures toujours possibles de l'Inde réelle.

Dans la parade du RSS, on aura repéré que la classe moyenne était notablement représentée ; d'où vient que celle-ci se reconnaisse maintenant dans l'Hindutva ? Son exposition à la mondialisation me semble en être la raison. Il est constant que, dans les civilisations conservatrices, déstabilisées par leur rencontre avec une autre nation qui paraît plus puissante, se constitue une sorte d'intelligentsia malheureuse et de « lumpen-classe moyenne », mal à l'aise entre le monde ancien et le défi nouveau. Cette génération prise en étau, on la retrouve dans la Russie prérévolutionnaire, dans l'Iran de Khomeyni, dans l'Algérie d'aujourd'hui. L'Hindutva serait alors, pour les classes exposées, la *solution indienne*, la synthèse entre l'univers de l'innocence perdue et ce qui s'appelle le progrès. Telle est du moins l'interprétation qu'en donne Sudhir Kakar.

Comment peut-on être psychanalyste freudien et indien ? Cette minorité-là existe aussi en Inde, fût-elle réduite à la seule personne de Sudhir Kakar. Partagé entre New Delhi et New York, comme beaucoup d'intellectuels indiens, ce grand érudit mène plusieurs vies parallèles : il est en même temps le célèbre auteur d'une biographie imaginaire du narrateur du *Kama-sutra*, un sociologue pertinent de la société indienne, un psychanalyste de cabinet à l'écoute des bourgeoises qui s'ennuient dans la capitale. Ces dames sur son canapé, copie conforme à New Delhi de celui de Freud à Vienne, financent à leur insu les recherches sociales et l'écriture de leur médecin des âmes : ce qui est une bonne manière de recycler l'argent souvent mal acquis de leur époux. Car, entre deux séances, c'est l'Inde que Sudhir Kakar allonge sur son canapé.

« Les Indiens mâles appartenant aux classes moyennes, me dit-il, parce qu'ils sont plus directement exposés aux valeurs occidentales, souffrent d'un trouble identitaire. Enfants, ils ont été choyés et protégés comme de jeunes princes par leur mère et leurs tantes adorantes ; leurs oncles et leurs grands-pères les ont bercés des mythes du *Maha-bharata*, leur donnant une très haute idée d'eux-mêmes et de leur civilisation. Mais, projetés dans la vie profession-nelle, ils se découvrent brusquement soumis à des normes fort peu indiennes d'exactitude et de rendement. » Dans l'Inde mondialisée, tous les critères de réussite sont importés d'Occident et les archétypes du bon comporte-ment ou de la consommation souhaitable sont tous calqués sur des feuilletons américains. Avec anxiété, les mâles indiens voient leurs femmes, leurs filles et leurs sœurs se réfugier dans des attitudes qui doivent plus au feuilleton télévisé américain *Beverly Hills* qu'au *Mahabharata*. Selon Kakar, les Indiens hindous en seraient autant affectés que les Indiens musulmans. En Occident, explique-t-il, on sous-estime la souffrance psychique et l'humiliation que provoque chez l'homme indien cette confrontation avec un Occident qui lui est systématiquement présenté comme supérieur ». Plus cet Occident est proche, plus il suscite, en retour, une adhésion à la solution de l'Hindutva. Ainsi, les Indiens résidant en Amérique du Nord et en Grande-Bretagne, étant les plus exposés et les plus déracinés, se révèlent les plus sensibles aux thèses nationalistes. À l'issue des élections de 1999, les candidats du BJP ont enlevé pour la première fois dans l'histoire tous les sièges de députés de New Delhi ; or, New Delhi est par excellence la cité des déracinés, cadres d'entreprise et bureaucrates de l'État qui sont le plus directement confrontés à la mondialisation. Ce qui confirme l'interprétation de Sudhir Kakar.

Pour nous Occidentaux, d'un naturel si arrogant envers les civilisations dominées, il est impossible de nous représenter ce que peut être la souffrance d'un Indien lorsqu'il s'entend répéter que sa civilisation est archaïque, qu'il est un sous-développé, que le développement de son pays est raté, son État un système voué à l'échec, son gouvernement un repaire de corrompus. Même si nous ne le disons pas ouvertement, c'est ce qui se déduit de notre comportement, et tel est bien le message en clair de la mondialisation du modèle américain. Cette amertume, les Indiens la gardent généralement pour eux ; il est fort rare qu'ils l'expriment dans une enceinte occidentale.

Une exception mérite d'être relevée, parce qu'elle a abasourdi les Indiens plus encore que les Américains : quand l'écrivain Arundathi Roy, auréolée du succès de son roman *Le Dieu des petits riens*, se rendit aux États-Unis en 1998, elle demanda, lors de sa première conférence, à la foule de ses lecteurs venus pour une séance de dédicaces : « Savez-vous à quel point vous êtes haïs en Inde ? » Arundathi Roy appartient à la lignée des écrivains indiens qui s'expriment en anglais mais qui ont renouvelé la langue en la métissant de néologismes et de tournures propres à l'Inde, à la manière dont Africains et Antillais ont enrichi la langue française. Salman Rushdie est la figure emblématique de cette école anglo-indienne dont Arundathi Roy se réclame pour l'écriture aussi bien que pour l'impertinence. Agressant son public américain, elle a passé pour une provocatrice, ce qu'elle était, mais ce qui évita à bon compte de débattre quant au fond de cette haine et d'envisager ses lointaines conséquences.

L'adhésion d'Indiens semi-occidentalisés à l'Hindutva peut donc être interprétée, ainsi que le propose Kakar, comme la reconstruction d'une identité collective se substituant à une identité personnelle blessée. On a avancé que les harangues des leaders du RSS étaient tissées d'allusions à la virilité retrouvée de l'Inde, à son glorieux passé, au redressement national ; la culture du corps, le culte de la bande, du groupe paraissent destinés à effacer l'humiliation qui peut être subie dans une vie professionnelle exposée à la mondialisation ainsi que dans la vie familiale menacée par l'émancipation des femmes. Mais, fouillant encore plus profond dans la psyché nationaliste, on ne peut exclure que l'Hindutva permette aussi à ses adhérents d'échapper à l'obligation de se comporter en individus libérés que semble imposer à chacun le progressisme occidental. Car tout le monde n'aspire pas à la liberté individuelle ; elle peut se révéler grisante pour certains, alors qu'elle paraîtra redoutable ou sans intérêt pour la majorité, tout spécialement dans l'ambiance culturelle indienne qui privilégie le groupe, la famille, la caste. On oublie — ou l'on veut souvent occulter, en Occident, du côté des libéraux — que, si le désir de liberté est un moteur de l'Histoire, le désir d'échapper à la liberté en est un autre, tout aussi puissant ; sans lui, les régimes totalitaires n'auraient probablement jamais vu le jour.

L'Hindutva comme solution au déracinement ? Elle apporte aussi une réponse religieuse aux classes moyennes déstabilisées. Celles-ci, en raison même de leur ascension sociale, se retrouvent le plus souvent éloignées du temple de famille et en réelle difficulté pour pratiquer leur culte. En effet, l'hindouisme n'est pas, comme le christianisme ou l'islam, fondé sur des lieux interchangeables ; il est la somme de pratiques locales. Que faire en ville ? Parmi tous les dieux du panthéon hindou, les idéologues de l'Hindutva sont convenus d'en promouvoir un, Ram, qui devient ainsi une sorte de divinité générique. C'est au cri de « Ram-Ram » que se déroulent le plus souvent les processions religieuses organisées par les militants de l'Hindutva. Celles-ci tournent parfois à l'affrontement avec des contre-manifestants musulmans, et il m'a été donné d'entendre que « Ram est plus fort qu'Allah » !

Comment se fait-il que Ram, qui est un dieu relativement secondaire et d'apparition récente dans l'hindouisme, auquel aucun temple majeur de l'Inde n'est consacré, ait acquis une telle stature ? La raison, me semble-t-il, en est que Ram est un dieu simple et commode ; il ne fait que le bien, il n'a pas d'états d'âme, il ne change pas de camp ni de sexe selon la mauvaise habitude des Shiva et consorts. Dans une idéologie qui ne cesse de proclamer la virilité de l'Inde, Ram est un dieu quasi sémite de par sa simplicité, tout à fait « à la hauteur » de Jéhovah ou d'Allah. Il est aussi constant, dans tout mouvement où la politique se mêle au sacré, que l'on finisse par mimer son adversaire ; l'Hindutva mime certains comportements américains tout en dénonçant les États-Unis, et il mime la simplicité islamique tout en réclamant l'abaissement des musulmans.

Comme toutes les idéologies intégristes, l'Hindutva est un bricolage qui permet de satisfaire des exigences contradictoires : un État viril, une Inde prospère, mais dans une société conservatrice. Les feuilletons télévisés produits pour la classe moyenne reflètent ces aspirations : on y consomme énormément, mais toujours au sein d'une famille patriarcale. Loin des inquiétudes gandhiennes, contrairement aux « progressistes » de gauche, les partisans de l'Hindutva n'exigent aucun renoncement matériel, ce qui sied à la nouvelle classe moyenne, très consumériste ; le BJP n'éprouve aucune aversion pour l'économie marchande, qui lui paraît matériellement plus efficace que l'économie planifiée par l'État. Persuadés de la neutralité culturelle des machines occidentales, les nationalistes, lorsqu'ils sont au pouvoir, sollicitent les investissements étrangers. S'ils font aussi exploser des bombes atomiques, c'est parce que l'arme nucléaire est, dans le monde contemporain, la forme supérieure de la virilité, ainsi que l'Occident en a apporté la démonstration.

Cette alliance de la bombe et du conservatisme, comme la Toyota carrossée en char d'Arjuna, n'est-elle pas aussi l'illusion constitutive de l'Hindutva, grosse de son échec futur ? Elle suppose une neutralité de la machine au regard de la civilisation, qui la sécrète et qu'elle sert et réciproquement. Or la machine paraît difficilement dissociable de la science et de la société qui ont conduit à son développement. Si l'Orient n'a récemment produit aucune technique qui se soit imposée comme universelle, n'est-ce pas parce que l'Occident est seul à réunir les conditions nécessaires à l'invention contemporaine de la machine ? Celles-ci s'appellent le rationalisme, la concurrence, l'individualisme créatif. Ces trois termes constituent comme une définition de la société occidentale « ouverte », par opposition à une société orientale « fermée » ; ils fondent une hiérarchie technique sans que l'on doive considérer celle-ci comme une hiérarchie de valeurs. « Orient » et « Occident » sont utilisés ici comme des catégories mentales autant que pour désigner des zones géographiques. Contrairement à ce que dit le discours de l'Hindutva, il est probable que l'introduction de la machine occidentale dans une société orientale en ébranlera les traditions. Ce que Gandhi avait anticipé avec clairvoyance.

La situation des femmes, à laquelle la doctrine de l'Hindutva ne fait pas allusion, est particulièrement perturbée par l'avènement de la machine. Dès qu'elles travaillent en usine, les femmes utilisent les transports en commun et regardent la télévision ; il devient alors difficile de les cloîtrer dans la soumission que leurs pères, frères et maris appellent la « morale hindoue ». Il est par conséquent douteux que les nationalistes indiens réussiront simultanément à faire travailler les femmes au nom du développement économique tout en les réduisant au silence de leur condition au nom de la culture hindoue. Cette difficulté à concevoir la situation des femmes dans une société qui serait à la fois techniquement avancée et moralement conservatrice est certainement la faille secrète du raisonnement intégriste dans toutes les sociétés de type oriental. On peut imaginer que l'Hindutva se brisera sur cet écueil de la même manière qu'en Algérie et en Iran l'islamisme est miné par les femmes.

Quelle place pour les femmes dans l'Hindutva ? ai-je demandé à l'idéologue en chef du BJP, K. R. Malkani.

J'ai connu Malkani loin du pouvoir, au début des années 80. Journaliste désargenté, habitant un galetas de la banlieue de New Delhi, pamphlétaire au service du RSS, en guerre contre la « passivité » des gandhiens et la laïcité des nehruviens, c'était un marginal que le progrès ou le sens de l'Histoire auraient dû balayer. Si l'un et l'autre avaient existé... À cette époque, aucun Occidental n'attachait la moindre importance à ce fondamentalisme hindou ; il fallait croire que cette aberration céderait devant le Progrès et les Lumières. La gauche indienne ne raisonnait pas autrement.

J'ai retrouvé Malkani en 1999, élégant sénateur aux cheveux argent, dans un de ces bungalows à colonnades

des quartiers ombragés de New Delhi où logeaient naguère les administrateurs britanniques. Nous étions en juin, en début de matinée, la température dépassait déjà 40 °C, le pire viendrait dans les heures à venir ; je choisis de m'asseoir dans l'axe du climatiseur et au plus près de lui. On nous apporta des boissons fraîches, puis du thé et des gâteaux. Je prenais des notes tandis que Malkani parlait d'abondance. Le salon dans lequel nous conversions était vide, comme si mon interlocuteur, malgré sa promotion sociale, conservait une certaine ascèse toute brahmanique. Je m'étonnai qu'une photo de Gandhi fût suspendue au mur. Malkani répliqua qu'il admirait, chez Gandhi, « sa capacité de mobiliser les Indiens » ; il appréciait en somme le politicien, mais pas le messager. Dix ans auparavant, le même Malkani m'avait expliqué que le Mahatma n'avait dû sa carrière qu'aux faibles femmes ; je l'avais noté, lui-même l'avait oublié. La récupération de Gandhi par Malkani me fit penser à Charles Maurras, autre nationaliste qui se déclarait « catholique, mais pas chrétien ». L'invention de la tradition suit partout la même recette, en Inde ou en France : on emprunte à tous, on taille, on garde les formes, on jette la substance, on élimine la complexité et la diversité pour forcer à l'unité comme on « force » les plantes.

Les femmes dans l'Hindutva, donc.

« Dans aucune société au monde, m'a répondu Malkani, les femmes ne vivent dans une sécurité aussi confortable qu'en Inde : femmes et filles, elles sont protégées par leur père et, épouses, par leur mari. » Qu'elles puissent se sentir opprimées, éprouver un désir de liberté, il en écarte l'idée comme une « fantaisie américaine », de « mauvaises manières » qu'il convient de « corriger ».

« Mais il y a en Inde des mouvements féministes ! me permets-je d'objecter.

— Ce sont des Américaines qui veulent plaquer des normes étrangères sur la culture indienne. »

En entrant dans la demeure de Malkani, n'ai-je pas constaté que sa propre épouse et sa fille, dans une pièce contiguë, regardaient, au beau milieu de la matinée, un feuilleton américain à la télévision indienne ?

Il esquive : « Nous regardons beaucoup les émissions américaines, mais c'est le spectacle de cette société malade qui fascine les Indiens. Certains aspirent au consumérisme américain, mais, Dieu merci, notre pauvreté nous en protège ! »

L'essentiel des propos de Malkani ne fut cependant pas consacré ce jour-là aux femmes ; le sujet l'intéressait peu. L'ennemi héréditaire de l'Inde l'occupait bien davantage.

« Il est bien difficile de vivre avec des musulmans chez soi, n'est-ce pas ? » Malkani, en changeant de cap, essayait, par un rapprochement osé avec la France, de m'attirer dans son camp. J'observai qu'en Inde les musulmans ne représentent que 10 % de la population, dispersés sur un immense territoire.

« Oui, mais ils font beaucoup d'enfants pour submerger les hindous », répliqua Malkani. On connaît cet argument ; le discours de l'exclusion est remarquablement conventionnel d'une civilisation à l'autre. Les musulmans n'étaient-ils pas, avec les intouchables, les plus misérables des Indiens ? Depuis que leurs élites sont parties au Pakistan et au Bangladesh, ils sont restés sans leaders et sans bourgeoisie.

« Ils nous ont dominés par le passé, rétorque Malkani ; ils ne songent qu'à reprendre le pouvoir en s'appuyant sur le Pakistan. »

Mais cette domination a cessé dès le XVIIIe siècle. Et le Pakistan implose ; les nations qui le composent ne souhaitent que recouvrer leur indépendance. C'est un nain à côté de l'Inde, à telle enseigne que l'on s'interroge sur le besoin qu'a celui-ci d'un armement nucléaire. Peut-être la fonction de celui-ci est-elle d'astreindre les Indiens à respecter leur État autant que d'effrayer les Pakistanais ? Comme l'armée pakistanaise dispose de sa propre bombe, les deux gouvernements ne sont-ils pas complices, disposés à mourir l'un et l'autre jusqu'au dernier Indien et au dernier Pakistanais irradiés ? Telle est l'hypothèse osée d'Arundathi Roy, qui n'en recèle pas moins une part de vérité profonde.

« Les hindous sont tolérants, dit Malkani. Nous n'avons aucune difficulté à accueillir les étrangers. »

J'observe que, les musulmans étant en Inde depuis plus de mille ans, on peut considérer qu'ils ne sont pas étrangers mais aussi chez eux. « À partir de combien de siècles est-on chez soi en Inde ?

— Ce sont des fanatiques », me répond Malkani.

Tout musulman n'est-il pas un fanatique aux yeux de l'anti-islamiste ? On a beau répéter que le monde serait gravement menacé par l'islamisme, l'Internationale non déclarée de l'anti-islamisme me semble plus influente encore.

« Ils ne respectent pas les coutumes hindoues ! » proteste mon interlocuteur ! Ce qui, décodé, signifie que les musulmans mangent de la vache. « La plupart des musulmans, ajoute-t-il, sont des hindous convertis. » En d'autres termes, des renégats.

On aura reconnu ici l'argument qu'utilisent les Serbes contre les Bosniaques musulmans, de manière à justifier leurs exactions, comme si toute religion, y compris hindoue, ne résultait pas d'un proche ou lointain mouvement de conversion.

La haine des musulmans est-elle un élément constitutif de l'Hindutva ou doit-elle s'expliquer par des raisons personnelles plus que doctrinales ?

Malkani est un réfugié. Au moment de la partition de l'Inde, en 1947, il a dû fuir son pays d'origine, le Sind, qui se trouve maintenant au Pakistan. Sa famille a tout perdu. Il y eut des massacres des deux côtés ; nul ne quitte volontiers sa terre, qu'il fût hindou, musulman ou sikh. Qui fut responsable du partage et des échanges de populations qui s'ensuivirent ? Certainement pas les habitants qui en furent victimes. Il semble que les dirigeants de l'époque estimaient tous qu'ils profiteraient de ce Pakistan superflu : les Britanniques qui divisaient à nouveau pour régner ; les politiciens musulmans qui se taillaient un fief ; les politiciens hindous s'assurant ainsi de la majorité chez eux. Malkani ne saurait donc tenir pour coupables ou suspects les musulmans qui sont restés chez eux, en Inde ; au cours de quatre conflits militaires intervenus depuis 1947 entre l'Inde et le Pakistan, ces musulmans indiens ont soutenu sans faillir leur république contre la dictature pakistanaise, fût-elle musulmane. Si l'on peut comprendre l'anti-islamisme de Malkani, il n'en devient pas légitime pour autant ; et la raison pure n'explique pas non plus pourquoi des Indiens plus jeunes ou d'ailleurs, qui ne sont jamais entrés en conflit avec des musulmans, partagent l'hostilité de l'Hindutva à leur endroit.

Avant d'avoir franchi ce seuil, j'avais tenté de rendre compte de l'Hindutva en laissant de côté la diabolisation des musulmans. Étais-je trop indulgent en m'évertuant à distinguer dans l'Hindutva le modernisme conservateur et l'archaïsme belliqueux ? Ou trop naïf ? Il semble qu'en aucun temps il n'existe nulle part un nationalisme à l'état pur, si l'on peut dire, qui ne se définisse pas contre un bouc émissaire. Au-delà du nationalisme, toutes les idéologies ne fonctionnent-elles pas d'ailleurs selon ce mode ? Toutes se fortifient en s'opposant à un ennemi de classe ou de race : le bourgeois dans le communisme, le Juif dans le nazisme, le métèque dans le fascisme, l'intellectuel dans le maoïsme, et le musulman dans l'Hindutva.

On doit donc envisager que le musulman de l'Inde est désigné par l'Hindutva comme ennemi non parce qu'il constitue une menace réelle, mais précisément parce que celle-ci est irréelle.

Le musulman a tout du bouc émissaire ; il en remplit toutes les conditions. Ainsi est-il décisif que le bouc émissaire soit proche plutôt que lointain, de manière à astreindre en permanence les militants à une mobilisation psychique : pour l'Hindutva, le musulman ne risque-t-il pas, si l'on n'y veillait, de violer une hindoue ou de tuer une vache ? Voilà deux crimes fantasmatiques, dépourvus de substance, dont les ultra-hindouistes soupçonnent volontiers les musulmans. Autre trait du bouc émissaire : le musulman est si faible qu'il ne risque pas de l'emporter dans une lutte ouverte contre les hindous. Lorsque surviennent des émeutes urbaines, il est rare que les musulmans recourent à des armes plus dangereuses que le gourdin ou le couteau. Enfin, le bouc émissaire ressemble à l'hindou ; il est très difficile à repérer, puisqu'il appartient aux mêmes ethnies que n'importe quel autre Indien. Sudhir Kakar nous rapporte que, lors des émeutes urbaines dans les grandes agglomérations de l'Inde, les militants de l'Hindutva frappent sur la tête leurs adversaires présumés afin de provoquer chez eux un cri primal ; selon que la victime invoque spontanément Ram ou Allah, on saura à qui l'on a affaire et l'on pourra éventuellement le trucider. Pareillement, dans l'Allemagne nazie, les Juifs ressemblaient aux Allemands et les Bosniaques en Yougoslavie ne se distinguent pas des Serbes ; on ne redoute que celui qui vous ressemble. Tout se passe donc, en Inde aussi, comme s'il était indispensable que la menace musulmane soit mythique pour être crédible.

3.

Les deux islam

Farida est si bien enveloppée dans un châle de coton de couleur beige et unie qu'elle semble n'avoir pas de visage. Quand elle me parle, j'aperçois à peine le bout de son nez. Lorsqu'elle se déplace ou lorsque, plus tard, nous écouterons ensemble des cantiques, je l'observerai de profil, à la dérobée. Elle doit avoir trente ans, bien qu'elle adopte des manières de femme plus mûre. Sa parfaite maîtrise de l'anglais trahit ses origines sociales élevées et son éducation supérieure. Son prénom révèle bien entendu qu'elle est musulmane.

C'est en me perdant dans les ruelles de la cité de Nizamuddin, proche du vieux Delhi, que j'ai rencontré Farida ; elle me remit sur le chemin qui conduit, au travers d'un dédale, jusqu'à la tombe de Nizamuddin, l'un des plus grands saints musulmans de l'Inde, inhumé ici en 1325 ; la cité a adopté son nom. On se perd aisément dans ces lieux que l'urbanisation anarchique a englobés, dans les faubourgs de la capitale. Nizamuddin est cependant restée telle qu'elle existe certainement depuis des siècles : une forteresse repliée sur elle-même, un désordre d'échoppes, d'immeubles branlants aux escaliers très raides, de mosquées, de tombeaux et aussi d'étables pour les chèvres et les buffles. Les animaux, que les bouchers égorgent à même les trottoirs, nous disent que nous sommes chez les musulmans ; mais, alentour, des étals de fleurs de moutarde et des marchands d'offrandes nous rappellent que nous sommes bien en Inde.

Pour gagner le mausolée du grand saint qui se trouve inhumé sous une coupole de marbre blanc au centre d'une cour pavée, il faut enjamber beaucoup d'autres tombes de saints mineurs. Peintes en vert sombre, couleur de l'islam, elles sont dispersées au long des ruelles, voire en leur milieu. Le quartier tout entier est un vaste cimetière où les vivants se plaisent à fréquenter les morts ; depuis leur au-delà, ceux-ci dispensent comme des effluves de sainteté. Mais Nizamuddin est aussi un quartier joyeux qui vibre d'activités et déborde de musique ; de tous les lieux profanes et sacrés, des mosquées, des logis et des échoppes, s'élèvent les hymnes à Allah qu'entonnent à pleine voix les dévots qui s'accompagnent à l'harmonium, ou que produisent plus modestement des postes de radio et des marchands de cassettes.

Comme il n'est pas si commun que des Européens s'aventurent ici, Farida s'offrit spontanément comme guide : un guide spirituel et pas touristique, car Niza-muddin, ville musulmane en Inde, est un lieu sacré. Elle-même y vient pour pratiquer ses dévotions et rencontrer son directeur de conscience — appelons-le ainsi pour l'instant. Lorsqu'elle était étudiante en sociologie à l'université de Delhi, elle suivait, me dit-elle, l'enseignement d'un gourou hindou, bien qu'elle fût musulmane ; un chevau-chement des frontières religieuses qui n'a rien d'inhabituel en Inde. Mais ce gourou, plus porté sur les exercices de yoga que sur la méditation, ne satisfaisait pas pleinement ses aspirations religieuses. C'est alors, vers la fin de ses études, que la renommée d'un grand *pir* de Nizamuddin lui parvint (un *pir* est l'équivalent du gourou hindou, mais il est musulman et le mot est d'origine persane au lieu d'être sanskrit) ; en français, nous dirions « guide spirituel », mais un guide qui serait doté de pouvoirs psychiques exception-nels, et susceptible de réaliser des miracles quand ceux-ci se révèlent nécessaires à son enseignement. Cinq années de suite, Farida se rendit régulièrement pour prier et méditer sur la tombe du saint Nizamuddin tout en observant à la dérobée ce *pir* qui siégeait là au milieu de ses disciples. Assis en tailleur auprès du mausolée, il dispensait ses conseils à tous ceux qui l'abordaient avec une extrême révérence ; chacun aussi laissait à ses pieds, ou entre les mains d'un factotum, quelques roupies. Cet argent est supposé contribuer à l'entretien des mausolées, aux œuvres charitables du *pir*, ainsi qu'à ses besoins personnels que ses ennemis jugent considérables...

Pendant ces cinq années, Farida n'osa pas s'adresser au *pir*, mais lui avait remarqué son manège. Enfin, elle prit sur elle : « Maître, demanda-t-elle, puis-je devenir votre disciple ? » Le *pir* ne fut pas courtois. « Allez écouter les *qawwals*, lui répondit-il, et revenez me voir après ! » Le *qawwal*, terme d'origine arabe, est celui qui fait passer le « message » ; son chant est un *qawwali*. Ces *qawwalis* sont si populaires en Inde qu'outre leur fonction cultuelle ils servent maintenant à Bombay de musiques de films. Il existe des *qawwals* fort célèbres qui se produisent sur les scènes du monde entier, mais pas à Nizamuddin ; ici, les chanteurs sont des dévots qui s'accompagnent d'un petit harmonium à soufflet et d'un tambour pour en appeler au saint et à Allah sur des vers en hindi, en ourdou et en persan. Ils vivent difficilement, au jour le jour, des aumônes des fidèles.

Farida, qui jusque-là n'avait écouté ces chanteurs que distraitement, leur prêta une attention plus soutenue. Elle comprit que cette musique était plus que de la musique, et ces *qawwalis* plus que de la poésie ; le *qawwal* est un passeur vers le saint Nizamuddin et, au-delà du saint, vers Dieu. Elle se laissa saisir par la transe et fut transportée jusqu'à l'anéantissement de toute sensation ; elle aperçut Dieu et fut absorbée en Lui. « Depuis ce jour où Dieu S'est révélé, dit-elle, ma vie a été transformée. » C'est ainsi qu'elle devint une adepte du soufisme, ce courant de l'islam que l'on appelle « mystique », comme s'il en existait d'autres qui ignoraient la grâce divine.

Après notre première rencontre, j'accompagnai souvent Farida pour écouter les musiciens soufis ; elle traduisait les versets à mon intention.

> *Que le monde entier bénisse le Seigneur, que l'humanité loue sa Divinité.*
> *On peut chercher Dieu à La Mecque, ou Le trouver plus près d'ici, à Bénarès.*
> *Moi, j'ai rencontré mon Bien-Aimé, et je me prosterne devant Lui...*

Ce texte, attribué à Nizamuddin lui-même, composé au XIVe siècle en hindi, soulève l'allégresse des fidèles qui, en extase, lèvent les bras vers le ciel en répétant le nom d'Allah. Dans ces moments, j'observai Farida de profil, qui se confondait avec la musique, sinon avec l'Ineffable. J'étais moins hypnotisé qu'elle ne pouvait l'être, mais il m'était difficile de rester totalement insensible au rythme des *qawwals*. Peu à peu, le rythme de mon cœur s'accélérait pour s'accorder avec celui du tambour. Le mausolée de Nizamuddin devenait comme un enclos coupé du monde et du temps par ces chants — un *paradis*, en somme, puisque ce mot, en persan, désigne un jardin clos.

> *Les cordes chantent, le bois vibre, les tambours résonnent.*
> *D'où provient la voix du Bien-Aimé ?*
> *Ni des cordes, ni du bois, ni du tambour.*
> *C'est de Lui-même que provient la voix du Bien-Aimé,*
> dit un quatrain de Roumi.

Farida convint que j'étais assez préparé pour rencontrer Momin, son *pir*.

Pour notre premier entretien, il me fut difficile de me concentrer sur les propos du *pir* ; j'étais fasciné par sa coiffure. Il portait au sommet du crâne une sorte de chapeau pointu en soie brochée d'un jaune éclatant. En fait, chaque *pir* se repère ainsi par une couleur, un vêtement, une coiffure, et les adeptes de sa confrérie arborent les mêmes signes de reconnaissance. Pour me démontrer son importance et sa légitimité, Momin produisit une photocopie de l'arbre généalogique de sa confrérie ; celle-ci remontait à Ali, le gendre de Mahomet.

Le choix d'Ali pour ancêtre mérite que l'on s'y arrête ; de tous les califes, celui-ci fut le plus pacifique. Ali ne croyait pas aux vertus du sabre pour étendre l'islam, et il ne livra jamais, dit la tradition musulmane, que des combats défensifs. On est donc *pir* de père en fils ? La filiation ne suffit pas. Il faut aussi, dit Momin, faire preuve de sagesse et de savoir. Convient-il également de faire des miracles ? Le *pir* parut embarrassé par mon interrogation. « Mon père faisait des miracles », répondit-il. J'insistai. « Il m'arrive aussi d'en faire, mais quand c'est absolument nécessaire... Le miracle, précisa-t-il, n'est qu'une manière parmi d'autres d'enseigner la sagesse », mais elle n'est en rien prioritaire. « Qu'attendent de vous les disciples ? demandai-je au *pir*.

— Cela va du conseil pratique et immédiat à l'enseignement métaphysique. » En fait, il s'avoua débordé. Il fallait qu'il gère le mausolée du saint, les musiciens, les œuvres de charité. Et, comme tous les grands *pirs* et grands gourous hindous, il voyageait incessamment ; il comptait des disciples dans toute l'Inde et aussi en Grande-Bretagne et aux États-Unis. Je constatai qu'autour de lui s'accumulaient des monceaux de courrier venu du monde entier, et des chèques.

Malgré ces contraintes, il ne saurait s'éloigner trop longtemps du tombeau dont il est l'un des gardiens ; c'est du saint et du lieu où il repose qu'irradie le pouvoir spirituel du *pir*. Il se trouve parfois des *pirs* autoproclamés qui surgissent du néant, mais, en principe, c'est par héritage que l'on devient un médiateur entre les disciples et un saint. Le saint, à son tour, est un médiateur entre le monde d'en bas et celui d'en haut, comme le fut Mahomet vers Allah, en une longue chaîne mystique ininterrompue. J'interroge Momin sur la fonction du Coran. « Tout en dérive », réplique-t-il. Le sujet est sensible : « Les soufis, m'assure-t-il, sont de bons musulmans et de vrais musulmans. » Outre leur dévotion envers les saints et les *pirs*, ils respectent toutes les prescriptions musulmanes et ne manquent jamais de réciter leurs cinq prières quotidiennes.

Le Coran n'interdit-il pas le chant, la musique et les libations ? Les soufis me semblent bien portés sur les trois ! En vérité, on trouve dans le Coran tout et son contraire, comme dans la Bible : Momin a vite fait d'isoler à mon intention les quelques versets où il est dit que le Prophète est « accueilli par les femmes avec des chants d'allégresse ». Il n'est cependant pas nécessaire d'être musulman, m'explique-t-on, pour se reconnaître dans le soufisme. « Bien des hindous viennent me consulter, dit-il, et quelques chrétiens ; ils font confiance au saint et déposent des offrandes sur le tombeau de Nizamuddin. » Ce que j'ai constaté. En contrepartie, les soufis participent sans réticence aux grandes fêtes hindoues, « à condition qu'elles ne versent pas dans l'idolâtrie », précise Momin. La frontière entre le monothéisme louable et l'idolâtrie haïssable est quelquefois imperceptible, il en convient. Puis il se confie : « Vous savez, les religions ne servent à rien ; ce qui compte, c'est Dieu ; les religions, on peut s'en passer. » Pour être soufi, il suffit donc de croire au monothéisme, à la résurrection et au Jugement dernier. Farida, qui assiste à l'entretien, approuve. Mais c'est un secret entre grands initiés qui communiquent directement avec Dieu ; pour les autres musulmans soufis, la médiation par les saints et les cultes reste indispensable. « Un soufi peut se passer de la religion, mais pas de la musique, précise le *pir*. Le *qawwali* est la substance du soufisme. » Sans la musique, la possession divine serait hors d'atteinte à de simples humains ; mais, par la musique, on « voit » Dieu.

J'entraînai Momin sur un terrain plus politique : l'Hindutva conduirait-elle l'Inde vers la guerre civile ? Musulmans et hindous continueront-ils à cohabiter dans l'harmonie ? Le *pir* balaya l'Hindutva comme on chasserait une mouche ; ce n'était qu'un moment dans l'histoire politique de l'Inde. Son véritable adversaire n'était guère l'hindouisme, même excessif. Infiniment plus sérieuse lui paraissait la menace des orthodoxes musulmans : celle-ci était immédiate.

Nizamuddin, cité musulmane de l'Inde, est donc coupée en deux. Elle ne l'est pas par les hindous, mais par une frontière plus douloureuse entre les musulmans eux-mêmes. D'un côté, il y a les soufis qui, depuis toujours, ont dominé l'islam en Inde, et soudain ont surgi, de l'autre, ces « fondamentalistes » venus d'on ne sait où ; ils se réclament de l'orthodoxie, mais, pour Momin, ce ne sont que des hérétiques.

Je les avais repérés sur le chemin du mausolée, tout de blanc vêtus. Des hommes, seulement, à la longue barbe broussailleuse, véhéments et agglutinés autour de leur mosquée toute neuve. Chez eux, pas de couleurs, pas de femmes, surtout pas de chants ni de musique ; de leur mosquée, on n'entend que la récitation du Coran à pleine voix et, du minaret, l'appel du muezzin. Chez ces orthodoxes, l'Inde paraît lointaine, et l'Arabie voisine.

« Ils récitent le Coran, commente Momin, mais ils ne comprennent pas ce qu'ils disent. Ils sont payés par l'Arabie Saoudite et les États du Golfe ; ils veulent nous faire croire qu'eux sont les véritables musulmans, mais ils ne font que mimer des coutumes arabes qui n'ont rien à voir avec l'islam. Malheureusement, ils ont de grands moyens et ils sont mieux organisés que les soufis. Nous, de tradition, nous attendons que les disciples viennent à nous ; eux font du prosélytisme actif, ils recrutent et fanatisent de jeunes musulmans désorientés. »

Ce fondamentalisme musulman paraît donc en partie symétrique de l'Hindutva ; il obéit aux mêmes ressorts psychiques chez des hommes déstabilisés par les temps modernes. Momin a tenté initialement de discuter avec ces orthodoxes, en vain : « Ils habitent, dit-il, une maison sans portes et sans fenêtres qu'ils appellent l'islam. » Les deux communautés ne s'affrontent pas, mais chacune vit sur son territoire : les orthodoxes gravitent autour de leur mosquée, les soufis autour de leurs mausolées ; pour les étrangers, la frontière est invisible, mais, dans le quartier, nul ne la transgresse. Je m'attendais à trouver Nizamuddin, telle une forteresse musulmane battue par l'océan de l'Hindutva, et je la découvre assiégée de l'intérieur par un parti islamiste.

« L'islamisme est une invention politique des Occidentaux, accuse le *pir*. Vous avez créé un monstre et vous ne savez plus comment le faire rentrer dans sa boîte. » J'avais déjà entendu ce propos dans le monde musulman, sans trop y prêter attention ; en Orient, on aime dénoncer les complots occidentaux. Mais, à la réflexion, l'accusation me paraît fondée. Parmi toutes les versions possibles de l'islam, les Occidentaux n'ont cessé de privilégier les fondamentalistes, ne serait-ce que pour les diaboliser, alors même qu'ils sont minoritaires dans le monde musulman. En revanche, nous ignorons volontiers les soufis ou nous les traitons comme d'aimables poètes, danseurs et musiciens, alors qu'ils sont majoritaires. Entre tous ces courants, qui sont les véritables musulmans ? Où est l'islam authentique, et qui peut répondre ? Si le nombre fait foi, de fait, les plus grandes communautés musulmanes au monde sont javanaises et indiennes ; or la grande majorité de ces musulmans javanais ou indiens ne pratique pas un islam littéral, qui serait fondé sur la stricte récitation du Coran. Dans ces communautés, plus considérables que tout le monde arabe, le culte des saints et de leurs mausolées, le recours au chant et à la musique ne sont pas marginaux, mais dominants. Bien qu'il soit impossible de dénombrer les soufis, certaines obédiences étant de surcroît secrètes, il est envisageable qu'ils représentent au moins la moitié du milliard de musulmans. Ces soufis étant très dispersés en raison même de leur pratique, enracinés en un lieu et organisés autour de la tombe d'un saint ou d'un maître, parler d'un islam au singulier devient donc une gageure. N'est-ce pas même une imposture à laquelle les Occidentaux adhèrent contre l'évidence ? Allons plus loin encore dans cet examen : n'est-ce pas le terme même d'islam qui serait source de confusion ?

Jusqu'au XVIIIe siècle, l'on disait en Europe mahométan ou musulman. C'est au début du XIXe siècle que, dans un souci de classification propre aux orientalistes britanniques, a surgi le concept englobant d'islam, en même temps que celui d'hindouisme, de manière que chaque peuple colonisé soit proprement rangé dans une case, sur le modèle du christianisme ; or le terme d'islam apparaît rarement dans le Coran, et il était auparavant cantonné dans un rôle d'adjectif, comme dans la civilisation « islamique ». S'il devint soudain le nom de la religion elle-même tout en se proposant de l'unifier, ce choix fut-il innocent ? On peut en douter. « Islam », qui signifie « soumission à Dieu », oriente la représentation que l'on se fera en Occident des musulmans : ne seraient-ils pas des êtres soumis et, par suite, dénués du sens de la liberté individuelle ? C'est ce qu'implique le terme ; il occulte le fait que l'islam est en vérité une religion du salut individuel où chacun est rétribué dans l'au-delà en fonction de ses actes personnels. Le musulman, s'il est « soumis », est un individu libre tout autant que peut l'être un chrétien ; c'est une vérité que l'on ne désire point trop connaître en Occident, où l'on préfère le stéréotype de la soumission qui a justifié naguère la colonisation et, plus récemment, la xénophobie. Que des musulmans aient repris à leur compte le terme d'« islam », comme les hindous pour eux-mêmes, ne témoigne que de l'aliénation de certains colonisés aux colonisateurs, jusque dans le regard qu'ils portent sur eux-mêmes.

C'est aussi avec condescendance que l'on mesure d'ordinaire le soufisme en Occident ; on en retient volontiers les aspects les plus légers et exportables, sa musique et ses derviches. Mais on ignore combien musique et cantiques sont au cœur d'une pratique mystique essentielle au monde musulman et qui va en se développant. En Asie centrale, depuis la disparition de l'Union soviétique, les confréries soufies renaissent ; en Afrique et en Asie, elles profitent allègrement des nouveaux moyens de communication ; les sermons des grands maîtres, les *qawwalis*, sont diffusés par cassettes et vidéos, et des sites Web sont maintenant consacrés au soufisme. Mais, en Occident, on ne veut connaître que l'islam arabe sans comprendre à quel point il est avant tout arabe et ne résume en rien l'islam. Et, au sein de cet islam arabe, on ne veut voir que le fondamentalisme, si bien qu'au terme de toutes ces réductions l'islam, dans le regard occidental, devient l'équivalent du fondamentalisme arabe.

Pourquoi n'est-ce pas le soufisme qui incarne l'islam dans le regard de l'Occident ? Il est plus légitime et représente un plus grand nombre de musulmans que les fondamentalistes, partout minoritaires ou aux effectifs artificiellement gonflés par la politique. L'intérêt que l'on accorde en Occident aux fondamentalistes arabes tiendrait-il à leur puissance financière, à leur pétrole, à leur maîtrise des médias, à leur capacité d'organisation, ainsi que l'observe Momin ? Pas seulement. L'assimilation de l'islam au singulier et du fondamentalisme, également au singulier, me paraît le résultat d'une alliance entre arrière-pensées. Arrière-pensées des Occidentaux en quête d'ennemi, arrière-pensées des gouvernements prétendument progressistes de certains pays musulmans, et arrière-pensées des fondamentalistes en quête de pouvoir. Ces forces politiques, et non pas religieuses, partagent, pour des raisons contradictoires, un intérêt commun à « réduire » l'islam pour nier son infinie diversité et ses courants mystiques.

Pour les fondamentalistes, le soufisme, parce qu'il est dispersé entre des milliers de confréries, nuit à la constitution d'un mouvement islamiste à prétention universaliste ; depuis leur apparition en Arabie, à la fin du XIXe siècle, les fondamentalistes ont donc toujours bataillé contre les soufis. De leur côté, les gouvernements dits progressistes en Égypte, en Algérie ou en Tunisie sont devenus les alliés objectifs des fondamentalistes qu'ils prétendent combattre ; ils se posent en rempart contre leur influence, ils en surestiment la menace de manière à asseoir leur propre autorité. De leur côté, les islamistes, parce qu'ils sont minoritaires, ont un besoin évident de ces anti-islamistes pour exister. Mais nul n'est un meilleur agent des fondamentalistes, un allié plus objectif que les gouvernements occidentaux.

C'est avant tout en Occident que l'on entretient le mythe du « milliard de musulmans » qui pèserait comme une épouvantable menace sur la civilisation moderne ; on en fait des livres, de la géopolitique et des programmes d'armement. Cette paranoïa occidentale est parvenue à asseoir le mythe de l'islam qui serait un, universel, dangereux et intolérant. Le gouvernement des États-Unis est devenu le centre d'une véritable Internationale de la résistance au fondamentalisme ; des États-Unis surgissent des slogans et des brûlots anti-islamistes comme *Le Choc des civilisations*, de Samuel Huntington, un ouvrage qui mérite un traitement particulier tant il est révélateur de l'air du temps.

Paru en 1996, abondamment traduit, soutenu par la puissance de feu culturelle des Américains, ce livre sert depuis sa publication d'étrange référence à la futurologie. Au prix de nombreuses approximations factuelles, il annonce une nouvelle organisation du monde qui serait fondée non plus sur les blocs ou les idéologies, mais sur les « civilisations », sans que l'auteur définisse jamais le contenu de ce terme flou. Il ressortirait de ce nouveau partage que la civilisation occidentale, dont la capitale serait Washington, devrait inéluctablement affronter une civilisation islamique nécessairement hostile. Aucune précision n'est apportée sur la substance de cette civilisation islamique ; il n'est nulle part envisagé que les musulmans seraient plus divisés par les civilisations qu'ils ne sont unis par leur religion ni que celle-ci soit au surplus très diversifiée. Le fait que la plupart des conflits récents aient opposé des nations musulmanes entre elles et non aux Occidentaux n'ébranle pas davantage la thèse de Huntington ni de ceux qui en discutent comme s'il s'agissait d'un ouvrage sérieux, sous prétexte qu'il est signé par un professeur de l'université de Harvard. En vérité, ce texte est un bréviaire de la haine qui apporte une caution intellectuelle au projet islamiste autant qu'à l'obscurantisme anti-islamiste ; *Le Choc des civilisations* est devenu à l'anti-islamisme ce que le *Protocole des sages de Sion* fut au siècle passé pour les antisémites : la pseudo-légitimation d'une extermination désirée. Heureusement, il y a l'Inde.

La rencontre avec les musulmans de l'Inde devrait ramener les Occidentaux à la raison et à la vérité pour ceux qu'elle intéresse ; les soufis pourraient désintoxiquer l'Occident de cette paranoïa anti-islamique qui a pris chez nous le relais de l'antisémitisme. Que nous dit l'Inde sur l'islam ? Elle nous enseigne que l'islam au singulier n'existe pas ; l'islam n'est pas un uniforme qui s'étendrait du Maroc à Java. Tout musulman est en pratique un métis, à la fois musulman et membre d'une civilisation. Musulman et arabe, musulman et indien, ce n'est pas la même chose. Les soufis de l'Inde, tout particulièrement, illustrent à quel point un musulman tend à se fondre dans la culture où il vit, à l'inverse des mythes régnant en Occident sur son caractère inassimilable. L'Inde illustre le fait que les musulmans sont d'autant plus assimilables qu'il n'est pas compliqué de se tourner vers La Mecque pour prier ; ce n'est contradictoire avec aucune civilisation et ne perturbe personne. Comme une démonstration a contrario, il suffit de regarder le Pakistan.

Le Pakistan ne devrait-il pas incarner le rêve des fondamentalistes ? Dans l'histoire contemporaine, il s'agit du premier État moderne dont la religion musulmane soit le seul ciment. Or ce démembrement de l'Inde prouve qu'il est impossible de fonder une nation sur l'islam seul : les cultures constitutives du Pakistan tirent à hue et à dia, et chaque peuple, les Pathans, les Baloutches, les Sindhis, les Pendjabis du Pakistan, ne souhaite que recouvrer son autonomie. Seule une dictature militaire maintient l'unité factice d'un Pakistan islamique contre l'évidence de son implosion.

Les musulmans de l'Inde abattent un autre stéréotype, celui d'un islam qui serait incompatible avec un État laïque, voire avec la démocratie ; or aucun musulman indien ne renoncerait à sa participation à la démocratie indienne, et il est évident que l'allégeance des musulmans envers l'Inde plus qu'envers le Pakistan tient aussi au caractère démocratique de la première.

Ici, il me revient une anecdote qui illustre combien il n'est pas trop difficile d'être musulman en Inde, même en ces temps d'Hindutva. Il m'avait été donné de rencontrer à Pondichéry le *quadi* des musulmans, qui est une sorte de magistrat traditionnel au sein de sa communauté. Ancien militaire français, il avait vécu quelques années à Marseille avant de s'en retourner définitivement en Inde. « En

France, me dit-il, il fallait sans cesse que j'explique pourquoi j'étais différent dans mes habitudes alimentaires ou ma manière de m'habiller. En Inde, la différence est la norme ; personne ne vous demande donc jamais rien, et chacun vit à sa guise. »

Niera-t-on qu'il se produit en Inde des affrontements communautaires entre hindous et musulmans ? On serait tenté de le nier, tant ces événements sont rares ; lorsqu'ils surviennent, il n'est pas même certain que la religion en soit la cause véritable ou principale. Durant une année que j'ai passée en Inde et qui fut tourmentée, j'assistai à une campagne électorale dominée par l'Hindutva et à une guerre avec le Pakistan. Les circonstances auraient été propices à une guerre de religion ; les médias la guettaient avec gourmandise. La violence en Inde ne passe jamais inaperçue tant la presse est aux aguets et libre de rapporter tout ce qui grossira les anxiétés collectives : guerre de religion, affrontement entre les castes, suicides de veuves, de préférence... Or, tout au long de cette année, rien n'arriva ou presque. En été, alors que la température dépassait 45 °C, la rumeur parvint d'une échauffourée dans la vieille ville d'Ahmedabad, peuplée à égalité de musulmans et d'hindous. Les médias firent le siège du quartier, quelques musulmans et hindous s'étaient bien entre-tués, mais quelle en était la raison ? Il fut impossible de démêler la querelle de voisinage des effets de la chaleur, de l'alcool et de rivalités entre commerçants.

La coexistence pacifique entre les communautés religieuses est donc la règle générale en Inde, et l'exception est l'affrontement. Il convient au surplus de rapporter le petit nombre des conflits au milliard d'habitants très pauvres dans une société peu policée par l'État. Lorsque ces conflits éclatent, il est bien rare que ce soit dans les villes traditionnelles ou dans les villages, là où des siècles de vie commune ont engendré une discipline de la coexistence et de la tolérance. C'est à peu près toujours dans les centres-villes surpeuplés et dans les *slums*, ces sous-produits du mal-développement de l'Inde, que les esprits s'échauffent ; dans ce tohu-bohu de déracinés, la concurrence est rude pour un abri, l'accès à l'eau, des emplois rares. Les différences religieuses, si elles accentuent les heurts, n'en sont pas la cause, ce qui est trop rarement souligné. On assiste plutôt à une convergence cynique entre des camps antagonistes pour impliquer la religion même lorsque celle-ci ne joue aucun rôle. Du côté des progressistes, il paraît avantageux de dénoncer la haine religieuse de manière à diaboliser l'Hindutva qui en serait le fourrier ; du côté de l'Hindutva, il convient que tout soit repeint aux couleurs de la religion de manière à démontrer qu'il est impossible de vivre avec les musulmans. En Europe aussi, on connaît ces convergences paradoxales lorsque des émeutes de banlieue sont imputées à l'islam plus volontiers qu'au chômage.

Les conflits religieux, en vérité, sont si rares en Inde que les partisans de l'Hindutva sont contraints de les inventer ; ce fut le cas en 1992 — événement considérable dans la marche de l'Hindutva au pouvoir — lorsque des troupes de lumpen du RSS furent dépêchées de Bombay pour détruire la mosquée d'Ayodhya, sous prétexte qu'elle aurait été édifiée à la place d'un temple hindou qui aurait marqué le lieu de naissance du dieu Ram. Nous avons souligné plus haut la fonction mythique de Ram ; la destruction de cette mosquée constituait donc une étape dans la reconstitution de son épopée. Mais il est remarquable qu'à Ayodhya les populations musulmanes et hindoues qui y vivent ensemble depuis des siècles, chacun participant aux fêtes de l'autre, assistèrent en *spectatrices* à cette mise en scène. L'Inde des classes moyennes déracinées avait brutalement déferlé dans l'Inde classique pour en briser l'harmonieuse anarchie ; mais l'Inde classique, celle de la tolérance, résista.

Par-delà les différences religieuses, n'est-ce pas la musique qui réunit tous les Indiens ? Octavio Paz, qui vécut longtemps en Inde en tant qu'ambassadeur du Mexique, remarquait que musulmans et hindous étaient en principe opposés en tout — monothéisme contre polythéisme, couleur contre rigueur, la vache contre le cochon — mais qu'ils faisaient musique commune, ce qui laissait l'écrivain perplexe. Cette fusion musicale n'est-elle pas le génie même de l'Inde ? De même que Momin, le *pir* de Niza-muddin, observait que l'amour *de* Dieu n'était pas distinct du chant *vers* Dieu, la civilisation indienne dans sa totalité me paraît indistincte de sa musique : l'Inde est une civili-sation en ce qu'elle est un continent musical. Cette commune musique me semble éclairer pourquoi les musul-mans et les hindous, mais aussi les sikhs, les jaïns et les parsis non seulement se tolèrent, mais ne sauraient se passer les uns des autres.

Si l'on plonge au plus profond de la musique indienne, on trouve le *dhrupad* : de ce chant dérivent tous les genres musicaux ultérieurs. Il revient à Alain Daniélou d'avoir, dans les années 60, fait découvrir au monde occidental ce genre austère et déroutant où la voix, utilisée comme un instrument, surgit de la poitrine du chanteur, à peine souli-gnée d'un tambour à deux côtés et d'un luth à quatre cordes pour donner l'arpège. Les grands interprètes de l'époque, qui s'appelaient les frères Dagar, révélèrent à l'Occident la plus ancienne musique de l'Inde ; ils s'en transmettaient les mystères et les techniques de père en fils depuis le XIVe siècle. Les frères Dagar ont disparu, mais la dynastie perdure grâce à leur fils et neveu, Wasif Dagar, qui vit aujourd'hui à Delhi. Après l'avoir entendu en concert, j'eus le désir d'en savoir plus sur le *dhrupad*. Je rencontrai le jeune maître chez lui, dans un appartement surpeuplé d'enfants, de frères et de belles-sœurs ; des souris couraient entre les meubles, que les enfants poursuivaient en riant. Le jour précédent, j'avais entendu Wasif Dagar chanter les louanges de Vishnou, et j'en avais naturellement conclu qu'il était hindou. Interloqué, je découvris dans son salon de musique qu'aucune divinité hindoue n'y trônait, mais que des versets stylisés du Coran en ornaient les murs. Je fus retenu pour le dîner ; le repas n'était pas végétarien, les Dagar étaient donc musulmans. Mais le *dhrupad* n'était-il pas un hymne à Vishnou ? Wasif s'amusa de ma confusion. Il était soufi. Les Dagar, m'expliqua-t-il, furent hindous jusqu'au XIVe siècle, puis ils se convertirent, soit que ce fût plus commode pour être acceptés à la cour des princes moghols, soit que l'islam leur parût une libération de la tutelle des brahmanes. Mais cela n'influença guère leur chant, ni dans sa forme ni dans son contenu. Les princes musulmans n'y virent aucun inconvénient ni trahison ; Dieu était l'Unique, qu'il s'appelât Vishnou, Krishna, Ram, Mahomet ou Allah. C'est ainsi que l'on chante et raisonne en Inde ; la musique, disent les soufis, y est la nourriture de l'âme.

Wasif Dagar redoutait-il l'Hindutva et les fondamentalistes musulmans ? La question le fit sourire. « Si d'aventure, observa-t-il, les militants hindouistes parvenaient à leurs fins et que tous les musulmans quittent l'Inde, le pays serait brusquement privé de ses meilleurs musiciens, chanteurs et acteurs de cinéma les plus populaires. Bien entendu, en partant, nous emporterions avec nous le Taj Mahal, puisque ce symbole de l'Inde est un tombeau musulman. Les musulmans ne pourraient pas se passer de nous, conclut Wasif Dagar, mais les hindous non plus. Tous les Indiens exigeraient notre retour. » Il faut se rendre à l'évidence : l'Inde est une métisse, à la fois hindoue et musulmane, qui ne se laisse pas réduire à une identité simpliste.

Je laissai Wasif Dagar à la leçon de musique qu'il administrait à un jeune neveu et disciple ; celui-ci émettait d'affreux bruits de gorge, mais, dans vingt ou trente ans, probablement perpétuerait-il le chant *dhrupad* et tous les noms de la divinité — Krishna, Allah, Vishnou ou Ram...
— dans tous les idiomes de l'Inde.

D'ici là, les fondamentalistes, qui sont l'écume politique de l'Inde, auront-ils été évincés par son éternelle anarchie ? Convient-il à notre tour de prophétiser à la Huntington et de parier sur le succès ou l'échec des fondamentalistes ?

Hindous avec l'Hindutva ou musulmans avec les orthodoxes, ces mouvements extrémistes appartiennent paradoxalement au même camp, ennemis mais jumeaux, nés d'une même frustration, l'un et l'autre éperdus de modernité technique mais moralement conservateurs à l'heure de leur minaret ou de leur pagode. En face, hindous et musulmans classiques, dévots et placides incarnent une Inde éternelle où l'on apprend à vivre avec la différence. Sans annoncer quelque issue inéluctable, on observera que l'intensité du conflit dépendra certainement de la voie économique que suivra l'Inde. Soit elle continuera à arracher les paysans et les villageois à leurs traditions pour les jeter dans les *slums*, ce qui, depuis cinquante ans, tient lieu de « développement » ; soit elle s'engagera dans un progrès mieux géré qui permettra au plus grand nombre de vivre longtemps encore dans l'Inde classique et la dignité économique : c'est ce que préconisait Gandhi, et nous verrons plus tard que l'écotechnologie et la micro-informatique, qui n'existaient pas en son temps, rendent sa vision désormais réaliste. Dans une économie gandhienne, les fondamentalistes n'auront pas d'avenir.

Deuxième partie

L'esprit des castes

4

La faute à Rousseau

Quoi manger et ne pas manger, qui fréquenter et qui éviter, avec qui parler, partager ses repas et se marier ? Rien de ce qui, en Occident, nous paraît personnel, n'est, dans l'Inde classique, laissé au libre arbitre. Tout est ordonnancé en détail et assorti de sanctions, que la transgression soit intentionnelle ou fortuite. Chacun doit être immédiatement repérable par son vêtement, ses ornements, les marques de sa caste ; chacun, sur son front, porte le signe du dieu tutélaire qui protège sa caste. Ces règles sont supposées préserver la force spirituelle de la caste, dont chaque membre tirera sa propre énergie. L'individu n'existe pas hors de sa fonction sociale au sein de la caste. Il doit s'astreindre à la dilution de sa non-personne à l'intérieur du groupe ; dans les règles de la caste, chacun trouvera les impératifs de conduite à tenir en toute circonstance. C'est dans la caste que l'homme accomplira les quatre âges de sa vie : celui de l'enseignement auprès d'un maître, celui de la fondation de la famille, celui du retrait à la marge du monde et celui de l'abandon de tout lien terrestre. Cet ordre des castes ne saurait être contesté, en ce qu'il est un élément constitutif du grand ordre cosmique. Nul ne peut douter de son rôle dans la caste ni de la place de celle-ci dans la hiérarchie d'ensemble, puisque c'est la plus ou moins stricte conformité à cet ordre, dans le passé, qui a déterminé la situation présente. Telle est en substance la définition que l'on peut donner de ce que les auteurs indiens appellent le « système des castes », mais il me semble que le mot « idéologie » conviendrait mieux, parce qu'il fond des caractères sociaux, religieux, dogmatiques et, par suite, non discutábles.

Comme toute idéologie, celle des castes a une histoire, mais si ancienne que, faute d'en connaître la source, chacun en est réduit à des conjectures. On dit aussi qu'il existe autant d'interprétations de cette histoire qu'il se trouve d'interprètes. Sans doute la société indienne ne fut-elle jamais parfaitement conforme à cette idéologie, et l'on ignore s'il y eut un âge d'or des castes qui aurait été le décalque des principes énoncés. Mais il paraît certain que la caste est ce qui tient ensemble les Indiens, le trait unificateur qui permet de parler d'une Inde éternelle. La rigidité même de cette idéologie aura d'emblée engendré sa contestation, qu'elle ait été religieuse, par Bouddha, l'islam et les chrétiens, ou sociale, par les réformateurs indiens puis européens depuis le XIXe siècle jusqu'à nos jours. Mais le socialisme, le nationalisme, l'égalitarisme républicain, toutes doctrines de rechange d'origine occidentale, ont ébréché l'idéologie des castes sans vraiment se substituer à elle. Les réformes et la contestation n'en ont entamé la légitimité et la pratique qu'à la marge, et c'est la caste qui reste le caractère social dominant. Par quelle aberration ?

Quel mauvais génie aurait produit les castes, et celles-ci ne seraient-elles qu'indiennes ? Elles laissent les Occidentaux perplexes ou scandalisés. Mais l'aristocratie qui régna mille ans sur l'Europe n'était-elle pas une caste ? Les corporations de l'Ancien Régime ne ressemblaient-elles pas aux castes indiennes qui, elles aussi, correspondaient à l'origine à des métiers ? Ne disons-nous pas à notre époque que tel corps d'État ou telle profession se comportent comme des castes ? N'est-il pas constant en Europe que l'on se marie dans son entourage immédiat, comme on le pratique dans les castes de l'Inde ? En haut et en bas de la société européenne, certains groupes sociaux n'utilisent-ils pas des langages codés et des marquages vestimentaires qui apparentent leurs comportements à ceux des castes ? S'il n'existe de véritable idéologie des castes qu'en Inde, l'esprit de caste, à la fois comme métaphore et comme réalité sociale, apparaît fort répandu en dehors ; l'Inde, en l'occurrence, n'est-elle pas moins une aberration que la caricature ou la reconnaissance de l'inavoué en toute société ? L'Inde souvent nous dit ce que nous sommes.

La condamnation des castes par les Européens et par les élites indiennes est d'ailleurs une attitude contemporaine qui n'apparaît qu'avec la notion récente d'égalitarisme. Lorsque, au XVIe siècle, les Portugais accostèrent en Inde et découvrirent la classification hiérarchique héréditaire de la société indienne, ils la nommèrent « castes » sans porter de jugement. Ces castes, jusqu'au siècle des Lumières, intéressèrent plus qu'elles ne scandalisèrent. De bons narrateurs français leur trouvèrent même une utilité sociale : « Les Indiens, écrit Desvaulx en 1777, sont autant attachés à leur caste que nos gentilshommes à la leur » ; il ne décèle là aucune extravagance. Ce n'est qu'au siècle suivant que l'on estimera les castes choquantes, parce que, dans l'intervalle, les révolutions de France et d'Amérique auront érigé l'égalité en norme nouvelle. L'Occident ayant changé de paradigme, le regard occidental sur le monde s'en trouva modifié, quitte à ne plus comprendre les ordres différents. Depuis lors, nous avons fait de l'égalité la mesure de tout ce qui est humain, oubliant qu'il s'agissait d'un choix, et qu'il est récent : l'égalité n'est pas naturelle, nous dit l'Inde. Tant pis pour Jean-Jacques Rousseau !

Revenons à Desvaulx, qui considérait aussi que « l'autorité des castes est un frein qui arrête les abus que pourraient faire les princes de la leur ». Cette intuition éclaire l'histoire des Indes et, par contraste, celle de l'Europe : aucune autorité centrale en Inde, passée ou présente, n'a jamais réussi à imposer à la myriade de communautés que constituent les castes indiennes ni pensée, ni religion, ni autorité uniformes. La tentative du roi Ashoka de transformer l'Inde en une théocratie bouddhiste, unifiée et sans castes, se brisa sur leur résistance. Le même échec cantonna plus tard les ambitions des conquérants musulmans, britanniques, et maintenant des partis nationalistes indiens ou des prosélytismes religieux. La caste toujours l'emporte : ne serait-ce pas sa fonction que de préserver la civilisation indienne contre toute incursion extérieure ?

À en croire le sociologue français Jean Baechler, la caste aurait été une construction délibérée, édifiée par des brahmanes géniaux de manière à sauver la civilisation indienne contre les envahisseurs étrangers, parce qu'il n'y avait pas en Inde d'État central capable de s'opposer à eux. Les castes seraient en somme la « solution indienne » pour organiser une société sans État, ce que Jean Baechler reconnaît ne pas pouvoir prouver, car les Indiens n'ont pas écrit leur propre histoire. L'Inde est un exemple unique de peuple avec écriture mais sans mémoire des faits, réservant l'usage des textes à la transcription des mythes et canons religieux. On ne connaît donc l'histoire indienne des temps anciens, outre l'épigraphie, que par des témoins étrangers : les Hellènes qui suivirent Alexandre, les voyageurs arabes, des pèlerins chinois.

À l'appui de la théorie de Jean Baechler, et bien que cet éloge ne coïncide plus avec les bonnes manières de notre temps, il faut reconnaître tout ce que les castes et sous-castes de brahmanes (il en existe plusieurs milliers, souvent hiérarchisées entre elles et selon les régions) ont apporté de positif à la civilisation indienne. La morgue, le sentiment de supériorité, la domination féodale de cette caste endogame, les exactions auxquelles se livrent parfois certains de ses membres sont des traits que relient les « progressistes » de notre temps. Mais ces procès ne permettent pas de disqualifier les castes de brahmanes dans leur totalité ni de nier leur fonction historique. C'est grâce au culte des études, de la connaissance, de la lecture chez les brahmanes — du moins des plus éduqués d'entre eux — que la civilisation indienne s'est perpétuée, qu'elle s'est enrichie, que les arts y ont prospéré. C'est aux plus éclairés des brahmanes que l'on doit les monuments de l'architecture, de la musique, de la peinture, de la poésie dont ils furent les artistes ou les protecteurs. C'est aux brahmanes qu'il revient d'avoir introduit en Inde, au temps de la colonisation britannique, les premiers éléments de la santé publique, des techniques de production moderne dans l'agriculture et l'industrie. Ils ont créé les premières écoles et universités de l'Inde et, aujourd'hui encore, ils constituent l'essentiel du corps enseignant. S'il y eut et s'il persiste des brahmanes de campagne perclus en dévotion et tout juste capables d'ânonner des textes sanskrits dont ils ne comprennent pas le sens, ou des brahmanes féodaux qui exploitent des paysans misérables, il existe aussi de grands brahmanes qui, jadis et maintenant, ont permis à l'Inde de sauvegarder et d'enrichir l'essentiel de sa civilisation. Ces grands brahmanes de tradition ont constitué les cadres modernisateurs de l'administration des États au temps des dynasties musulmanes comme à l'époque des Britanniques, empêchant que l'âme du peuple ne soit totalement aliénée à des coutumes et à des dirigeants venus d'ailleurs.

S'il fallait se cantonner à une comparaison, mais ô combien édifiante, la pérennité des castes brahmaniques aura préservé en Inde une élite, alors que dans la Chine voisine toute élite aura été détruite par l'anti-intellectualisme des paysans communistes. Les élites brahmaniques ont ainsi préservé les connaissances et les arts propres à l'Inde, y compris les plus populaires, comme les cuisines complexes du sous-continent. Il se trouve que les cuisiniers sont toujours brahmanes, ce qui permet à toutes les castes de goûter leurs préparations sans risque d'impureté, mais aussi de conserver et de perpétuer l'art culinaire. Là encore

— c'est moins trivial qu'il n'y paraît —, le contraste avec la Chine de Pékin est éclairant ; le Parti communiste a exterminé la plupart des cuisiniers ou les a exilés, si bien que la cuisine chinoise en Chine est devenue un discours archéologique qui ne correspond plus à ce que l'on trouve dans son bol. Si l'on admet que ce qu'on mange définit qui l'on est, les Indiens doivent aux cuisiniers brahmanes de rester indiens. Cette élite brahmanique a beau se montrer égoïste, dominatrice, elle préserve une qualité de la civilisation, un sens de la dignité et de la beauté qui ont totalement déserté la Chine, abandonnée à la vulgarité, à la rusticité des mœurs et des connaissances.

Il persiste enfin, chez certains brahmanes de l'Inde, un sens du dévouement au bien public qui peut aller jusqu'au renoncement pour servir les plus démunis, qualité humaine que l'on rencontrera rarement dans d'autres civilisations qui ont été privées de leur « caste de brahmanes » ou de son équivalent.

Ces traits, parfois contradictoires, parfois dégénérés, sont certainement mieux acceptés et compris en Inde que ne le laissent croire les discours de rigueur, égalitaristes et modernisateurs ; sans doute est-ce pour cette raison non dite que les castes de brahmanes se perpétuent et restent le modèle social auquel chacun, implicitement, se réfère et qu'il cherche à imiter par un processus mimétique que le fondateur de la sociologie indienne, M. N. Srinivas, a appelé « sanskritisation ». Ce pour quoi, malgré les discours négateurs de la caste, nul n'échappe jamais véritablement à la sienne.

Un Indien peut se convertir, mais le bouddhisme, l'islam, le christianisme n'ôtent pas le converti à sa caste : un paria chrétien reste paria, il le sait, et, s'il tentait de l'oublier, les autres le lui rappelleraient. Jusqu'à une date récente, les Églises catholiques étaient compartimentées en castes ; les évêques indiens restent d'ailleurs issus des castes supérieures, tandis que des prêtres ou des pasteurs parias demeurent discriminés au sein de leur communauté religieuse. Les musulmans et les sikhs n'échappent pas non plus aux castes, même si elles se révèlent chez eux moins rigides que chez les hindous. Lorsqu'il y eut des Juifs en Inde, à Bombay et à Cochin, ils se répartissaient en trois castes : les Blancs, les Bruns et les Noirs, en fonction de leur origine ethnique ; les plus clairs étaient supposés être les plus nobles, et les plus sombres, des descendants d'esclaves.

La race conduirait-elle à la caste ? Un préjugé assez général en Inde en faveur de la peau blanche coïncide curieusement avec les préjugés dominants des Européens. On lit dans les annonces matrimoniales de la presse indienne que les prétendants recherchent de préférence des jeunes filles « à la peau claire » et de « bonne famille ». Lisez : « de haute caste ». Cette préférence révélerait-elle une sorte de racisme universel, un héritage quasi darwinien imprégnant nos gènes ? Ou bien est-elle en Inde la trace culturelle d'une invasion aryenne qui serait venue du Nord : des conquérants blancs auraient occupé les couches supérieures de la société et enfermé les vaincus — à peau sombre — dans des castes subordonnées ? Cette théorie de l'invasion, souvent avancée comme une explication classique des castes, ne remonte en fait qu'au XIXe siècle, et ce déferlement supposé d'Aryens n'est attesté que par une interprétation spécieuse du *Mahabharata*. Autant rechercher dans Homère les origines de l'aristocratie européenne ! Par ailleurs, on doutera qu'une invasion, qui fut plus probablement une lente infiltration de peuples du Nord, ait réussi à structurer la société indienne sur un mode ethnique sans faille depuis trois mille ans. Enfin, dans le sud de l'Inde, chez les Dravidiens, noirs de peau, les castes sont aussi rigides qu'au Nord, alors que les Aryens semblent n'être jamais parvenus jusque-là. La prétendue origine raciale des castes n'explique donc rien de l'Inde, mais elle en dit long sur les Occidentaux qui, au XIXᵉ siècle, inventèrent la thèse de l'invasion aryenne. Vers cette même époque, Sieyès puis Augustin Thierry racontèrent que la noblesse française descendait des envahisseurs germains, tandis que le bas peuple était supposé gaulois ; la Révolution de 1789 aurait été une guerre des races plutôt qu'une guerre des classes ! L'apparition en Europe du mythe des Indo-Européens comme souche de toute civilisation occidentale date aussi de cette époque chez des auteurs britanniques imprégnés par les théories évolutionnistes. Que certains historiens indiens, formés en Europe, aient repris ces préjugés à leur compte ne rend pas ces derniers plus authentiques. Puis une autre mode intellectuelle est venue chasser celle-là : à l'explication ethnique des castes aura succédé au début du XXᵉ siècle la théorie marxiste qui, à la race, substitua la classe, sans plus de preuves à l'appui...

La caste ne serait-elle qu'une manière de légitimer la classe ? Les brahmanes ne seraient alors que des exploiteurs et les parias des prolétaires. L'hypothèse séduit : elle paraît rationnelle. Les partis communistes du Bengale, du Bihar et du Kerala utilisent cette identification entre caste et classe pour rallier à eux la clientèle des intouchables. Mais comment réconcilier cette théorie marxiste avec les faits ? Il suffit de circuler en Inde d'un temple à l'autre pour rencontrer des brahmanes plus pauvres que des parias : ces hautes castes, en termes hiérarchiques, sont économiquement très basses, survivant difficilement d'aumônes et n'exploitant jamais qu'un carré de légumes. Il advient, à l'inverse, que des basses castes s'élèvent, sur le plan économique, au-dessus de celles qui leur sont hiérarchiquement supérieures. Depuis les années 70, la « révolution verte » a enrichi des petits propriétaires de moyenne caste, grâce au blé dans le Nord, au riz dans le Sud, tandis qu'elle marginalisait les brahmanes qui restaient enfermés dans leurs études théologiques. Pour reprendre un exemple classique décrit par Srinivas, une caste de Jaipur, intouchable parce qu'elle travaille le cuir, est devenue, à force de produire des chaussures, la plus prospère de la ville. Il est constant que les castes, loin d'être passives, adoptent des stratégies collectives qui concourent à la mobilité sociale de tous leurs membres. Il est aussi courant qu'elles se « sanskritisent », imitant les mœurs de la caste immédiatement supérieure pour parvenir, à terme, à se fondre en elle : par ambition sociale, on devient ainsi végétarien, comme un brahmane...

Ces inversions sociales restent quand même des exceptions. Dans les villages du Tamil Nadu que j'ai visités plus attentivement que le reste de l'Inde, me gardant de vouloir généraliser, la hiérarchie classique des castes paraît solide, et, dans l'ensemble, elle coïncide avec le statut économique. Mais la complexité de la structure, le nombre infini des castes donnent le vertige et défient les théories globales. À peine a-t-on mémorisé le nom des castes d'un village que l'on découvre dans le village voisin que les noms changent, que la fonction des castes diffère, que leur hiérarchie n'est plus la même. En bas, chaque communauté villageoise compte bien des « parias », des paysans sans terre comparables en Europe aux serfs du Moyen Âge. Mais ces parias constitués en caste se divisent à leur tour en souscastes ; si bien que, parmi elles, il s'en trouvera toujours une pour s'estimer supérieure à la sous-caste voisine. Est-ce à cause de cette vanité sociale — fût-elle relative — que la pyramide tient toujours debout ? Il faut bien que l'idéologie des castes apporte quelque satisfaction à ses membres pour que ceux-ci la perpétuent : la contrainte de classe n'y suffit pas.

Cette évidence des castes, qui ne sont ni des races ni des classes, si aisément repérable par l'habitat ou l'activité sans que l'observateur ait besoin d'être un grand anthropologue, se trouve bizarrement niée par les élites éclairées, celles que fréquentent les Occidentaux. Il est vrai que la théâtralité ancienne, qui était l'aspect le plus manifeste de l'idéologie des castes — comme l'interdiction faite à l'intouchable de croiser l'ombre d'un brahmane, ou l'obligation qui lui était faite de marcher à reculons devant un membre d'une caste supérieure —, a pratiquement disparu. En fait, ces rites jadis mis en scène ont moins disparu qu'ils n'ont été intériorisés ; ce n'est pas parce qu'ils ne sont plus affichés qu'ils n'ont plus d'existence, et chaque Indien sait fort bien à quelle caste il appartient.

Les élites qui nient les castes mentiraient-elles délibérément sur leur existence réelle ? On ne saurait exclure que les Indiens occidentalisés, estimant que les castes sont une affaire de famille un peu honteuse, préféreront les dissimuler ; ou que, considérant que les castes ne font pas « moderne », ils en minimiseront l'importance. Par ailleurs, les partis politiques dominants en Inde ont constitué une sorte de coalition idéologique pour nier les castes : les progressistes estiment qu'elles ont disparu parce qu'elles devaient le faire après l'indépendance ; chez les nationalistes, les castes étant en contradiction avec leur vision d'une identité indienne sans faille, on prétendra que leur importance fut exagérée par les colonisateurs britanniques et qu'elles seraient à présent en voie de disparition.

On doit enfin envisager que les élites occidentalisées (c'est la thèse du sociologue bengali André Béteille), parce qu'elles évoluent au sommet de la société, se trouvent, de fait, les moins exposées à la discrimination : à New Delhi ou à Bombay, un universitaire brahmane rencontre peu le système des castes. Sauf s'il regarde « vers le bas », vers la pauvre femme accroupie qui passe la serpillière dans son bureau ; mais il ne la voit plus tant elle est intégrée à son paysage.

Il convient aussi d'émettre l'hypothèse que le regard varie en fonction du lieu et du moment de l'observation. Aux yeux de qui vit en Inde, tout changement apparaîtra plus sensible et plus significatif que la continuité. Ainsi Srinivas, que j'interrogeais sur les castes, aura-t-il attiré mon attention sur les mariages de quelques couples d'artistes de cinéma célèbres où lui était intouchable et elle brahmane. Cette goutte d'eau dans l'océan, qui m'aurait semblé dérisoire, lui paraissait plus signifiante que l'océan lui-même, alors que nous autres Occidentaux considérons plus volontiers l'étendue de l'océan.

Dans l'évolution récente des castes, le plus surprenant ne nous paraît pas tant leur dilution, même si elle est indéniable, que l'extraordinaire résistance de leur idéologie à la modernisation. À quelle force supérieure peut-on attribuer cette obstination qui transcende l'histoire, le progrès, l'économie, la classe et la race ?

Les indianistes se gardent à notre époque de poser des questions aussi vastes sur les castes en général ; une certaine prudence universitaire exige de condamner le système en bloc et de donner la parole aux plus démunis. On ne compte plus les témoignages recueillis sur magnétophone auprès des parias, pieusement publiés par des chercheurs éclairés, occidentaux ou indiens ; on finit par en savoir plus sur ces parias que sur les brahmanes, alors qu'il serait incorrect de publier la biographie d'un brahmane... Ces témoignages de parias peuvent certes être émouvants, mais ils sont remarquablement uniformes, comme si la pauvreté engendrait le même tableau dans toutes les civilisations. Il en ressort le plus souvent que les parias ne possèdent que leur hutte de terre et leur force de travail, mais que, par un miracle sans cesse renouvelé, chaque matin sortent de ces huttes ou de ces *slums* des femmes superbes, au sari impeccable, aux oreilles, au nez, aux chevilles, aux poignets, aux orteils parés de bijoux en or.

Il est vrai qu'on rencontre cette même dignité au Mali, au Pérou ou au Laos. La différence en Inde est que le paria est héréditairement intouchable, ce qui ne justifie pas l'idéologie des castes mais conduit à s'interroger sur le mystère qui la sous-tend.

Avant que les indianistes ne deviennent prudents, l'un d'eux, Louis Dumont, manifesta en 1966 dans un ouvrage qui fit date, *Homo hierarchicus*, une témérité que ses collègues « progressistes », une génération plus tard, ne lui ont toujours pas pardonnée. Après plusieurs années vécues dans des villages indiens, Dumont s'aventura dans une explication générale du système des castes ; le seul fait de vouloir expliquer fut condamné par la critique comme une indigne légitimation des castes. En France, seul Jean-François Revel, qui n'était pas indianiste, soutint Dumont au nom de la liberté d'expression.

En contradiction avec le marxisme dominant à l'époque, Dumont avait repéré que la hiérarchie des castes obéissait à des principes religieux et antagonistes de pureté et d'impureté, sans relation évidente avec l'infrastructure économique. L'idéologie des castes lui paraissait donc fondée sur des *valeurs* partagées par les Indiens, et non pas sur la *nécessité*. Chaque caste, observait Dumont, étant susceptible de souiller l'autre, ne serait-ce que du regard, il fallait que la répartition de l'espace et des biens, en particulier l'accès à l'eau, soit réglée de telle manière que chacun préserve sa pureté et se garde de l'impureté de l'autre. Dumont n'attache donc pas une importance considérable à la croyance en la réincarnation qui lierait l'appartenance de caste au comportement personnel dans une vie antérieure. Cette croyance, qui invite à tenir son rang dans l'ordre social dans l'espoir de renaître dans une caste supérieure, semble peu répandue, en particulier chez les intouchables ; les victimes du système en seraient les moins dupes. Mais — et cette observation est essentielle à l'idéologie des castes — celles-ci, qui s'évitent, ne s'excluent pas pour autant. Dumont a souligné combien la distribution des fonctions professionnelles ou sacerdotales conduisait nécessairement à l'échange : il faut bien se rendre chez le barbier, fût-il d'une caste inférieure, tout comme il faut acheter des sandales de cuir et incinérer les morts. Même le brahmane a besoin des intouchables. Dans la vie d'une paria tamoule de Pondichéry, Viramma, telle qu'elle fut recueillie dans les années 80 par les sociologues Josiane et Jean-Luc Racine, l'héroïne raconte comment une riche famille de brahmanes lui demanda de nourrir au sein leur nourrisson malingre ; la paria, parce qu'elle mangeait de la viande, était perçue comme générant un lait plus revigorant que celui d'une brahmane végétarienne ! Mais cette même paria reconnaît qu'elle tomba gravement malade après avoir aperçu par mégarde un sacrifice aux dieux accompli par sa maîtresse et que son statut de paria lui interdisait de voir.

L'idéologie des castes, bousculée par la modernisation économique, contestée par les progressistes, change mais perdure, et pas seulement dans les campagnes. Dans les *slums*, en ville, chacun peut observer comment les plâtriers, les casseurs de cailloux sur les routes, les manœuvres sur les chantiers se constituent d'eux-mêmes en castes nouvelles qui s'intègrent dans la pyramide des hiérarchies anciennes. Mais il ne se publie pas un ouvrage sur les castes en Inde qui ne commence par un rejet de principe d'*Homo hierarchicus*. Dumont est accusé par les progressistes d'avoir construit une Inde « structurelle », éternelle et à son goût, plutôt qu'observé une Inde changeante. Cette critique paraît à la fois fondée et excessive. Il est certain que les castes ne sont pas là de toute éternité ; c'est sous la tutelle britannique, semble-t-il, qu'elles furent les plus rigides, ce qui n'est pas très « ancien » ; elles ont donc une histoire ; cette évolution se poursuit et n'est pas achevée. Mais c'est la résistance au changement qui piqua la curiosité de

Dumont ; au lieu de s'en offusquer, ce qui eût été si simple, il essaya de comprendre et nous dit, via l'Inde, ce que nul progressiste, nulle part, ne souhaite entendre.

Au-delà du cas de l'Inde, la thèse de Louis Dumont est que toute société humaine est fondée sur un « principe hiérarchique », et que ce principe doit bien se structurer de quelque manière. L'Inde est, pour sa part, est structurée en castes ; pour mémoire, les nazis avaient choisi la race comme principe hiérarchique ; les Soviétiques, la classe ; le Moyen Âge européen, le féodalisme ; le Japon classique, la hiérarchie impériale. L'ordre des castes tient donc par lui-même, sans échafaudage religieux (on a vu que celui-ci paraissait plus périphérique que central). Serait-ce parce que les castes trouvent quelque avantage à leur structuration ? Comme nous le raconte Viramma, la paria de Pondichéry, et comme l'a systématisé Louis Dumont, les castes ont *besoin* les unes des autres. Si bien que la caste la plus dénigrée confère malgré tout à ses membres un minimum de reconnaissance sociale et de sécurité économique. Dans une société très pauvre, la caste paraît plus sûre que la dispersion sans nom dans un prolétariat urbain ou rural. Dans les *slums*, où l'on constate que les migrants se regroupent par castes, tout se passe comme si la dépendance réelle envers la caste semblait, pour un déraciné, préférable à l'indépendance virtuelle vis-à-vis d'une Société abstraite. L'hypothèse de Louis Dumont permet de comprendre l'attitude du Mahatma Gandhi envers les castes, souvent hermétique aux Occidentaux. Estimant que le système était une source de solidarité collective, Gandhi combattit leur hiérarchie et la discrimination qui en dérivait, mais pas l'institution elle-même. Les castes, selon lui, avaient le mérite d'empêcher ce qu'il ressentait comme une dérive vers l'individualisme occidental, socialement égoïste, culturellement appauvrissant et moralement douteux.

Louis Dumont, qui aura connu de son vivant la guerre des classes et des races en Occident, ne jugeait pas l'Inde. Il se contenta d'observer que son idéologie fondatrice n'était ni juste ni injuste pour les Indiens, ceux-ci considérant que la justice n'était pas l'équivalent de l'égalité. Longtemps, en Europe, les notions de justice et d'égalité ne se confondirent pas non plus ; l'Inde des castes nous rappelle donc que notre préférence pour l'individualisme égalitaire est un choix récent et une volonté politique. Ce principe égalitaire est-il acquis ? Il ne l'est jamais. Les idéologies totalitaires l'ont toutes combattu, lui préférant la race ou la classe. Au sein même des sociétés égalitaires, on voit aussi que l'esprit de caste se reconstitue sans cesse, comme si la Nature s'employait à faire « craquer » la Culture...

Avons-nous raison de préférer ce que Tocqueville appelait l'« équité des conditions » à la hiérarchie des castes dans la société démocratique ? On sait que lui-même hésitait, devinant dans la fragmentation en communautés traditionnelles un mode de résistance au despotisme ; on dirait aujourd'hui : une résistance au totalitarisme. Le XXᵉ siècle n'aura-t-il pas rétrospectivement justifié cette hésitation ? Les régimes totalitaires n'auront prospéré que dans les sociétés composées d'individus atomisés, tandis que l'Inde des castes résiste à la tentation totalitaire ; ce qui n'est pas un mince avantage historique !

Mais l'idéologie des castes, fût-elle un verrou contre le totalitarisme d'État, comporte une contrepartie moins séduisante, qui est le totalitarisme à l'intérieur de la caste : ni Tocqueville, ni Dumont, ni Gandhi ne le mentionnent. S'il est vrai que chacun, dans sa caste, peut puiser quelque sécurité et du réconfort, il peut aussi — en particulier parmi les faibles, les enfants, les femmes — vivre cet absolu déterminisme comme un enfer à peu près impossible à fuir. De tradition, dans l'Inde classique, le seul mode toléré pour échapper à la caste est celui du renoncement absolu à tout bien et à toutes attaches. Le *sanyasi*, le « renonçant » que l'on croise sur les routes de l'Inde, mendiant et loqueteux, est véritablement sans caste. Tel est le prix élevé de cet individualisme-là.

N'y aurait-il d'autre choix qu'entre la caste et le renoncement ? La mondialisation, c'est-à-dire l'occidentalisation, n'aura-t-elle pas raison de l'idéologie des castes ? N'est-ce pas cette mondialisation qui imposera dans les moindres recoins de la planète le principe d'égalité individuelle contre le principe hiérarchique et la contrainte communautaire ? Si l'égalité était naturelle, on l'affirmerait sans hésiter ; mais, l'égalité étant une idéologie volontariste, l'issue du duel entre hiérarchie des castes et mondialisation qui égalise reste incertaine.

5

Discours sur l'inégalité

Au moment où j'écris, le président de la République indienne se trouve être issu d'une caste d'intouchables. Il n'y aurait donc plus de castes ni de parias en Inde ?

Au long des routes, chacun peut néanmoins observer des foules de casseurs de cailloux qui taillent de grosses pierres en de plus petites dans l'espoir de rendre ces chemins vaguement praticables ; au terme de leur rude journée sous le soleil ou la pluie, hommes et femmes, jeunes ou vieux gagneront tout juste la poignée de roupies nécessaires pour survivre jusqu'au lendemain. Tous, sans exception, appartiennent à des castes d'intouchables. C'est donc que l'on reste paria en Inde !

Convient-il de regarder vers le haut, le Président, et de se réjouir des progrès de l'égalité au pays des castes, ou bien de regarder vers le bas, les cantonniers, pour constater que le chef de l'État est une exception, voire un alibi, dans une société qui ne change pas ? Chacun, en Inde ou au-dehors, adoptera l'attitude qui conviendra le plus exactement à ce qu'il souhaite démontrer, puisque les deux regards sont possibles et aussi vrais l'un que l'autre.

Un brahmane devenu chauffeur de taxi ou un tanneur enseignant vont se retrouver dans un même cinéma, emprunter le même autobus, déjeuner dans un même fast-food : une confusion des rôles, un mélange des mœurs inconcevables avant le déferlement de la modernité sur le monde oriental. Suffirait-il de laisser faire le temps et le « progrès » économique pour que disparaisse la distinction des castes ? Mais lisons les annonces matrimoniales dans la presse en anglais, celles que consulte la fraction la plus occidentalisée de la société indienne. Nous constatons, du côté des femmes qui cherchent un mari — par des inter-médiaires — comme du côté des hommes qui cherchent une épouse, qu'il est souhaitable d'avoir de bonnes manières, de parler anglais, d'avoir des relations familiales, etc., soit une floraison de critères qui permettront de cerner la caste sans jamais en prononcer le mot. Tous pensent caste, nul ne le dit. Le principal effet de l'occidentalisation — ou de la mondialisation — de l'Inde est moins la dispa-rition de l'idéologie des castes qu'une permanente contra-diction entre un esprit de caste qui va en s'intériorisant et la contestation des castes qui se doit maintenant d'être publiquement exprimée. L'intériorisation se substitue aux anciens rites sociaux à forte visibilité, tandis que la contes-tation, qui existait, mais à la marge, est devenue première.

Les Indiens, on l'a dit, n'ont pas attendu les Européens pour dénoncer l'iniquité, voire l'absurdité de cette idéo-logie. La critique en est vieille de vingt-cinq siècles au moins, puisque le Bouddha, niant aux castes toute validité, ne reconnaissait que l'individu comme sujet et invitait chacun à rechercher son propre salut. Mais il est aussi significatif de l'Inde éternelle que le bouddhisme ait été presque complètement éradiqué par les brahmanes il y a plus d'un millénaire ; les castes l'emportèrent alors, comme elles paraissent l'emporter toujours. Pareillement, l'autre grande vague de contestation des castes, celle qui fut menée au nom de l'islam à partir du IXe siècle, n'a pas plus réussi que le bouddhisme, malgré le renfort des armes, à submerger l'idéologie des castes. Au contraire, ce sont les castes qui ont subverti l'islam, conduisant les musulmans, envahisseurs ou convertis, à s'organiser sur leur mode hiérarchique. Il en est allé de même chez les sikhs, théo-riquement sans castes, mais qui pratiquent une discrimi-nation envers leurs propres intouchables. Les chrétiens s'alignèrent, à leur tour, en particulier ceux du Kerala, organisés en communautés qui ne s'appellent pas castes mais y ressemblent énormément.

En même temps que le système hiérarchique l'emportait, du sein de l'islam ou de l'hindouisme, la protestation ne cessa jamais de monter. Au XIVᵉ siècle à Bénarès, la ville sainte des hindous, l'un des plus célèbres poètes de la civilisation indienne, Kabir, dont nous reparlerons, abominait les castes ; tous les hindous et les musulmans de l'Inde chantent encore les poèmes anticastes de Kabir, et les castes n'en perdurent pas moins. Pareillement, l'une des grandes traditions de l'Inde qui se poursuit aujourd'hui est celle des bardes qui se moquent des brahmanes dans la cour des immeubles ou les salons des puissants. On les invite à chanter la subversion de l'ordre brahmanique, on les fête, et l'ordre ancien se perpétue.

Quelle est donc la force de ce système qui défie l'entendement ? Il faut bien admettre que l'argument de Louis Dumont a quelque validité : les castes paraissent inhérentes à la nature humaine. Ce qui éclaire l'indifférence initiale des Européens parvenus en Inde, qui attendirent les temps modernes avant de commencer à s'en émouvoir. On peut d'ailleurs s'interroger sur la véritable motivation des Occidentaux dans leur hostilité aux castes ; l'ardeur des missionnaires chrétiens à convertir contribua évidemment — comme elle contribue toujours — à l'apitoiement sur le sort des intouchables. Ceux-ci étaient et restent les plus disponibles pour l'évangélisation, de même qu'ils le furent jadis pour l'islamisation. Puis Gandhi vint, mais aussi Ambedkar.

Si Gandhi est bien connu en Occident, Ambedkar est aux yeux des intouchables un héros d'une stature au moins équivalente à celle du Mahatma. Il fut le premier paria des temps modernes à atteindre, dans les années 30, grâce à l'éducation et à la méritocratie britanniques, le rang le plus élevé de la fonction publique dans l'Inde coloniale. Cette ascension sociale ne choqua pas les colonisateurs, mais parut inacceptable aux Indiens de castes supérieures à celle d'Ambedkar qui se retrouvèrent sous ses ordres. Lui-même a raconté dans ses mémoires comment ses subordonnés jetaient les dossiers de loin sur son bureau de manière à éviter avec lui tout contact physique.

En même temps que Gandhi, son contemporain, Ambedkar participa activement à la lutte pour l'indépendance ; tout comme Gandhi, c'était moins l'indépendance en elle-même qui lui importait que la société nouvelle dont elle accoucherait. Pour Gandhi, la finalité de ce combat était la rédemption morale des Indiens, le sauvetage d'une civilisation qu'il fallait restaurer dans sa différence. Mais, pour Ambedkar, une société qui avait engendré les castes ne méritait guère d'être préservée ; son ambition était de fonder une république égalitaire et laïque, inspirée du modèle français. Au cœur de leur querelle, qui fut parfois brutale, la question des intouchables était centrale ; leur statut futur définirait la société nouvelle, ainsi que la définition qui serait donnée au principe d'égalité. Ni Gandhi ni Ambedkar ne niaient d'ailleurs ce principe ; mais, selon le premier, l'égalité pouvait régner dans la différence des statuts sociaux, tandis que, pour le second, elle devait régner entre les individus et non pas seulement entre les communautés. Ils différaient aussi sur la manière d'atteindre aux objectifs qu'ils s'étaient assignés. Gandhi penchait pour la pédagogie, la réforme morale, le ressourcement dans la religion et le bon usage du temps. Ambedkar, juriste et politique, croyait en la loi pour dicter aux hommes leur juste conduite, et au plus vite. Nous allons voir que, dans leur quête de l'égalité, selon deux voies distinctes mais aussi dignes l'une que l'autre, Ambedkar comme Gandhi ont échoué. La morale de cette grande histoire du combat contre la discrimination des intouchables est qu'il ne suffit pas de proclamer l'égalité, celle des individus ou celle des communautés, ni de brandir chez l'un la morale, chez l'autre la loi, pour parvenir au résultat espéré.

Gandhi, tout d'abord. Il ne fut pas le premier hindou à contester les castes, et d'ailleurs il ne les contesta pas véritablement ; il condamnait la discrimination, ce qui n'allait pas même jusqu'à une remise en cause du principe hiérarchique. Il ne voulait que rétablir l'Inde telle qu'elle devait exister dans son songe quasi mystique, comme une création divine et non pas une réinvention sociale. Ce qui lui fut beaucoup reproché, mais autant reprocher au pape d'être catholique ! Parce que hindou, Gandhi tenait à ce que les intouchables cessent d'être discriminés afin qu'ils pussent pénétrer dans tous les temples. Il n'attendait pas ce résultat de la suppression des castes ou d'une quelconque loi qui resterait inappliquée, mais de la reconnaissance par tous les hindous de l'égale dignité de tous leurs frères. Cette régénération spirituelle, selon Gandhi, devait se fonder sur un retour aux sources, les Veda et les Upanishad, qui reconnaissent les castes et les hors-castes (les intouchables sont considérés comme extérieurs au système des castes), mais nullement leur discrimination. Bien des brahmanes se rallièrent sur ce point au Mahatma et allèrent parfois au-delà, abandonnant leurs biens aux plus démunis de leur communauté : la morale de Gandhi se révéla donc politiquement efficace. J'ajouterai que Gandhi, précurseur en tant de choses, fut aussi celui du « politiquement correct » ; estimant que le vocabulaire devait anticiper sur l'état souhaitable de la société, il préconisa d'appeler les intouchables *harijan*, les « enfants de Dieu ». Le politiquement correct ayant « progressé », on ne dit plus *harijan* mais *dalit* (« opprimé ») ; on ne dit plus « caste », mais « communauté » ; et la « différence culturelle » a remplacé la relation hiérarchique ! Si Gandhi avait été révolutionnaire et avait proclamé la suppression des castes, il n'aurait été ni entendu ni suivi. En revanche, par ses méthodes non conventionnelles, il obtint ce qu'aucun égalitariste n'avait réussi avant lui : il introduisit la mauvaise conscience dans la société indienne, particulièrement dans ses élites brahmaniques. Quoi qu'en pensent celles-ci dans leur for intérieur, la discrimination est devenue moralement irrecevable et politiquement inexprimable ; depuis Gandhi, tous les partis indiens ne peuvent que se prononcer contre la discrimination. Ce qui est beaucoup, à l'aune de l'histoire de l'Inde, et peu de chose au regard des exigences modernes.

Qu'est-ce que la non-discrimination, valeur éminemment contemporaine ? Ce débat entre Indiens vaut pour tous les parias de la Terre. Deux écoles partout s'opposent : certains considèrent que les mêmes droits accordés aux individus conduisent seuls à l'égalité des conditions. D'autres estiment que seuls des droits différents accordés à des groupes distincts conduisent à une égalité véritable entre les individus qui les composent. On sait peu que ce débat fut initialement lancé en Inde par Bhimrao Ambedkar. Dès les années 30, Ambedkar, précurseur universel en la matière, avança l'idée de la *séparation politique* pour la *réparation historique* : il exigea un corps électoral distinct pour les intouchables afin que ceux-ci parviennent à faire valoir leurs droits dans la nouvelle démocratie indienne. À l'appui de ce séparatisme légal, Ambedkar considérait que les intouchables n'étaient pas d'authentiques hindous, mais les descendants de bouddhistes des origines, vaincus puis exploités par des conquérants brahmanes. Son hypothèse, comme la plupart des interprétations de l'histoire indienne, ne reposait sur aucune preuve documentée ; mais Ambedkar en tira argument pour inciter les intouchables à se reconvertir à ce bouddhisme des origines qui avait la vertu d'ignorer les castes. Les Britanniques soutinrent Ambedkar pour de mauvaises raisons, estimant que trois corps électoraux — hindous, intouchables et musulmans — au lieu d'un seul leur permettraient de régner plus long-temps. Pour s'y opposer, Gandhi, qui voulait l'unité de la nation, recourut en 1932 à son arme favorite, le jeûne, jusqu'à frôler la mort. Les deux adversaires conclurent le compromis qui gouverne l'Inde actuelle : la création par la Constitution d'un nombre réservé de postes politiques, en particulier de sièges de députés et d'emplois de l'administration publique aux basses castes, aux tribus, aux « parias » de l'Inde.

Ambedkar fut-il perspicace en déplaçant son combat contre la discrimination du terrain moral vers le politique et en fixant des règles différentes pour chaque groupe distinct ? Cinquante ans après la Constitution que lui-même rédigea, il apparaît que lutter contre le « castéisme » en Inde est aussi difficile que faire reculer le racisme en Occident. On voit qu'en Europe et aux États-Unis il ne suffit pas de clamer « À bas le racisme ! » pour le faire disparaître, et qu'à le débusquer partout on provoque parfois en retour son regain. On voit aussi que considérer le citoyen comme un individu interchangeable, libre de toute attache communautaire, au nom du principe de l'égalité républicaine, n'est pas nécessairement efficace : l'égalitariste peut se transformer en un tartuffe qui dirait : « Cachez cette race — ou cette caste — que je ne saurais voir... » L'inefficacité de l'égalitarisme a conduit les gouvernements de certaines nations pluriculturelles — Inde, États-Unis, Malaisie et Afrique du Sud — à instaurer l'égalité comme finalité, et non comme postulat, par ce que l'on appelle (bizarrement) en français la « discrimination positive », aux États-Unis, l'*affirmative action* et, en Inde, les *reservations*.

L'Inde en fut le précurseur en instaurant, dès 1950, des quotas réservés aux castes défavorisées et aux tribus hors castes, au Parlement, dans la fonction publique et dans les universités ; les entreprises, contrairement aux États-Unis,

ne sont pas concernées. Outre-Atlantique, ce sont les minorités afro-américaine, hispanique et les Indiens d'Amérique
qui bénéficient de ces quotas. En Malaisie, les quotas privi-
légient les « enfants du sol » contre les Chinois immigrés,
à l'inverse, donc, du modèle américain. L'Inde pourrait
entrer dans la même catégorie que la Malaisie, si l'on
admet avec Ambedkar que les parias et les « tribus » constituent les « natifs », tandis que les hindous seraient les
« envahisseurs ». Ces rapprochements illustrent à quel point
les théories raciales, même lorsqu'il s'agit d'un racisme
« positif », puisent dans un répertoire universel et limité.
Pour nous en tenir ici à une comparaison entre l'Inde et les
États-Unis, il se trouve que, dans ces deux nations, les
populations concernées représentent une proportion de
l'ordre de 15 % ; les résultats sont assez similaires, susci-
tant les mêmes espérances et les mêmes critiques.

Un sociologue afro-américain, Thomas Sowell, a
rapproché ces deux politiques pour conclure — trop vite,
me semble-t-il — à leur absolue nocivité. Isoler une race
ou une caste, nous dit-il, fût-ce de manière « positive »,
enferme les individus qui en font partie dans un statut définitif de mineurs assistés. Il lui paraît aussi que les quotas,
en affectant par priorité aux minorités des rôles politiques
et des emplois publics, écartent celles-ci d'une intégration
par l'économie qui serait plus durable. Ainsi les Chinois
ou les Juifs sont-ils, aux États-Unis, mieux intégrés que les
Noirs bien qu'ils n'aient bénéficié d'aucun quota. Ou,
souligne Sowell, *parce qu'*ils n'en ont pas bénéficié. Pareillement, une suspicion certaine entache toujours la valeur
des diplômes qu'obtiennent les minorités : un Afro-Américain est-il docteur parce qu'il le mérite ou parce qu'il a été
repéré comme minoritaire ? On entend cela en Inde à
propos des intouchables qui occupent de hautes fonctions.
Sowell observe enfin que les privilèges octroyés à ces
minorités accentuent les préjugés racistes ou castéistes de

la majorité, voire son agressivité envers ceux que les quotas avantagent. Aux États-Unis, des Blancs écartés de certains emplois publics au bénéfice de Noirs poursuivent ceux-ci devant les tribunaux. En Inde, des étudiants issus des castes supérieures se révoltent contre des parias admis sur quotas à l'université. De fait, dans certains États « progressistes » de l'Inde où les gouvernements locaux ont amélioré les *reservations* nationales, il devient presque impossible à un brahmane d'entrer dans une université publique : toutes les places sont attribuées aux castes dites défavorisées dont la liste s'allonge au fil des promesses électorales.

La violence des hautes castes ainsi « exclues » contre les basses castes « privilégiées » se manifeste, en Inde comme aux États-Unis, avant tout dans les classes moyennes. En Inde, celles-ci, généralement issues de castes intermédiaires et étant donc au plus près des intouchables, sont les plus exposées, ce qui est comparable aux États-Unis à la rivalité entre petits Blancs et Noirs. À l'autre bout de l'échelle sociale indienne, les élites brahmaniques peuvent se permettre d'être les plus généreuses envers les basses castes qui ne menacent pas leur statut. De même, aux États-Unis, les « libéraux » américains (style Kennedy) se montrent-ils les plus attentifs au sort des Noirs. Pareillement, la haute bourgeoisie française est souvent plus antiraciste que ne le sont les ouvriers. Dans tous ces cas, les élites seraient-elles plus éclairées ? Ou moins exposées à la concurrence des castes inférieures ? Il est constant que le racisme en Occident, comme le castéisme en Inde, est plus virulent chez ceux qui se trouvent au contact immédiat de la race ou de la caste qu'ils estiment inférieure que chez ceux qui en vivent éloignés par la géographie ou la fortune.

Après cinquante ans de lutte contre le castéisme et le racisme, le bilan me paraît cependant plus nuancé que ce qu'en dit Thomas Sowell. À l'actif de la politique indienne des *reservations*, comme de l'*affirmative action* aux États-

Unis, on constate l'émergence d'une nouvelle élite issue du bas de la pyramide sociale. Nous avons rappelé que le président de la République indienne est aujourd'hui un intouchable, comme plusieurs maires et gouverneurs américains sont noirs. Les uns et les autres y seraient-ils parvenus sans les *reservations* ou la « discrimination positive » ? Sans doute pas, et ce sont là des symboles positifs pour l'ensemble de la société. On peut maintenant, en Inde, se déclarer fier d'être un paria. Mais les adversaires des quotas demandent si ce sont les « bons » parias qui en bénéficient. En Inde, le quota d'emplois publics modestes réservés aux basses castes est sans conteste rempli par celles-ci. Est-ce grâce aux *reservations* ? Ces emplois d'huissiers, de gardiens et de serveurs de thé n'auraient-ils pas été attribués aux basses castes en tout état de cause, puisque les hautes castes ont toujours recruté dans les basses pour occuper ces fonctions subalternes ?

Les adversaires des *reservations* dénoncent, à l'autre bout de l'échelle sociale, les privilèges paradoxaux d'une « crème » de parias : pour entrer à l'université, des enfants de ministres intouchables bénéficient du quota réservé aux intouchables. On cite quelques cas de brahmanes conduits à se faire passer pour intouchables afin d'être admis à l'université. Les brahmanes seraient dissuadés de se présenter aux concours de recrutement de la haute fonction publique, de plus en plus réservée aux castes discriminées ; en conséquence, le niveau des recrues baisserait. Les opposants aux *reservations* avancent aussi qu'elles nourrissent une sorte d'idéologie castéiste qui pervertit la démocratie indienne. Il est de fait que, dès l'instant où les basses castes ont eu droit à des postes, elles se sont montrées attachées au système des castes ! La loi sur les *reservations*, adoptée au moment de l'indépendance à la demande d'Ambedkar, et qui devait créer initialement des quotas pour dix ans, a été sans cesse reconduite. Telle a été la première décision du nouveau Parlement élu en 1999, adoptée à l'unanimité après que le Premier ministre eut expliqué que c'était « pour la dernière fois » !

Autre paradoxe engendré par les *reservations* : le nombre de castes « défavorisées » ne cesse d'augmenter dans la mesure où toute caste reconnue comme telle par les autorités politiques accède d'emblée, en raison de son statut « inférieur », à des avantages concrets, en particulier à des emplois publics. Dans la foulée des élections de 1999, une centaine de castes, réparties dans toute l'Inde, ont été reconnues comme inférieures, y compris certaines qui étaient notoirement privilégiées ; leurs dirigeants avaient négocié leurs suffrages en échange de la reconnaissance ultérieure d'un statut de victimes ! À l'inverse, certaines castes furent « promues » contre leur gré, perdant instantanément les avantages que procurait leur infériorité reconnue : sans doute avaient-elles mal voté...

« Tout le monde n'a pas la chance d'être paria », dit un proverbe du Kerala. Mais ce sont les brahmanes qui le citent, pas les parias. Il se trouve en effet que les brahmanes ne sont pas seulement victimes des *reservations* : ils savent aussi en tirer un certain avantage. Les représentants des basses castes en politique se trouvent rarement désignés par la volonté du petit peuple et sont presque toujours cooptés par les dirigeants des partis issus des hautes castes ; ces parias cooptés deviennent les obligés des brahmanes, qui se constituent ainsi une clientèle asservie. Cette instrumentalisation des parias est devenue une maladie chronique des grands partis indiens : le Congrès, tenu depuis Nehru par les castes supérieures, s'appuie sur les intouchables tout en reprochant à ses adversaires de les mépriser ; en retour, le BJP nationaliste, qui recrute dans les classes moyennes, accuse le Congrès de discriminer en faveur des intouchables. Dans les villages et les *slums*, les militants des partis allument des guerres de castes là où régnait une rela-

tive harmonie ; une compétition malsaine dans les faveurs
du pouvoir jette les unes contre les autres les castes favo-
risées et défavorisées qui cherchent à bénéficier, si l'on
peut dire, du statut de victime ! Par une sorte d'inversion
des normes, cette quête du statut le plus défavorisé est
devenue une industrie politique, alors qu'on préférait
naguère être vainqueur. Cette inversion, pour être parfois
moralement juste, conduit à une étrange course à la « victi-
misation », enfermant les individus dans une infériorité
proclamée. De surcroît, la loi sur les *reservations* n'accor-
dant de privilèges qu'aux groupes, et non pas aux individus,
le statut de victime ne peut être que collectif, ce qui
renforce au bout du compte l'emprise de la caste sur ceux
qui la composent.

Tous ces effets pervers des *reservations* ne sont pas
niables, mais suffisent-ils à en invalider le principe ? Il est
en vérité impossible de dresser un bilan objectif de la
« discrimination positive » en Inde, tout comme aux États-
Unis, car on ne sait pas ce qui se serait produit si cette
politique n'avait pas été appliquée. Peut-être les intouchables se seraient-ils révoltés ou auraient-ils fait sécession,
comme le suggéra initialement Ambedkar ; ou bien leurs
élites auraient-elles refusé les règles de la démocratie.
N'eût-il pas été plus grave pour l'Inde que les effets
ambigus des *reservations* ?

Au terme de cette interrogation quelque peu théorique,
une rencontre acheva de me rallier aux *reservations* avec
tous leurs inconvénients plutôt qu'à l'absence vertueuse de
toute *reservation*. Mon interlocuteur s'appelait Prakash, et
il achevait ses études de droit à l'université de Bombay,
située au sud de cette ville impraticable, sur une sorte de
campus à l'américaine ; je l'avais repéré grâce à quelques
éditoriaux incisifs qu'il publiait dans une revue, destinée
aux *dalits*, intitulée *Le Peuple en révolte*. Il me donna

rendez-vous à la cafétéria de l'université, un lieu enfumé par l'huile de cuisson si agréable aux Indiens. J'arrivai en avance ; on est toujours en avance avec les Indiens, qui n'ont pas notre sens de l'heure juste ; je choisis une table au hasard qui était déjà occupée par quelques étudiants. Quand Prakash arriva, tous mes voisins partirent s'installer à une autre table. « C'est toujours comme ça, fit Prakash sans acrimonie, les étudiants brahmanes ne supportent pas d'être assis à côté des intouchables et les autres castes subalternes font toujours cause commune avec les brahmanes pour ne pas être confondues avec les intouchables ; nous ne prenons jamais nos repas ensemble. » Prakash sourit à ma question sur ces brahmanes qui seraient évincés de l'université en raison des *reservations*. « Ils occupaient 100 % des places avant les *reservations* et il est exact qu'ils sont tombés aux deux tiers des effectifs ; mais, comme ils ne représentent que 3 % de la population de l'Inde, on ne peut pas prétendre qu'ils souffrent d'une discrimination inversée. » Le plus difficile, pour Prakash — je le cite —, ce n'est pas d'être minoritaire et méprisé par ses condisciples d'autres castes, c'est que la drague est impossible : « Il n'y a presque aucune fille *dalit* sur le campus et seule une *dalit* accepterait de me fréquenter », confesse-t-il.

À le suivre, les enseignants de l'université ne se comportent pas autrement que les étudiants. Tous appartiennent à des castes supérieures, généralement brahmaniques, et mènent une guerre de résistance sournoise aux *dalits*. Ainsi Prakash voulait-il initialement devenir médecin ; ses maîtres lui firent rapidement comprendre qu'il ne saurait en être question ; par « malchance », il était systématiquement recalé à ses examens. « Une conspiration castéiste », dit-il. La résistance lui paraissant inutile, il se réorienta vers le droit, afin de devenir avocat, « comme Ambedkar », précise-t-il ; son frère, dans la même université, choisit prudemment la fonction publique, que les brahmanes abandonnent aussi aux *dalits*. L'administration était jadis la voie noble mais, les valeurs sociales chez les élites indiennes évoluant sous l'influence de la libéralisation, la fonction publique est devenue assez bonne pour les *dalits*. Comment Prakash répond-il à l'objection essentielle adressée aux *reservations* : est-il du niveau de cette université ou ne doit-il d'y être entré que grâce aux quotas ? Ses notes, m'assure-t-il, étaient suffisantes pour être admis en tout état de cause, *dalit* ou non. S'il a exigé malgré cela de bénéficier du quota, c'est parce que celui-ci lui assure la gratuité des études et une bourse de surcroît. C'est, à l'entrée des universités, le cas général : les *dalits* ne sont pas trop bêtes pour entrer à l'université, ils sont trop pauvres. Sans les *reservations*, il est probable que « les *dalits* seraient tous renvoyés dans leurs villages ».

Prakash n'est-il pas révolté, n'est-il pas saisi du désir de poser des bombes dans cette société hypocrite où l'on prétend que les castes ont disparu ? Mais l'enseignement d'Ambedkar canalise ses pulsions, tout est dans Ambedkar, divinisé par les *dalits* à la manière dont d'autres divinisent Gandhi. Ambedkar leur a demandé de se convertir au bouddhisme pour ne plus rien devoir aux brahmanes ; Prakash s'est converti. Ambedkar croyait au combat légal et pas à la révolution ; Prakash sera avocat et pas révolutionnaire. Ambedkar a demandé aux *dalits* d'être fiers de leur caste ; Prakash est fier d'être *dalit*. « Grâce au docteur Ambedkar, conclut-il, je suis plus libre que n'importe quel brahmane ; les brahmanes sont aliénés par leur superstition, moi, je suis un citoyen, individualiste et rationaliste. » Devrait-on dire « libre comme un intouchable » ? Ce serait certainement sous-estimer le fardeau de la misère qui écrase la grande masse des *dalits* restés au village. Les prises de position et les postures contre la discrimination souffrent en effet de n'être posées qu'en termes politiques.

On ne peut pas attribuer la rigidité des castes aux seules pratiques culturelles ou aux seules croyances religieuses ; cette rigidité est aussi l'envers des choix économiques arrêtés par la caste dirigeante des brahmanes au moment de l'indépendance. Cette élite, qui a réussi sa métamorphose d'ancienne caste de lettrés en nouvelle caste de technocrates, a choisi de développer les grandes industries utiles à la puissance de l'État plutôt que l'économie des villages et des petites entreprises, comme le préconisait Gandhi. Nous verrons plus loin comment cette stratégie a transformé l'Inde en une paradoxale « puissance pauvre », concentrant les richesses au sommet, abandonnant des miettes aux classes moyennes, et pratiquement rien à l'Inde des villages. Malgré la démocratie, l'urbanisation, la télévision, les *reservations*, les castes se sont d'autant mieux perpétuées que l'économie indienne a stagné ; la compétition est d'autant plus vive entre elles qu'elle porte sur des emplois et des ressources rares.

Comme une vignette qui illustrera le risque de poser l'égalité en termes politiques et d'ignorer la vengeance de l'économie, je conterai ici une histoire vraie qui a pour cadre l'État du Kerala ; celui-ci est réputé pour son progressisme social, grâce à l'action conjointe et rivale des Églises chrétiennes, très bien implantées, des maharadjahs et brahmanes éclairés, et du Parti communiste. Les gouvernants communistes de cet État ont cru bien faire en instaurant en 1987 un salaire minimum légal, supposé protéger les plus pauvres contre l'exploitation de leur labeur. Très bien. Dans le même temps, les communistes ont nationalisé de nombreuses industries du Kerala pour les empêcher de verser dans l'affreuse logique du profit, voire de licencier ou de fermer quand leur activité cesserait d'être rentable : toujours pour protéger les faibles. Enfin, ces mêmes gouvernants progressistes ont instauré un droit du travail extrêmement protecteur des salariés et conféré une grande autorité aux syndicats locaux. Que faire de plus et de mieux pour les plus démunis ? se demandera-t-on. C'est alors que l'économie, dont les lois universelles s'imposent aussi au Kerala, prit sa revanche, fort cruelle. Les plus importants employeurs de main-d'œuvre paria, qui étaient les propriétaires de rizières, firent leurs comptes ; ils en conclurent que la production de riz, qui exige beaucoup de travailleurs, cessait d'être rentable. Les rizières furent donc transformées en plantations d'arbres à caoutchouc, qui ont le mérite de pousser tout seuls, d'employer très peu d'ouvriers pour la récolte et de rapporter au moins autant qu'une rizière. Les parias devinrent chômeurs. Les entrepreneurs privés de la petite industrie non nationalisée adoptèrent des comportements comparables, c'est-à-dire affreusement rationnels, et cessèrent de développer leurs affaires ; nombre d'entre eux s'exilèrent vers des États de l'Inde plus cléments pour les patrons, voire à l'étranger. Le nombre des chômeurs parias s'aggrava d'autant. On aurait pu imaginer que, dans cet État progressiste, le gouvernement investirait dans le secteur public ou les infrastructures de manière à susciter des emplois de rechange. Mais il aurait fallu que dans les caisses de cet État, subsistent quelques ressources. Par malchance, il est ruiné ; prisonnier de sa propre logique, il a déversé tous les fonds disponibles dans le déficit du secteur public. Celui-ci est figé dans des productions archaïques qui emploient beaucoup plus de salariés que nécessaire, mais puissamment syndiqués.

Au total, la politique généreuse des progressistes du Kerala a pour résultat d'avantager ceux qui ont déjà un emploi — dans le secteur public, de préférence — et qui le gardent, c'est-à-dire une élite qui constitue la base militante des partis que l'on appelle « progressistes ». Les victimes de cette somme de bonnes intentions, ce sont les faibles, les parias. Eux ont tout perdu, fût-ce le maigre revenu que leur apportait un emploi de manœuvre ou de riziculteur. En attendra-t-on que les parias, doublement parias après avoir perdu leur emploi, se révoltent ? C'est l'inverse qui se produit : face aux faibles perspectives économiques, le plus grand nombre trouvent dans leur caste une sécurité minimale ou bien cherchent, grâce à elle, quelque avantage public ; à la hiérarchie traditionnelle des castes s'ajoute donc maintenant une aliénation supplémentaire des plus humbles envers la nomenklatura communiste locale dont ils espèrent le salut.

À tort, car, si la nomenklatura de l'État et des partis a proclamé l'égalité comme théorie dominante, c'est de manière à entretenir le castéisme comme réalité permanente. Ce qui a été décrit ici pour le Kerala vaut, à des degrés divers, pour toute l'économie indienne. Si Gandhi comme Ambedkar ont été trahis par la classe dirigeante de l'Inde, c'est sans doute parce que leurs principes étaient défaillants. Le moralisme seul, le légalisme seul ne pouvaient inverser la discrimination. Il aurait fallu intégrer dans l'analyse les rudes lois de l'économie auxquelles, bizarrement, ni Gandhi ni Ambedkar n'attachaient d'intérêt particulier. Nous verrons plus loin comment la combinaison de la morale, du droit et du marché peut bel et bien inverser le principe hiérarchique grâce à ce que l'on appellera une « économie de la dignité ».

Troisième partie

Pour une économie de la dignité

6

La bombe et le choléra

Souvent, et à bon droit, les élites politiques et économiques de l'Inde protestent contre cette manie des Occidentaux de privilégier, dans leur pays, les vieilles choses, les croyances irrationnelles, la grande misère. Il faut aussi connaître l'Inde du progrès, celle des entreprises et des techniques les plus modernes, ce pour quoi on ira à Bangalore, qui ne se situe pas sur le circuit des touristes ou des chasseurs de gourous. Dans le discours officiel dominant, Bangalore est chantée comme la capitale du futur, l'exact envers du misérabilisme, une percée vers une autre Inde possible. C'est à Bangalore que l'on assemble des armes et que l'on construit des fusées. À quoi ressemble le futur vu par les élites indiennes ?

Depuis longtemps, Bangalore n'est plus la « cité des jardins », ainsi qu'on la nommait encore au temps des sultans et des Britanniques ; de cette grande époque subsistent des bungalows effondrés de style anglo-normand, quelques parcs que nul n'entretient plus. Seul le climat reste constant, que l'altitude rendait si agréable aux Anglais. Cette clémence et l'éloignement des frontières ennemies — chinoise et pakistanaise — ont conduit les gouvernements de l'Inde à localiser ici les entreprises les plus avancées, les industries de l'armement, de l'aéronautique et de l'informatique : un complexe militaro-industriel qui n'est pas sans rappeler celui de la Californie. Mais, en Californie, la nature et la population sont domestiquées, tandis qu'à Bangalore règne le plus grand désordre. Les immigrants y contribuent, venus en foule à la recherche d'emplois salariés. Le salariat, en Inde, est un privilège qui vous hisse dans la « classe moyenne ».

À la pagaille provoquée par cette irruption des villageois dans la ville, les promoteurs immobiliers ont ajouté leur talent particulier pour construire, vite et mal, des immeubles prêts à s'effondrer, ce qui confère à Bangalore un air d'abandon alors que tout y est neuf. Essayant d'échapper à cette cohue, les nouveaux riches se réfugient dans ce qui s'appelle des « pubs » où l'on boit, danse et surtout s'exhibe avec une petite amie, voire un ami : le premier mouvement de libération des homosexuels s'est déclaré à Bangalore en 1999.

Bangalore appartient moins à l'Inde éternelle qu'au village global ; les élites traditionnelles, qui s'abstenaient de toute ostentation, ont laissé place à l'affichage d'une richesse clinquante, calquée sur les mœurs « bollywoo-diennes » que popularisent les films produits à Bombay. La principale source d'enrichissement provient de l'Occident ; profitant des bas salaires indiens et de l'abondance des informaticiens sur le marché, les entreprises d'Europe et des États-Unis sous-traitent à Bangalore ce qui peut être aisément transféré sur Internet. La région est semée d'enclaves portant les noms des géants transnationaux de l'informatique.

Il convient de s'arrêter sur la relation particulière que les élites indiennes entretiennent avec l'informatique. À les entendre, à lire la prose officielle ou la presse moderniste, la « race » indienne serait dotée d'une intelligence particulière qui permettrait au pays de brûler les étapes laborieuses du développement et de se retrouver, grâce à l'informatique, dans le peloton de tête des nations les plus modernes. Il n'est pas niable que de nombreux Indiens occupent aux États-Unis des rangs éminents dans des sociétés de logiciels, et plusieurs d'entre eux sont revenus à Bangalore pour y fonder de brillantes entreprises. Est-ce à dire qu'il existerait dans l'esprit indien un gène de l'informatique qui conduirait directement du *Mahabharata* à Internet ? On l'entend dire en Inde, et s'y ajoute une sorte d'explication qui emprunte à la race et à la culture. L'argument serait que, les brahmanes ayant toujours privilégié l'étude des mathématiques, en dérivent une grande agilité dans la manipulation des concepts abstraits et donc une propension à l'excellence dans la création de logiciels. De fait, la plupart des informaticiens indiens sont issus des castes brahmaniques. Mais cette thèse, qui satisfait la vanité des élites brahmaniques et nourrit le chauvinisme indien, contredit tout ce que l'on sait par ailleurs sur l'aptitude des individus — et non pas des peuples — à la pratique des mathématiques de haut niveau. Il est démontré que cette aptitude est également répartie entre toutes les nations selon des lois qui obéissent davantage au hasard statistique qu'aux prétendues capacités ethniques ou culturelles. Si de nombreux Indiens sont doués pour les mathématiques et l'informatique, c'est qu'il existe un milliard d'Indiens, et si les brahmanes sont sur-représentés dans le monde des logiciels, c'est que ce sont eux qui poursuivent des études supérieures. Le génie mathématique des Indiens n'est donc ni indien ni brahmanique ; il est purement statistique. De plus, si les entreprises d'informatique sont nombreuses à Bangalore, l'avantage naturel qu'elles trouvent à s'y installer, plutôt qu'ailleurs, tient moins au génie des lieux qu'aux salaires relativement bas, comparés à ceux d'Europe ou des États-Unis.

Il m'a été donné de rencontrer au moins un entrepreneur indien du secteur pour compléter mon analyse sans complaisance pour le chauvinisme indien en soulignant un avantage naturel supplémentaire dont jouit son pays : le décalage horaire. Son entreprise étant spécialisée dans le décryptage et la transcription des dossiers médicaux des Américains, ceux-ci lui transmettent le soir par Internet leur texte enregistré, et, cependant qu'ils s'endorment, les Indiens se réveillent ; le lendemain, les médecins américains retrouvent sur leur ordinateur, via Internet, la retranscription de leur envoi de la veille... Outre le décalage horaire, les informaticiens indiens ont aussi l'avantage de parler anglais, ce qui en fait les sous-traitants privilégiés des États-Unis...

Plus qu'à l'informatique, industrie de sous-traitance, on s'intéressera donc d'abord, à Bangalore, à ce que les Indiens peuvent réussir par eux-mêmes et pour leur propre marché intérieur. On va ainsi privilégier une production d'apparence banale, celle des montres, parce que longtemps les Indiens ne parvenaient pas à en fabriquer ; ce qui a récemment changé grâce à une entreprise exemplaire de Bangalore, fort célèbre en Inde, qui s'appelle Titan.

Titan pourrait se trouver partout ailleurs dans le monde ; les ateliers sont rutilants, les techniques de production comparables à celles de la Suisse ou du Japon, le personnel diligent, discipliné, productif. Si les ouvrières ne portaient pas tant de bijoux sur elles, on aurait du mal à se rappeler que l'on se trouve en Inde, sur le front industriel de Bangalore où les usines font reculer les rizières. Discipline, propreté, efficacité : toutes qualités que l'on n'identifiait pas spontanément à l'Inde. « Notre usine, dit son fondateur, Xerxes Desai, est un manifeste économique. J'ai voulu démontrer que l'on savait, en Inde, entreprendre et travailler aussi bien que partout ailleurs, pourvu que l'on nous laisse entreprendre et travailler. »

Il nous faut faire ici un bref détour par les théories économiques. Deux grandes écoles s'opposent sur les origines du développement. Pour les libéraux et les socialistes, qui appartiennent sur ce point au même camp, les civilisations n'exercent pas une influence déterminante sur le développement ; il convient seulement que les acteurs économiques reçoivent des signaux positifs qui les conduiront à créer des activités et des richesses. Pour les socialistes, il revient au gouvernement d'envoyer ces signaux ; aux yeux des libéraux, la liberté du marché est plus incitative que ne le sera jamais l'État. À l'inverse de ce relatif optimisme sur la nature humaine, d'autres analystes du développement, à l'école du sociologue allemand Max Weber, considèrent que le développement est enraciné au cœur des cultures ; certaines conduiraient à innover, d'autres à préférer les traditions. Ainsi les protestants seraient-ils devenus capitalistes, tandis que les confucianistes et les hindous stagneraient dans la répétition. Bien que le décollage économique de l'Asie du Sud-Est ait ébranlé cette vulgate webérienne, elle conserve bien des défenseurs, ne serait-ce que par élégance : ce qui est culturel paraît « chic », et défendre la culture est une posture antimarxiste assez facile.

Comme souvent en économie et en sociologie, la vérité est partout à la fois : l'élément culturel ne saurait être absent du raisonnement économique, mais il se trouve aussi que la culture est un fleuve insaisissable et changeant. Ce qui, hier, s'opposait au développement — par exemple la discipline confucianiste en Corée et au Japon — est reconnu soudain comme un atout dans l'organisation du travail industriel. En Inde, on a longtemps considéré que les élites brahmaniques, en raison de leur formation abstraite, étaient imperméables à l'esprit d'entreprise et vouées à la bureaucratie improductive ; il appert soudain que cette formation entretenait un incomparable vivier pour le nouvel univers de l'informatique ! On en conclura pour notre part que les civilisations indiennes ne sont ni hostiles ni favorables au progrès ; tout dépend des signaux qui leur sont adressés. De surcroît, il existe en Inde tant de minorités — à supposer qu'il existe une majorité — qu'il s'en trouvera toujours une disposée à entreprendre, à condition qu'il soit permis d'entreprendre, ce qui a rarement été la situation dominante dans l'histoire indienne. Telle serait d'ailleurs, selon Xerxes Desai, la principale raison de la pauvreté en Inde.

« Avant l'ouverture de mon usine, m'explique-t-il, les Indiens ne parvenaient pas à acheter une montre de bonne qualité.

— N'en avaient-ils pas besoin ?

— Tout le monde a besoin d'une montre.

— Étaient-ils trop pauvres pour se l'acheter ?

— Même pas. Un quart des Indiens a toujours eu un pouvoir d'achat comparable à celui des Européens. »

En même temps que nous parlons de montres et que j'essaie de comprendre l'origine de la pénurie indienne, je ne peux m'empêcher d'étudier les traits de mon interlocuteur. Est-ce parce qu'il a si peu l'air indien ? Mais qu'est-ce que l'*air indien* dans cette nation bigarrée ? Toutes les couleurs de peau ont ici droit de cité. Mais, chez Desai, quelque chose d'autre retient l'attention : une sorte de lueur triste dans le regard, peut-être, ou ces traits affaissés qui lui donnent un cachet fin de race ou fin de siècle. À moins que ce ne soit cette peau si blanche, diaphane, que l'on a bien du mal à associer au grand soleil indien. Bien entendu, je ne m'autoriserais pas toutes ces remarques si je ne savais que Desai est un parsi, et que, venu d'Iran, ce très ancien peuple est en passe de disparaître de l'Inde, soit qu'il émigre aux États-Unis, soit qu'il fasse trop peu d'enfants (on parle aussi d'un excès d'endogamie). Le fait est qu'après avoir joué un si grand rôle dans le développement du pays les parsis s'en éloignent. Desai est donc l'un des derniers de ces capitaines d'industrie qui eurent au XIXᵉ siècle la faveur des Anglais ; on raconte aussi que la famille Tata, avec qui Desai est associé, édifia initialement sa fortune sur le commerce de l'opium. Mais les origines du capitalisme sont souvent si troubles...

Si Xerxes Desai a créé, au sein du groupe Tata, la plus grande et la plus moderne des fabriques de montres de l'Inde contemporaine, c'est, explique-t-il, en raison d'un souvenir d'enfance.

« Lorsque j'eus seize ans, en 1950, j'ai demandé une montre à mes parents. Ils avaient les moyens d'en acheter, mais il n'y en avait pas de qualité qui fût disponible. Il fallait s'inscrire auprès de la seule usine du pays qui avait obtenu de l'État le droit d'en fabriquer : Hindustan Machine Tools, à Bangalore. Puis on attendait. Un an plus tard, mes parents reçurent une lettre leur annonçant que la montre était arrivée. »

Toute la production industrielle en Inde obéissait à ce principe d'autorisation administrative qui ne fut abandonné qu'en 1991, avec la libéralisation, toute relative, de l'économie indienne. Certes, les parents de Desai auraient pu acheter une montre à l'étranger, mais l'importation était interdite. Ils l'auraient facilement trouvée en contrebande, mais, dit Desai, « les parsis sont très à cheval sur la morale ». Donc, le jeune Xerxes attendit sa montre. Pendant ce temps, des paysans attendaient leur tracteur, car la même usine de Bangalore détenait à la fois le monopole de fabrication des montres et celui des tracteurs. Tel était le modèle indien de planification, imité du modèle soviétique. Un modèle remarquable en ce qu'il produisit partout les mêmes effets, sous tous les climats, dans toutes les civilisations.

Depuis l'ouverture de l'entreprise Titan, les Indiens n'attendent plus leur montre ; cinquante ans après l'indépendance, il s'en trouve partout en Inde. Encore faut-il pouvoir les acheter. Combien d'Indiens le peuvent-ils ? « Environ deux cents millions », répond Desai. Un marché gigantesque, mais qui ne concerne qu'un Indien sur cinq. Les autres ?

« Ils sont condamnés à regarder la société de consommation, dit Desai, pas à y participer.

— Qui les a condamnés à rester spectateurs ?

— La famille Nehru, répond Xerxes Desai. Ces grands brahmanes qui dirigèrent l'Inde depuis l'indépendance n'avaient aucun sens de la justice sociale.

— Dites-vous cela parce que vous êtes parsi ?

— Dans la religion parsie, répond-il, on ne va au paradis qu'après la pesée de nos pensées et de nos actes ; ce n'est pas le cas des hindous. Chez eux, il suffit d'offrir une banane à une vache, et l'on est pardonné de toutes les horreurs que l'on a pu commettre ! »

Cela, Desai me l'explique en présence de ses principaux collaborateurs ; ils sont à l'évidence hindous. Nul ne bronche : respect de la hiérarchie, habitude des frasques de leur patron, à moins qu'en Inde on ne se dise tout avec franchise ? Je penche pour la franchise.

Quelle relation existe-t-il entre le sens de la justice, ou son absence, et le développement économique ?

« Les Nehru, dit Desai, n'ayant pas le sens de la justice sociale, n'ont jamais souhaité le développement ; ils voulaient la puissance. Ils crurent qu'ils y parviendraient plus vite par le socialisme que par l'économie de marché. »

Voilà pourquoi l'État indien obtient la bombe atomique avant que chaque Indien ait une montre ; en cinquante ans, l'Inde est devenue une « puissance pauvre », peu conforme au programme qu'avait annoncé Nehru.

C'était le 15 août 1947, à minuit. Le premier chef de gouvernement de l'Inde prononça devant le Fort rouge de New Delhi un beau discours : « L'Inde, dit Nehru, a un rendez-vous avec le destin. Nous allons édifier la maison commune d'où disparaîtront la misère et la maladie. » Les Occidentaux, que Nehru rassurait parce qu'il leur ressemblait, applaudirent. Lapierre et Collins en firent un livre intitulé *Cette nuit la liberté*. Cinquante ans plus tard, il m'a été donné, là où Nehru prononça son allocution, d'assister à la commémoration de son anniversaire. C'était un défilé

militaire. Au pays du Mahatma Gandhi, les chars succé-
daient aux régiments à dos d'éléphant. Sans cette note
exotique, sans le soleil, nous aurions pu nous croire en
Union soviétique au temps de l'Armée rouge. Est-ce,
comme l'écrivent certains polémistes, parce que Nehru
avait visité l'URSS dans les années 30, qu'il avait aimé ou
gobé tout ce qu'on lui avait montré, que l'Inde est à son
tour devenue, comme la Russie, une « puissance pauvre » ?
Le parallélisme des choix économiques entre les deux pays
est troublant ; Nehru infligea à l'Inde ces deux maladies
majeures de l'URSS stalinienne que furent la planification
étatiste et la préférence pour la sidérurgie. « Nehru,
souligne Xerxes Desai avec indulgence, voulait être à la
mode. » Il n'aurait donc fait que commettre les mêmes
erreurs d'appréciation que tous ses contemporains.

La mode... C'est une explication plausible de la stratégie
socialiste qui prévalut en Inde ; la culture des élites
indiennes en est une autre. Les brahmanes qui peuplent la
haute administration et dirigent les grands partis politiques
témoignent par tradition une grande indifférence aux
sciences de la nature et d'observation, ce qui ne les prédis-
pose guère à s'intéresser à l'économie. Mais la planification, qui ramène toute la société à des équations, ne peut
que leur plaire. Un brahmane est à l'aise dans l'univers
artificiel du Plan où l'on confond ambitions affichées et
réalisations effectives ; le Plan n'est jamais qu'un mantra à
l'échelle de la nation, ce qui a conduit un économiste français — Jean-Alphonse Bernard — à définir le système
indien comme un « brahmano-socialisme » ! L'est-il encore
depuis qu'en 1991 les Nehru — « Nehru » est employé ici
comme terme générique — se sont ralliés au capitalisme
américain ? Ces inflexions stratégiques me paraissent
secondaires par rapport au but véritable et inavoué pour-
suivi par tous les gouvernements indiens : contre Gandhi,
le choix historique des Nehru aura été celui de la puissance

et de la violence à l'occidentale contre l'alternative de la non-violence, de l'État centralisé contre l'harmonieuse anarchie des panchayats, de l'acier plutôt que de la civilisation.

Seul Gandhi, qui avait pressenti que le choix de la puissance serait suicidaire pour les Indiens, aurait pu s'interposer ; après qu'il fut assassiné par Godse et — symboliquement — par Nehru, nul ne pouvait plus résister au rêve sidérurgico-nucléaire. La stratégie des Nehru fut-elle seulement une malencontreuse erreur ? C'est ce que racontent maintenant les manuels d'économie. Il me paraît plutôt que la préférence accordée au statut de « puissance pauvre » fut délibérée. Si les Nehru avaient véritablement souhaité le développement du peuple indien, leurs erreurs stratégiques seraient quasi inexplicables ; s'ils voulurent la puissance de l'État, ils l'obtinrent, et leurs choix paraissent soudain cohérents avec le but recherché. Il est d'ailleurs permis de penser que ce paradoxe vaut en ce siècle pour toutes les « puissances pauvres » comparables à l'Inde.

Contrairement aux idées reçues sur le sujet, on considérera donc que la planification fut un « succès », compte tenu de ses objectifs inavoués mais véritablement désirés : au terme d'une longue marche engagée dès Nehru, poursuivie sans hésitations ni remords par tous ses successeurs, la bombe atomique testée en 1998 constitue la preuve que l'objectif souhaité a bel et bien été atteint. Les Nehru ont voulu que l'État se dote d'une grande puissance de feu, et la planification centrale leur a justement paru la voie la plus courte pour y parvenir. L'Inde aurait pu se passer de cette bombe dans sa guerre permanente avec le Pakistan en adoptant une posture helvétique, sinon gandhienne, pour réduire le conflit ; mais, à l'évidence, les dirigeants indiens aiment la guerre, qui cimente l'État et conforte leur pouvoir. Dès l'indépendance, ils ont manifesté ce goût pour les solutions violentes. C'est par les armes que Nehru intégra, sans négocier, les États princiers, ou encore Goa, qui ne voulaient pas fusionner avec la République indienne. Toutes les « dissidences » furent ainsi gérées par la violence sans qu'aucun gouvernement, depuis cinquante ans, ne s'interroge sur les alternatives gandhiennes. Quelle continuité de l'État en dépit de l'apparente instabilité politique des gouvernements indiens !

Outre la puissance qu'il conféra aux dirigeants, le Plan présenta l'avantage de produire, en annexe, une gigantesque bureaucratie pour le faire fonctionner. Les économistes dénoncent dans cette bureaucratie un poids mort qui freine le développement ; mais tel n'est pas le regard des puissants : pour les dirigeants de l'Inde, ce sont là des emplois que l'on peut distribuer et qui permettent de se constituer une clientèle. C'est ce qui a été accompli, et, de ce point de vue, le Plan est encore un succès ; ce n'est qu'à l'aune du développement qu'il est un échec ! Non que l'Inde ne soit pas du tout développée. Mais la perception du développement dépend de la place qu'on occupe dans la société. Pour qui est proche de l'État, le modèle indien est profitable ; plus on s'éloigne du centre, plus on est miséreux ; pour les villageois, aussi éloignés du plan que de la nomenklatura, le bénéfice économique est évidemment nul. Ce qui donne à l'Inde cette allure de pays cassé en deux, de juxtaposition de puissance et de misère.

Est-ce seulement la faute du Plan ? N'y aurait-il pas, derrière cette cassure, des raisons plus profondes, antérieures au modèle brahmano-socialiste, tenant aux inégalités fondamentales de la société hiérarchique ? Cette société était bien entendu inégalitaire avant le Plan, mais rien, dans le Plan, n'est venu corriger le principe hiérarchique ; en revanche, tout a concouru à le renforcer. Si les planificateurs avaient souhaité que les Indiens eussent des montres plutôt que l'Inde une bombe, c'eût été possible ; mais le choix inverse a été fait, de sacrifier le niveau de vie à l'ambition nationale. Entendant jouer dans la cour des grandes puissances, les dirigeants indiens considérèrent que l'on y parviendrait plus vite en sacrifiant la fraction du peuple économiquement inutile. Pourquoi ces dirigeants se seraient-ils conduits autrement, puisqu'ils furent ainsi reconnus comme étant des partenaires sérieux par les autres puissants de ce monde ? Le Plan aura bien servi l'Inde ; pour les Indiens, c'est une autre histoire...

N'aurait-on pas pu planifier autrement ? L'économiste indien Amartya Sen, qui obtint le prix Nobel d'économie en 1998, prétend que la planification en soi est bonne, que c'est l'application indienne qui fut mauvaise.

Un bon Plan, selon lui, devrait privilégier les ressources humaines, l'éducation et la santé publique, pour que l'Inde se développe, alors que Nehru aura édifié la maison à l'envers. Amartya Sen appuie sa démonstration sur l'exemple de l'État du Kerala où le progrès social aurait précédé le développement économique. Sainte utopie du Kerala où régnerait le bonheur social sans l'« horreur économique » ! C'est le dernier refuge des planificateurs... qui ne s'y rendent pas ! Mais on a vu plus haut que le développement social du Kerala, incontestable, était moins l'œuvre de ses gouvernements « progressistes » que la conséquence d'une situation culturelle particulière, non reproductible, fondée sur la rivalité de trois grandes religions. Au sens strict, l'économie du Kerala est un désastre, et la population locale vit pour l'essentiel des fonds que les émigrés adressent à leur famille restée au pays.

Hormis cet exemple peu convaincant du Kerala, Amartya Sen n'explique pas pourquoi les planificateurs, nulle part, jamais, n'ont privilégié les ressources humaines. Il faut envisager qu'il existe bien une corrélation entre le désir de puissance et le désir de planifier : les gouvernements qui planifient se révèlent rarement des bienfaiteurs de l'humanité, et les planificateurs qui leur obéissent ne sont pas des philanthropes. Tout Plan, malgré le désir qu'en manifeste Amartya Sen, est essentiellement bon pour produire des armes, mais mal fait pour fabriquer des montres.

Au « succès » paradoxal du Plan indien s'est ajouté celui, tout aussi remarquable, du régime dit des « licences », une innovation propre au génie politique indien. Comme il apparut aux « brahmano-socialistes » qu'il ne leur serait pas possible de tout planifier ni de tout nationaliser, et que, pour la terre, les paysans ne manqueraient pas de s'y opposer, ils adoptèrent une solution intermédiaïre consistant à prendre le contrôle des « hauteurs dominantes » de l'économie et à soumettre tout le reste à autorisation administrative. Depuis l'indépendance, il a donc été interdit en Inde de créer une activité nouvelle, ou même de l'étendre, sans obtenir une autorisation préalable, une *licence*. Celle-ci décidait de tout : qui produirait quoi et où. En principe — les intentions sont toujours nobles —, les licences devaient permettre de répartir les activités sur l'ensemble du territoire, d'éviter les concentrations, de favoriser les petites entreprises, de faire appliquer le Plan par le secteur privé sans qu'il soit nécessaire de l'exproprier. La combinaison du Plan, des licences et de l'interdiction d'importer devait insuffler aux dirigeants un sentiment euphorique de maîtrise de la matière.

C'est ainsi que le monopole des montres, la localisation des usines et la quantité annuelle à produire furent initialement déterminés par une licence attribuée à Hindustan Machine Tools, et que le jeune Xerxes Desai dut attendre longtemps la sienne. Dans la réalité, rien ne se passa comme annoncé. Les licences étant rares, elles devinrent chères : les politiciens qui les votaient et les bureaucrates qui les attribuaient n'en furent que plus courtisés. La licence qui donnait le droit de travailler à celui qui en bénéficiait conférait de surcroît celui de s'enrichir à celui qui l'accordait. Il fallut investir de grosses sommes pour acquérir une licence ; l'entrepreneur qui y parvenait n'avait ensuite pour priorité que de préserver son monopole et de vendre au plus cher des produits de mauvaise qualité en quantité insuffisante. L'esprit d'entreprise qui avait prospéré dans l'Inde coloniale s'en trouva corrompu, puisque les habiles, les prévaricateurs, les bien en cour l'emportèrent sur les créateurs ; l'incitation à innover devint nulle et même négative, ce pour quoi les Indiens ne se virent plus offrir que des produits archaïques. Bureaucrates et politiciens se constituèrent de colossales fortunes ; une classe d'intermédiaires obtint des licences et prospéra en les rétrocédant ; les contrebandiers furent de la partie en introduisant dans le pays tout ce qu'il était interdit d'y produire.

Il est de coutume d'imputer à ce « royaume des licences », en voie de disparition progressive depuis 1991, tous les malheurs économiques de l'Inde. Mais, comme pour la planification, ce qui fit le malheur des uns aura beaucoup profité aux autres, en particulier à l'élite « brahmano-socialiste ». Le commerce des licences est incontestablement à l'origine de grandes fortunes mal acquises et de la prospérité de la classe politique ; ne peut-on parler ainsi d'un « succès » des licences, comparable à celui du Plan ?

Ici, je tiens à rendre hommage à ceux qui, par leur imagination, ont su échapper aux contrôles et entreprendre quand même. Mes pensées vont particulièrement à cet artisan d'apparence modeste qui, devant ma maison, à Pondichéry, s'était installé comme repasseur public. Son échoppe était faite d'une bâche en plastique, il y travaillait de longues heures et y logeait aussi ; sa clientèle était constituée de toutes les familles bourgeoises du quartier qui apportaient leur linge le matin et le reprenaient avant le soir. Il semblait gagner honorablement sa vie, et même un peu plus. La rumeur me rapporta qu'il aurait même été propriétaire de quelques immeubles, ce qu'il refusa de confirmer mais ne

nia pas non plus. Bien entendu, il n'avait pas de licence ;
il ne lui en coûtait qu'une poignée de roupies que les poli-
ciers du quartier exigeaient à dates fixes. Ainsi va l'Inde
réelle où l'esprit bureaucratique ne parvient pas à étouffer
l'esprit d'entreprise, bien qu'il s'agisse, dans mon modeste
exemple, d'un entrepreneur aux pieds nus.

On vient de constater combien la planification avait
contribué à la cassure économique de l'Inde, sans en être
la cause exclusive. Pareillement, dans quelle mesure la
corruption, devenue un fait central de la société indienne,
est-elle une conséquence des licences ou un phénomène
ancré plus profondément dans cette civilisation ? Il existe
un préjugé courant, en Occident, qui identifie la corruption
à l'Orient. En vérité, la condamnation morale de la corruption est en Inde tout aussi ferme qu'elle l'est en Europe.
La seule différence peut résulter, en Inde, d'un conflit entre
deux obligations morales contradictoires. Ainsi sera-t-il
considéré comme vertueux, pour un parent, d'aider un
membre de sa famille à trouver un emploi, ce qui pourra
légitimement conduire à octroyer un bakchich à un « officiel » ; mais, pas plus en Inde qu'en Europe, cette pratique
ne justifie que l'« officiel » accepte. En définitive, la
corruption n'a donc rien de typiquement indien ; comme
dans toutes les civilisations, elle prospère lorsqu'une autorisation politique conditionne l'enrichissement privé. Cette
corruption aura contribué, comme le Plan, à concentrer les
richesses entre les mains de ceux qui sont proches des
centres de décision. Les hiérarchies anciennes, le système
des castes avaient créé des inégalités ; celles-ci auront été
considérablement renforcées par les choix politiques du
centre.

Telle était ma conviction jusqu'à ce que je découvre une
analyse inverse sous la plume de Nirad Chaudhuri. Lui
prétend que le régime instauré par les Nehru ne fut ni fortuit
ni importé, mais « à la véritable image du panthéon hindou,

socialiste et corrompu ». Ne peut-on acheter la clémence des dieux par des offrandes ? s'interroge Chaudhuri. De là, selon lui, viendrait la corruption. Et selon la tradition, « chacun est supposé offrir un sacrifice proportionnel à son revenu : une poignée de roupies pour les humbles, l'édification d'un temple pour les puissants » — de là aurait surgi le socialisme. Mais l'hypothèse de Chaudhuri, même si elle contient un soupçon de vérité, me paraît relever plutôt de la provocation chez celui qui se révéla comme le plus sarcastique des écrivains indiens. On conclura donc, malgré lui, que la corruption est bien une atteinte à la morale généralement reçue par les Indiens, et qu'elle a conduit, depuis l'indépendance, à une inversion complète de cette tradition morale. Le cinéma de Bombay, ce miroir de l'Inde, en témoigne : il y a une génération, le héros négatif des films indiens était toujours un Indien occidentalisé ; il a été remplacé par un personnage de politicien, tandis que le héros positif est devenu un redresseur de torts du type « Parrain ». L'apparition de ce « Parrain », dont les humbles attendent une protection contre les exactions publiques, est elle aussi une conséquence du modèle indien.

On ne s'est attardé ici sur la stratégie économique que pour mieux comprendre l'Inde au présent. Celle-ci est pour beaucoup le résultat du Plan et des licences, qu'il s'agisse de sa puissance au Centre, de sa misère économique à la périphérie, des mœurs de ses dirigeants. Le « brahmano-socialisme » est une clé aussi utile pour pénétrer l'Inde que la connaissance de sa civilisation. Trop souvent, le regard occidental sur l'Inde s'arrête à une approche culturaliste, comme si des valeurs éternelles devaient, seules et à tout jamais, déterminer les sociétés orientales. Les choix économiques, qu'il s'agisse de l'Inde ou de la Chine, façonnent les mœurs au moins autant que l'héritage du passé.

Depuis 1991, le modèle économique indien aurait-il radicalement changé ou modifié les comportements ? On le prétend officiellement. Les gouvernements ont renoncé au contrôle des changes, ils en appellent aux investissements étrangers, les frontières sont ouvertes, les licences sont supprimées. Mais écoutons Xerxes Desai pour savoir ce qui se passe réellement.

« Dans l'ancien régime des licences, dit-il, il me fallait obtenir des autorisations du ministre de l'Industrie avant de produire des montres. Maintenant, je dois les obtenir du ministère de l'Environnement. »

En clair, au nom de la protection de la nature, les entrepreneurs ont vu se déplacer le circuit des pourboires. Mais il n'a pas disparu, de même que n'a pas disparu la caste qui gère ces autorisations.

« Nous cumulons en ce moment le pire des deux systèmes, reprend Desai. Au nom de la libéralisation, nous assistons à l'enrichissement scandaleux de ceux qui sont branchés sur le marché mondial ; au nom de l'État, c'est toujours par relations avec l'administration que l'on prospère. »

L'Inde se retrouve dans une situation comparable à celle de la Russie postsoviétique où l'ancien système a fait faillite mais où ceux qui le géraient sont toujours aux commandes. Les discours ont évolué, mais les structures de la « puissance pauvre » sont intactes.

Échappe-t-on par la démocratie à l'erreur économique ? Lors des dernières élections qu'il me fut donné de suivre en Inde, à l'automne 1999, les partis rivalisèrent de virilité ; tous pour plus de puissance militaire, plus de fusées, plus de bombes, tous contre le Pakistan ! Certains promirent à chaque Indien un téléphone cellulaire, nouveau fétiche brandi comme un substitut du développement. Dans le même temps, faute d'eau potable, des pauvres mouraient du choléra dans les villages et les *slums*. Les seuls à s'en scandaliser furent les communistes, qui n'avaient, eux, aucun espoir de l'emporter. En plein conflit avec le

Pakistan, ils se déclarèrent de surcroît — héritiers inattendus du Mahatma Gandhi — courageusement pacifistes. Ce fut la première fois, et probablement la dernière, que je me sentis proche de ces communistes un peu particuliers. Romain Rolland, qui, dans les années 20, espérait béatement réconcilier Lénine et Gandhi, aurait partagé mon indignation et mon inclination du moment. Le scrutin passé, le nouveau Premier ministre annonça sans autre précision que « toute pauvreté disparaîtrait en 2020 »... La réflexion sérieuse sur les aberrations du développement indien fut donc renvoyée à plus tard. Les nationalistes vainqueurs ne s'avéraient guère plus justes que les vaincus sociaux-démocrates, les uns comme les autres s'accommodant du paradoxe de la « puissance pauvre » dès lors qu'ils s'étaient emparés de l'État. C'est ainsi que s'imposa à moi le titre du présent chapitre, opposant les tenants de la bombe aux ennemis du choléra, comme représentation emblématique des deux modèles économiques possibles pour l'Inde. Mais, semblable à la Russie après Eltsine — et ce sera demain peut-être le sort de la Chine —, l'Inde illustre la difficulté de libérer l'économie de sa nomenklatura ; il y faudrait une révolution morale. Au pays de Gandhi, ne serait-ce pas la voie réaliste ? Nous verrons plus loin comment, en dehors du cadre de l'État, la réévaluation intellectuelle de ce que le développement veut dire est effectivement engagée.

De l'expérience indienne du mal-développement déduira-t-on aussi une théorie générale applicable aux pays pauvres ? Le temps est passé où l'on osait, d'un seul regard, embrasser tout le tiers-monde. On est maintenant plus sensible aux variations géographiques, culturelles et politiques, et il paraît plus utile de bien décrire la réalité que de s'aventurer dans des rêves grandiloquents. Le tiers-monde ayant servi de cobaye à tous les idéologues en quête d'expériences, il est souhaitable d'en tirer des enseignements et de ne plus parler du développement comme il y a trente ans. Mais, parler du développement comme il y a trente ans. Mais, pour parler vrai, on sait désormais ce qu'il convient de ne pas faire beaucoup mieux que l'on sait ce qu'il faut faire : en économie, les interdits sont plus faciles à recenser que les recettes. Pourtant, ne pas répéter les erreurs communes constituerait déjà un grand progrès par comparaison avec la situation antérieure.

On sait ainsi que la suppression de la propriété privée et du droit d'entreprendre conduit à la catastrophe. On sait que l'État s'est révélé un médiocre entrepreneur et un remarquable gaspilleur de ressources humaines et naturelles. On sait que la qualité de l'État est un ingrédient du développement aussi nécessaire que l'esprit d'entreprise, aucun des deux ne devant exclure l'autre : sans un État minimal capable de faire respecter le droit et les contrats, il ne saurait y avoir d'investissements. On sait que là où la monnaie n'est pas soutenue par l'État, les pauvres s'appauvrissent, les puissants prospèrent en dollars. On sait que l'isolement ne paie pas et qu'il convient de s'ouvrir au monde pour participer un peu de la prospérité générale. Le demi-siècle écoulé de « mal-développement » nous aura aussi permis de nous débarrasser de quelques théories populaires rejetant la faute du sous-développement sur les autres : les colonisateurs, les capitalistes, les impérialistes, les Américains. Les faits ont illustré le succès des sociétés ouvertes qui ont participé au système mondial et l'échec des sociétés fermées qui ont été pillées par leurs kleptocrates nationaux.

Les erreurs ayant été recensées, on ne peut s'aventurer dans une nouvelle théorie générale du développement qu'avec précaution. Les réussites toujours avancées, l'Asie du Sud-Est et le pourtour européen, doivent beaucoup à des circonstances historiques, culturelles, géopolitiques qui ne sont pas reproductibles. Par exemple, ce n'est pas parce que la Corée du Sud est passée de la misère à une société de classes moyennes en quarante ans qu'il suffirait de plaquer un modèle coréen sur l'Inde pour obtenir un résultat identique. Les deux sociétés ne partagent pas les mêmes valeurs, la qualité de leurs administrations diffère, le marché mondial n'est pas ce qu'il fut au temps du décollage de la Corée, l'aide américaine n'est plus aussi généreuse : telles sont quelques variables — leur liste n'est pas exhaustive — qui illustrent avec quelle prudence le terme de « modèle » de développement devrait être utilisé ou ne devrait pas l'être du tout.

Plutôt que sur une théorie nouvelle, on préférera attirer l'attention sur le bon usage des mots. Il me paraît regrettable que l'on enferme encore des nations diverses dans la catégorie unique des pays « pauvres », « sous-développés » ou « en voie de développement » ; ces termes ne révèlent en rien les contrastes intérieurs de sociétés qui sont *à la fois* riches et pauvres. On soupçonnera d'ailleurs que le but de ces trop grandes catégories est de dissimuler la responsabilité des kleptocrates dans la pauvreté de leur propre pays, voire de transférer cette culpabilité personnelle sur l'« ordre international ».

Après cinquante ans de mal-développement, on ne peut pas non plus conclure à une absolue supériorité de l'économie libérale. Tout dépend, on l'a dit pour l'Inde, du but que l'on s'assigne ; si l'on recherche la puissance de l'État, le social-étatisme a ses vertus. Par ailleurs, affirmer la supériorité absolue d'un système sur un autre supposerait que l'on puisse en changer aisément. Mais la vie en société n'est pas un jeu de rôles où l'on choisirait sans peine d'être socialiste le matin et libéral le soir ; il ne suffit pas de « libérer » les forces du marché pour que, soudain, les lendemains chantent ! Le socialisme peut être décrété, mais, pour le libéralisme, c'est plus difficile, car il est le produit d'une histoire plus que d'une volonté politique. De plus, l'histoire économique ne se réduit pas à un menu à deux plats : appauvrissement par le planisme ou développement par le marché...

Sans verser dans un complet relativisme, on envisagera ici que les différences culturelles puissent influencer les voies du développement, qu'elles en viennent à bouleverser ce que développement veut dire. En d'autres termes, le contraire de la « puissance pauvre » ne sera pas nécessairement la puissance riche ; ce pourra être aussi la dénégation de la puissance, ou une définition non économiste de la richesse. Ces alternatives valent pour l'Inde, mais également pour toutes les « puissances pauvres », pour les non-puissances misérables, voire pour des puissances riches où l'on s'interrogerait sur les fins dernières du développement économique. Ce débat indien et universel oppose, comme nous allons maintenant le découvrir, des théories économiques, mais aussi des conceptions opposées de la rationalité. L'État-nation, appuyé par la force et prétendant incarner le progrès, est-il la seule forme envisageable de la Raison dans l'Histoire ? Ou bien peut-on envisager un autre destin des peuples, moins viril et plus « oriental » ?

7

Le libéralisme ne suffit pas

Le paysage, le climat, les langues, les habitudes, tout nous déroute. Il faut surmonter nos préjugés, notre certitude de maîtriser ce qui est universel, l'ancienne coutume consistant à diviser l'humanité en « civilisés » et « en voie de civilisation » — ou « en voie de développement », ce qui n'est que la modernisation du préjugé antérieur. On doit apprendre la modestie à l'école du relativisme, tout en sachant que l'on n'y parviendra jamais complètement. Pour apprécier ici les choix économiques de l'Inde, on s'astreindra à cette modestie, mais aussi à ne pas interposer, entre les faits et leur interprétation, nos préférences : celles-ci peuvent avoir leur validité appliquées au terrain occidental, mais pas nécessairement au terrain oriental. Efforçons-nous d'admettre que l'économie comporte certainement une part d'universel, mais qu'elle n'est pas aussi « globale » que le laisse croire le discours dominant, qu'il soit favorable ou hostile à cette mondialisation. Ici, sans qu'il soit interdit d'en juger, la parole sera donc laissée à trois interlocuteurs représentatifs de la grande querelle portant sur ce que développement veut dire et sur son comment.

Les trois personnages étant fort connus en Inde, on ne prétendra pas les avoir découverts ; mon propos est plutôt de propager ce qui se dit en Inde et vaut au-delà.

Le premier, Montek Singh Ahluwalia, domine depuis le début des années 90 la stratégie économique de son pays ; on peut le considérer comme l'artisan principal de ce qui s'y appelle la « libéralisation ».

Le deuxième est un universitaire bengali, appartenant donc à la branche la plus influente de l'intelligentsia de l'Inde. La pensée n'est certes pas le monopole du Bengale, mais il est de fait, soit en raison de l'influence brahmanique, soit en raison de celle des Britanniques, qu'à Calcutta on consacre à la réflexion pure plus de temps et d'énergie qu'ailleurs. Du Bengale aussi surgissent depuis deux siècles les projets de réformes politiques, économiques, religieuses, voire de révolutions qui se répandent ensuite dans le pays entier. Représentatif de cette intelligentsia, Amiya Bagchi ne s'accommode ni du conformisme ni du statu quo ; par contraste avec Montek Singh, on considérera qu'il est un économiste révolutionnaire.

À l'extrême opposé géographique d'Amiya Bagchi, mon troisième interlocuteur, à Bangalore, se trouve situé à la fois dans le cœur moderniste de l'Inde et, au sein de celui-ci, dans le temple de la pensée libérale qu'est le quotidien *Economic Times*. Mais nous découvrirons que l'éditorialiste Narendar Pani n'en partage pas complètement la doctrine et que, peut-être parce qu'il se trouve au centre de l'Inde moderne, il en constate les insuffisances. Pani illustre aussi combien les éditorialistes sont, en Inde, libres de leurs propos ; ils jouent ce rôle de gourous que remplirent par le passé — mais ne satisfont plus guère — les éditorialistes en Europe ou aux États-Unis. Nous découvrirons comment Pani, ouvrant l'horizon sur la pensée du Mahatma Gandhi, invite à se ressourcer dans l'Inde à l'heure où il n'est plus question, là-bas comme ici, que de rompre les amarres pour fusionner dans le Grand Tout « global ».

Nos trois interlocuteurs coïncident enfin avec trois capitales de l'Inde : New Delhi, la capitale politique ; Calcutta, la capitale intellectuelle ; Bangalore, la capitale économique de l'Inde « mondialisée ».

Si Nehru fut le génie ambigu du socialisme indien, Montek Singh Ahluwalia peut être considéré comme celui de la libéralisation. Repérable à son turban bleu turquoise assorti à son téléphone cellulaire, Montek Singh, économiste formé à Harvard, puis fonctionnaire international à Washington, appartient au clan cosmopolite des apôtres du marché. Il se trouve qu'il est sikh et indien, mais il pourrait aussi bien être coréen ou américain : le monde est sa tribu. Les gouvernements passent, mais, depuis que l'Inde est en quête d'un nouveau modèle économique, Montek Singh reste au ministère des Finances ou du Plan, au cœur de l'État central. L'Inde, si elle n'est pas une démocratie parfaite, est une technocratie incontestable, véritable héritage des Britanniques. L'Inde coloniale était gérée par une sorte de mandarinat recruté par concours qui s'appelait l'Indian Civil Service (ICS) ; après l'indépendance, l'Indian Administrative Service (IAS) l'a remplacé, également fondé sur le mérite et la religion séculière du progrès. Mais il est notoire que l'IAS est plutôt corrompu alors que l'ICS colonial avait la réputation de ne pas l'être. Autant elle vénère tout ce qui est moderne, autant cette technocratie indienne brocarde les traditions obscurantistes. N'aurait-elle pas troqué d'anciens dieux connus contre un autre, plus imprévisible, qui s'appellerait Progrès ? Souvent, cette caste donne le sentiment de l'encenser à la manière dont d'autres dévots déversent du beurre fondu sur les idoles de pierre.

Selon le parti au pouvoir, le bureau de Montek Singh s'éloigne ou se rapproche de celui du Premier ministre ; mais il ne s'en trouve jamais bien loin. Son importance dans la hiérarchie de l'État se mesure au nombre des péons affairés qui l'entourent : le préposé au thé au lait, l'autre aux cigares, un autre à ouvrir la porte, un autre à la refermer. Ses propos constituent un baromètre de la pensée dominante du moment.

C'est à la fin des années 80 que Montek Singh s'en est retourné de Washington pour l'Inde, quand il devint évident que l'économie mondiale basculait du planisme vers le libéralisme. Or le libéralisme avait mauvaise réputation en Inde, où il était identifié à la Grande-Bretagne, donc à la colonisation. Non sans courage, Montek Singh s'est auto-institué avocat de ce que l'on appelle en Inde non pas le libéralisme, mais la « libéralisation », c'est-à-dire l'ouverture des frontières à certains investissements et à certains produits étrangers qui restent désignés par le gouvernement. Ce nouveau modèle indien, qui ne s'accompagne pas vraiment du démantèlement des contrôles administratifs ni d'une privatisation du secteur public, reste plus proche de celui de la Russie d'Eltsine que de la Pologne ou de la Hongrie libérées. Mais, quelles que soient les limites de cette ouverture économique, le bouleversement, par rapport au socialisme en place avant 1991, est spectaculaire. Coca-Cola, qui fut prohibé trente ans durant comme s'il s'agissait d'une drogue dure, a envahi l'Inde : ce symbole suffit.

Tout modèle économique peut se ramener à quelques icônes : on se souvient de la Trabant, la voiturette en plastique au moteur à deux temps qui faisait fureur en Allemagne de l'Est à l'époque où celle-ci passait pour réussir. Pour l'Inde, les icônes de l'économie planifiée et fermée sont également une automobile : l'Ambassador, et une boisson gazeuse : le Campa-Cola. Pendant quarante ans, on construisit en Inde un modèle de voiture recopié sur une sorte de taxi londonien de l'immédiat après-guerre : l'Ambassador, robuste, impraticable et chère, aura été la représentation d'une Inde aussi fièrement indépendante que congelée dans le temps. Pour quelques années encore, elle reste la voiture des bureaucrates et des nostalgiques d'une Inde qui tournait le dos au reste du monde. Il en allait de même du Campa-Cola qui ressemblait — jusqu'au dessin de la bouteille — au Coca-Cola, mais qui n'en était pas ; le message fort peu subliminal de cette boisson disparue vers 1995 était que l'Inde pouvait se passer de l'Occident, de ses multinationales, et échapper à la mondialisation américaine. Mais c'était un message ambigu, puisque le Campa-Cola imitait quand même davantage le Coca, expulsé de l'Inde en 1971, que le thé au lait, l'authentique boisson locale ; le désir de Coca était ainsi à la fois nié, refoulé et attisé. Lorsque, en 1991, les frontières économiques de l'Inde furent ouvertes, le thé au lait comme le Campa-Cola furent submergés par une marée de Coca, Pepsi et Fanta. Souvent, lorsque m'est proposé, au plus profond de l'Inde, un Fanta, il m'arrive de penser que l'on est passé d'un excès à l'autre, d'un étatisme mal fait pour l'Inde à un libéralisme bâclé : d'un mantra à l'autre, mais toujours sur le mode brahmanique où les mots sont supposés commander aux choses, et l'esprit à la matière.

À qui profite la libéralisation ? À la « classe moyenne » ou aux humbles ? Je persiste à écrire « classe moyenne » entre guillemets, pour m'en tenir à la terminologie indienne, bien qu'il s'agisse plutôt d'une classe *supérieure* dominant la société indienne. La libéralisation contribue-t-elle à faire passer les Indiens de la puissance de l'État au développement de la société ? Répondre pour l'Inde, n'est-ce pas s'interroger sur l'universalité ou non des solutions libérales ?

« Les Indiens, dit Montek Singh, sont comme tout le monde : ils aspirent au progrès. Le progrès est matériel et il fait le bonheur. » Il ajoute que « si l'économie indienne n'a pas progressé depuis l'indépendance, c'est que notre stratégie était une bourde intellectuelle. Le socialisme ne marche jamais nulle part ; le libéralisme économique marche partout et toujours ».

Montek Singh sort ses chiffres. Pendant les quarante années où l'économie fut planifiée et fermée, le taux de croissance de l'Inde a péniblement atteint 3 % l'an ; certains économistes en avaient déduit que tel était le taux « naturel » de croissance de l'Inde. Depuis 1991, date de l'ouverture des frontières, du bon accueil réservé aux investissements étrangers et de la suppression du régime des licences, ce taux de croissance est passé à 7 %, supérieur à celui de la Chine.

La démonstration, convaincante, illustre une loi générale de l'économie, vraie dans toutes les civilisations : laissez les entrepreneurs travailler et ils créeront des richesses. Les dirigeants indiens auront donc découvert cette évidence quelques années après les Chinois. Pas de quoi s'extasier ni sur le génie indien ni sur la clairvoyance chinoise ! Mais Montek Singh sait qu'en Inde, plus encore qu'en Occident, les controverses sur la libéralisation ne portent pas sur son efficacité économique, généralement reconnue, mais sur son équité sociale, largement contestée. La libéralisation enrichit-elle plus encore les clients et serviteurs de la puissance, ou élève-t-elle la dignité des oubliés ? La clé de cette énigme fondamentale tient en une métaphore qui est chère aux économistes libéraux formés aux États-Unis : celle du « percolateur ».

En théorie, la combinaison de l'économie de marché, de l'esprit d'entreprise, des investissements nationaux ou étrangers générerait une croissance vertueuse dont les bienfaits, grâce à un « effet de percolateur », filtreraient jusqu'aux strates les plus basses de la société. C'est ainsi qu'en Occident le marché a suscité au cours des âges une ample et authentique classe moyenne, éliminant (ou presque) les oligarques au sommet et les prolétaires à la base. En se libéralisant, l'Inde deviendra-t-elle à son tour une gigantesque classe moyenne ? L'interrogation est éthique autant qu'économique. Montek Singh aime se situer sur le terrain moral, sachant que l'y guettent les adversaires de l'économie de marché ; ses chiffres semblent prouver qu'après à peine dix ans de libéralisation la classe moyenne voit augmenter ses effectifs et intègre donc en son sein un plus grand nombre d'ex-pauvres. Tel est l'effet

quasi mécanique de la croissance, de la création d'entreprises nouvelles d'origine étrangère ou indienne, et du
commerce ; bien que Montek Singh ne le mentionne pas,
c'est également le résultat des spéculations financières et
immobilières qu'entraîne une libéralisation qui profite aux
habiles et aux bien en cour.

La libéralisation de l'économie indienne fait reculer le
nombre de pauvres en valeur absolue ; c'est à la fois incontestable et très lent. Au reste, ces chiffres ne sont-ils pas
illusoires ? Ils ne peuvent pas faire pièce au subjectivisme
des acteurs sociaux, à leur attente. Considérons un cadre
moyen qui, avant la libéralisation, espérait acquérir un
médiocre scooter fabriqué en Inde ; il rêve maintenant
d'une automobile japonaise qui est trop chère pour lui. A-
t-il véritablement progressé ? Objectivement, oui, mais pas
dans son esprit. La télévision y contribuant, toute la « classe
moyenne » indienne est maintenant emportée par un vent
de folie consumériste. Une passion que nous autres, Occidentaux, sommes mal placés pour juger ; cette perte de
« spiritualité », cet engouement vulgaire pour les marques,
cette aliénation matérialiste viennent d'Occident. Il est
certain que l'aliénation est aggravée en Inde par la rupture
des liens communautaires traditionnels ; la montre, le
canapé du salon, la voiture sont devenus des emblèmes
statutaires se substituant aux symboles des appartenances
antérieures, de la même manière qu'au Japon l'affichage
des marques a pris la place des affiliations au clan ou à la
caste.

Passée corps et âme au matérialisme occidental sous
l'empire de la libéralisation, la « classe moyenne » indienne
progresse donc sur l'échelle du progrès économique en se
hissant à un degré supérieur de consommation matérielle.
Régresse-t-elle culturellement ? On ne le sait pas : il
n'existe pas d'indicateurs statistiques culturels. Gardons-
nous cependant d'idéaliser la pénurie antérieure, car la

pauvreté ne garantissait pas nécessairement la qualité des âmes.

Au-delà de cette « classe moyenne », le percolateur laisse-t-il filtrer des richesses nouvelles vers les plus pauvres, les sept à huit cents millions de villageois et les soixante millions d'habitants des *slums* ? Pour l'instant, la réponse est globalement négative : l'écart des revenus entre la classe moyenne et la masse des pauvres va en s'aggravant. Le seul bénéfice sensible, non négligeable, pour les humbles, celui que citent toujours les partisans de la libéralisation, est l'acquisition plus facile de téléviseurs sous licence assemblés à bon marché. Mais, au-delà de cet acquis, soit le « percolateur » est encrassé et la théorie libérale ne s'applique pas à l'Inde ; soit il marche au ralenti, et l'on se demande combien de siècles les pauvres devront en attendre les effets bénéfiques. En Europe, n'aura-t-il pas fallu trois siècles pour que l'économie libre nous transporte de la société féodale à celle des classes moyennes ? Un siècle pour le Japon. La Corée du Sud, malgré l'aide massive des États-Unis et des circonstances favorables, n'y est pas encore parvenue. Mais, en Europe comme au Japon, au temps de la transition, les peuples concernés n'avaient pas la télévision. Or il est à craindre que la patience d'un paria doté de la télévision ne soit pas aussi inébranlable que celle du serf japonais ou de l'ouvrier français de naguère. Telle me paraît la limite de la libéralisation économique : le « percolateur » est lent, il ne prend pas en compte l'impatience des peuples et ne rapproche pas à terme visible les deux Indes.

Le « percolateur » a aussi pour effet pervers et très perceptible de favoriser dans la « classe moyenne » un absolu cynisme envers les pauvres. Dans la société traditionnelle, selon les canons classiques, richesse et pauvreté étaient déterminées par le destin, le karma ; on n'y pouvait rien, mais la compassion morale et la charité matérielle n'étaient pas interdites. Dorénavant, utilisant le marché mondial comme alibi, les éditorialistes porte-parole de la « classe moyenne » laissent croire que celle-ci prospère grâce à ses initiatives, à son astuce, à son labeur ; que les pauvres à leur tour se débrouillent ! On entend cela dans les salons de l'élite, ce qui, entre autres raisons, les rend infréquentables.

Le marché remplace donc le karma pour légitimer les écarts de situation, sans plus être tempéré par la générosité brahmanique ancienne ni par un régime nouveau de solidarité sociale. Les associations non gouvernementales, nombreuses en Inde, qui sont, comme en Europe, les formes laïques de l'ex-compassion religieuse, mènent bien auprès des humbles des actions exemplaires ; mais ce ne sont là que de minuscules transgressions de l'épaisse frontière entre l'Inde de la puissance et l'Inde de la nécessité. Les nouvelles classes moyennes qui tirent parti de la libéralisation parviennent à se persuader qu'elles incarnent le progrès et que toute critique du régime économique ou de l'injustice est réactionnaire ou romantique : le progrès est ainsi annexé comme une divinité au service des puissants, que les faibles obscurantistes auraient tort de ne pas vénérer.

Cette schizophrénie de la « puissance pauvre », cette rupture entre les deux Indes ne choqueraient-elles que les observateurs occidentaux, épris de justice sociale et passionnés d'équité ? Dans son explication des castes, Louis Dumont en avait conclu que les Indiens distinguaient la justice de l'égalité, contrairement aux Occidentaux modernes qui le plus souvent les confondent. Mais la thèse de Dumont vaut surtout pour le passé, comme elle aurait pu s'appliquer à l'Europe d'Ancien Régime. Depuis la fin du XIXe siècle, les réformateurs hindous, qu'il s'agisse du lettré bengali Rammohan Roy, du « saint » Vivekananda, puis, au début du XXe siècle, du Mahatma Gandhi ou du docteur Ambedkar, leader des intouchables, se sont préoccupés de l'équité sociale dans les mêmes termes que les Occidentaux et avec un décalage historique qui n'est pas considérable. C'est seulement au milieu du XIXᵉ siècle que les catholiques réformateurs s'interrogèrent en France sur ce que l'on appelait alors la « question sociale » et dont on parle maintenant comme de la « justice sociale ». Au moins autant qu'à l'Ouest et depuis la même époque, le désir d'équité occupe en Inde tout débat politique ; on ne peut s'aventurer dans l'arène publique indienne sans se prosterner devant la justice sociale. Mais qui prétendra avoir trouvé la voie qui y conduirait de manière certaine ? Les partisans de la libéralisation détiennent une part de la réponse, mais ils ne sauraient représenter toute la vérité. De plus, le libéralisme en Europe ne s'est véritablement imposé qu'après des révolutions sociales qui marginalisèrent ou évincèrent les aristocraties féodales. Révolutions qui, en Inde, n'ont jamais eu lieu, ainsi que va nous le rappeler l'économiste Amiya Bagchi, réputé pour être un critique sévère de la libéralisation. On m'avait dit qu'il était marxiste ; c'était avant que je ne le rencontre à Calcutta.

Amiya Bagchi n'est pas un technocrate, il ne loge pas dans les palais de l'État. Pour accéder au premier étage de la maison où il vit et travaille, il m'a fallu enjamber des monceaux de livres qui encombraient l'escalier, ainsi que trois ou quatre serviteurs accroupis, occupés à réparer des couvertures et à coller des étiquettes. Amiya Bagchi écarte quelques ouvrages pour que je puisse me glisser jusqu'à un canapé effondré. Un vieil homme, vêtu d'un pagne, courbé en deux jusqu'à s'effacer, pose entre deux piles de livres poussiéreux le thé au lait et une assiette de haricots confits. N'existe-t-il pas au Bengale une caste préposée au dépoussiérage ? Il y a en Inde des castes pour tout.

« Lorsque je me suis installé ici, il y a quarante ans, s'excuse Amiya Bagchi, le quartier était vert et calme, la circulation automobile très modeste. La poussière est venue plus tard. La libéralisation de l'économie a beaucoup aggravé la pollution et le bruit, parce que beaucoup de salariés peuvent maintenant acheter un scooter. »

La libéralisation déboucherait donc sur la pollution ?

« Je ne suis pas hostile à la liberté économique en soi, me répond Bagchi, mais à la manière dont elle est appliquée en Inde. On a libéralisé avant d'instaurer des règles de droit ; en conséquence, l'installation des entreprises étrangères et la privatisation des entreprises publiques s'effectuent sous le règne du bakchich et de la corruption politique. »

De même, concevoir une politique économique dont le but serait que chaque Indien puisse acheter un scooter ou une automobile lui paraît un objectif absurde ; toutes les villes s'en trouveraient asphyxiées.

La critique de Bagchi semble fondée. Il a la réputation d'être l'un des économistes les plus influents de l'Inde. N'est-il donc pas entendu ?

« Je n'ai aucune influence, proteste-t-il, parce que je suis resté en Inde. Pour être entendu, il faut parler depuis Londres ou New York. »

Je devine l'allusion amère au prix Nobel Amartya Sen, qui conseille les Indiens depuis sa chaire d'Oxford. La thèse d'Amartya Sen, on l'a évoquée plus haut, est que le développement de l'Inde a échoué parce que l'État n'a pas investi au préalable dans les ressources humaines, l'éducation de base et la santé publique.

« Amartya Sen a théoriquement raison, commente Bagchi, mais il ne s'interroge pas sur les raisons pratiques de l'indifférence des dirigeants indiens vis-à-vis des ressources humaines et de la préférence qu'ils ont accordée initialement à l'industrie lourde, et à présent à la libéralisation. »

Ce verrouillage, d'après lui, n'est pas intellectuel, il est d'ordre politique.

« L'Inde est contrôlée par les représentants de féodalités foncières, des rentiers qui tiennent les trois quarts de la population sous leur tutelle. » Ces castes dominantes n'ont aucun intérêt à promouvoir un développement véritable et n'y trouveraient aucun avantage.

Amiya Bagchi souhaite-t-il une révolution sociale ?

« Je ne suis pas marxiste », se défend-il. Les ministres communistes au pouvoir au Bengale prospectent les entreprises multinationales et vantent aux investisseurs la paix sociale qu'ils y font régner. La « révolution » que préconise Bagchi n'est donc pas communiste ; elle relèverait plutôt d'une sorte de libéralisme avancé.

« Je souhaite pour l'Inde le même changement social qui fut mené à bien par les Américains au Japon, en Corée ou à Taiwan. »

Dans ces pays, les grands propriétaires fonciers ont été dépossédés et indemnisés, ce qui a libéré les paysans et conduit l'ancienne aristocratie foncière à investir dans l'industrie : une argumentation effectivement plus libérale que marxiste. Les expériences qu'il cite donnent raison à Bagchi, encore que l'on ne peut tout ramener à une seule explication ; d'autres raisons, politiques, culturelles ou circonstancielles, éclairent aussi le succès du Japon et l'échec de l'Inde. Mais il est vrai que, dans les quelques régions de l'Inde où la terre a été redistribuée entre les petits propriétaires — au Pendjab, par exemple (à la suite de l'exil de l'aristocratie musulmane vers le Pakistan) —, ceux-ci sont devenus très entreprenants. Pourquoi ces faits constatés n'infléchissent-ils pas la stratégie de développement de l'Inde ?

« Les responsables du sous-développement de l'Inde ne sont pas les économistes, mais les politiciens, qui n'écoutent pas les économistes. Nos élites politiques sont totalement aliénées à l'Occident. Lorsque les Occidentaux étaient favorables à la planification et à l'économie fermée, ces élites ont suivi. Depuis que l'Occident s'est converti à la privatisation et au libre commerce, les élites indiennes suivent. Elles veulent être félicitées à New York pour leur talent à s'aligner sur les modes occidentales. »

Retenons de cette diatribe que la relation ambiguë avec les États-Unis — fascination et répulsion — hante les intellectuels indiens autant que les Européens. À aucun moment, selon Bagchi, les élites politiques ne partiraient donc des conditions propres à leur pays ; jamais elles ne s'interrogeraient sur ce que serait une « voie indienne », ni sur ce que le progrès devrait signifier en Inde. Mon interlocuteur serait-il un adepte du Mahatma Gandhi ?

Contrairement à Gandhi, Bagchi se proclame « progressiste », mais il considère que le progrès doit d'abord être mesuré à l'aune de l'éducation et de la santé.

« On dit que Bombay est plus développée que Calcutta ; faut-il imiter Bombay ? Mais Bombay est encore plus polluée que Calcutta, et beaucoup plus violente ! »

On ne saurait donc apprécier le progrès indien selon les critères quantitatifs de l'économie classique.

« Au Kerala, rappelle encore Bagchi, la mortalité infantile est la plus basse de l'Inde et l'alphabétisation la plus élevée ; pourtant, on dit que le Kerala est économiquement en retard. Qui est plus développé : le Kerala ou Bombay ? »

Je me demande ce qu'il adviendrait des progressistes indiens s'il n'existait cette sainte utopie du Kerala dont on a vu qu'elle n'était guère exportable ni reproductible...

Si la classe politique n'écoute pas Bagchi, ne pourrait-on renouveler celle-ci ?

« Par la voie démocratique, c'est impossible, répond-il. Les partis se sont organisés pour conserver indéfiniment le pouvoir. Grâce à l'argent de la drogue et à la corruption, ils disposent de moyens financiers considérables. Avec cet argent, ils paient des mafias qui contrôlent les électeurs ; ou alors ce sont les mafias qui achètent des parlementaires. » De fait, lors des élections de 1999, chaque grand parti fit élire des repris de justice notoires.

Reste la révolution, la vraie, violente.

« Des étudiants de Calcutta ont essayé dans les années 60, mais sur des bases théoriques absurdes. Ils étaient maoïstes, ce qui est une autre forme d'aliénation à l'étranger. Les paysans pauvres les ont mal accueillis et l'armée les a éliminés, avec le concours du Parti communiste. »

Ce qu'évoque Bagchi s'appelle le mouvement Naxalite, du nom de Naxalbari, un village du Bihar qui, en 1964, s'était soulevé contre ses grands propriétaires. À chaque fois qu'un propriétaire est assassiné en Inde, le spectre Naxalite renaît, avec épouvante chez certains, chez d'autres avec l'espoir qu'une grande révolution réveillera l'Inde. De loin en loin, la presse se passionne pour quelques révoltes de paysans sans terre au Bihar et au Bengale, le plus souvent guidées par les derniers étudiants maoïstes ou des pasteurs protestants. Mais un soulèvement de pauvres, cela ne s'est jamais vu nulle part : les révolutions sont toujours conduites par des bourgeois et des intellectuels. Il se trouve bien quelques universitaires marxistes pour prophétiser depuis leur chaire que le développement à deux vitesses conduira à une polarisation du pays en deux camps hostiles, les riches contre les pauvres, les villes contre les villages, les brahmanes contre les intouchables, les capitalistes contre les prolétaires ; mais, chez ceux-là, qui quittent rarement leur bureau climatisé, le désir de révolution est plus clair que leur implication ou que leur analyse. Opposer deux Indes, celle des possédants contre celle des démunis, revient à mésestimer l'extrême complexité des relations qui nouent ces deux mondes ; les particularismes locaux, religieux, linguistiques, les liens familiaux et de caste créent entre les Indiens une sorte de cohésion anarchique que la lutte des classes ne paraît pas près de remplacer. Ce qui n'exclut pas, çà et là, les violences sociales attisées par des rivalités entre castes et plus souvent, maintenant, par le désir insatisfait de consommation à l'occidentale parmi les jeunes générations urbanisées ; mais la somme de ces violences ne suffit pas à faire le « Grand Soir » indien.

À défaut, quelles sont les perspectives d'une transformation — pas nécessairement révolutionnaire — qui libérerait les paysans et détruirait la rente des grands propriétaires ? Bagchi ne croit pas au futur. Il n'existe, selon lui, aucune perspective de changement. La schizophrénie de la « puissance pauvre » est là pour perdurer ; l'incapacité de l'analyser aussi.

On veut toujours croire en Occident que les choses vont s'arranger. Elles peuvent aussi se dégrader, ce qui choque moins les Indiens que les Européens : le *Mahabharata* nous dit que l'humanité est engagée dans un long cycle de déclin qui doit s'évaluer en milliers d'années et dont nous serions encore loin d'apercevoir l'issue. Ainsi l'Inde nous apprend-elle à raisonner hors de nos normes, y compris en économie. Souvent, on croit se retrouver sur un terrain familier, mais soudain il se dérobe, révélant chez nos interlocuteurs un paysage mental insoupçonné. Je croyais pouvoir étiqueter Bagchi comme marxiste, et je découvre chez lui un mélange inattendu, peu fréquent, de libéralisme et de pessimisme. Le quittant, je lui demande pourquoi il accumule chez lui une telle quantité de livres. « Les bibliothèques universitaires, m'explique-t-il, sont dévorées par les souris ; je garde chez moi ce que je peux sauver de la culture de l'Inde. »

Au cours de ma quête d'un modèle économique pour l'Inde, je me suis rendu dans le temple médiatique de la « classe moyenne », au siège de l'*Economic Times*, le quotidien phare du militantisme libéral : un journal sur papier saumon pour imiter le *Financial Times* de Londres, une publication à l'image de ses lecteurs, les *yuppies* de Bangalore qui, à vingt-cinq ans, gagnent mille fois plus que leurs parents, ne savent plus comment dépenser et sont devenus moins Indiens que « résidant en Inde ». Narendar Pani est l'éditorialiste maître à penser de ces nouveaux Indiens (dans la mesure où ils pensent et sont indiens). Mais Narendar Pani m'a avoué qu'il ne croyait rien de ce qu'il écrivait !

J'avais jusqu'ici rencontré des savants adeptes de la pensée magique et constaté comment leur esprit se partageait entre recherche scientifique sur un rail et croyances mythiques sur l'autre. En Occident, ce partage nous complique la vie, mais, en Inde, l'unité de la pensée et du comportement n'est pas une vertu : c'est plutôt l'ambiguïté, les contradictions qui sont valorisées chez les hommes comme elles le sont chez les dieux. Dans son domaine, qui est l'économie, Narendar Pani obéit à ce mode de pensée contradictoire. Chaque matin, dans la ligne du journal, il exalte les beautés de l'entreprise, de la Bourse, des investissements étrangers, de la concurrence et de l'enrichissement personnel. En privé, l'après-midi, il m'explique sans embarras que la libéralisation qu'il chante n'a guère rompu avec le choix de la puissance, et que celui-ci est dramatique pour les Indiens.

« Deux voies, me rappelle-t-il, s'offraient au pays : celle incarnée par Gandhi, qu'il aurait fallu suivre, et l'autre par Nehru, qui l'a malheureusement emporté. »

Depuis cette date, que les moyens retenus par les gouvernements aient été plutôt socialistes ou vaguement libéraux, la course au progrès ne fait que mimer l'Occident en moins bien, profitant à guère plus de 10 à 15 % de la population. Cent à cent cinquante millions d'Indiens représentent un grand marché pour les entreprises nationales ou étrangères — deux fois la France —, mais peu de chose à l'échelle du pays. Ce qui conduit les autorités, si j'en crois Narendar Pani, à surestimer délibérément l'importance numérique de la « classe moyenne », de manière à justifier leur mauvais choix économique. Les 85 % de la population qui n'ont pas été concernés par la stratégie initiale de « puissance » restent tout autant oubliés par la soi-disant « libéralisation ». Le très grand nombre serait ainsi délaissé, condamné à des réflexes de survie au jour le jour.

Par ailleurs, Pani l'éditorialiste a beau exalter l'ego de la « classe moyenne », Pani le critique n'est pas même certain que celle-ci soit heureuse. Coupés de leurs communautés d'origine, de leurs familles, de leurs repères culturels et religieux, les « nouveaux riches » de Bangalore ou de Bombay lui semblent aliénés aux aspects les plus vulgaires du consumérisme occidental ; mais, « par rapport à l'Occident, ils auront toujours une marque, une voiture, une montre de retard ». La classe moyenne vivrait donc dans l'anxiété permanente de retomber dans son statut antérieur, celui de la rareté économique et de l'affiliation communautaire ; cette angoisse est particulièrement forte parmi les membres de la classe moyenne qui ne sont pas issus des castes supérieures, soit environ la moitié de cette population enrichie. Un brahmane riche ou pauvre restera un brahmane, mais un non-brahmane riche n'a que l'argent pour statut.

Pourrait-on concevoir une autre économie ? En est-il encore temps ? Peut-être est-ce parce qu'il est plus jeune qu'Amiya Bagchi que Narendar Pani n'a pas renoncé.

« J'écris en secret, me confie-t-il, un traité d'économie conforme à la pensée de Gandhi ; le Mahatma représente la seule alternative. »

L'éditorialiste de jour de la « puissance » nehruvienne se change donc, la nuit, en disciple de l'ascèse gandhienne.

« C'est à tort que l'on fait passer Gandhi pour un réactionnaire. Il n'était pas hostile au progrès, mais il souhaitait que celui-ci fût jugé sur ses conséquences. Il n'était pas contre l'édification d'une usine pourvu que celle-ci ne détruisît pas son environnement naturel ou social. Il n'était ni socialiste ni libéral ; il rejetait toute doctrine à prétention absolutiste. Il reprochait au socialisme comme au libéralisme de se concentrer sur les fins, sans s'interroger sur la pureté des moyens. »

Aucune ambition, selon Gandhi, n'était digne si les moyens pour l'atteindre ne l'étaient pas. Il considérait en outre que tout développement économique devait être géré au niveau local et non pas par un État central ; ce n'est qu'au plus près, selon lui, que l'on pouvait mesurer les effets réels — on dirait, en jargon contemporain, l'« impact » — du développement. Enfin, toute initiative économique devait, selon Gandhi, être adoptée et menée à bien par la coopération entre les groupes, afin que nul ne fût lésé. Narendar Pani, qui s'emploie dans son livre inachevé à réunir en une doctrine économique cohérente les fragments de la pensée gandhienne, croit-il en son actualité ?

« Nehru, me répond-il, avec sa passion pour la sidérurgie, se croyait moderne, mais c'était un archaïque, tandis que Gandhi apparaîtra comme un postmoderne. Sa pensée est réactualisée par l'informatique, qui rend possible le développement local et non polluant. »

Voilà des intellectuels en quête de modèle. Mais que souhaite le milliard d'Indiens ? L'ascèse ou la consommation ? Une anecdote me vient à l'esprit, qui se situe à Bangalore. Visitant l'entreprise Titan, j'observais la tâche répétitive d'une ouvrière arrimée à sa chaîne de travail. Elle devait avoir vingt ans et s'appelait Nandini. Je profitai d'une pause et lui demandai de me raconter son histoire. Chaque Indien est une histoire. L'un des meilleurs livres sur l'Inde contemporaine, *Un million de révoltes*, de V. S. Naipaul, n'est que la transcription d'histoires person-

nelles, à peu près sans commentaires de l'auteur. Mais
Naipaul cherchait des dissidents ; je leur préfère l'humanité
« quelconque ». Nandini m'informa d'emblée, sans que je
pose la question, qu'elle appartenait à la caste des lingayats,
des adorateurs de Shiva, qui portent sur eux un petit lingam
dans une boîte ficelée autour de la taille. Parce que sa
famille paysanne était très pauvre, elle a décidé d'émigrer
vers Bangalore. Le travail en usine était dur ? Oui, mais
moins ennuyeux que de rester au village à ne rien faire,
parce qu'il n'y avait rien à faire là-bas. Mariée, elle avait
été cloîtrée et exploitée par sa belle-famille. Oui, elle avait
le sentiment d'être mal payée, ce qu'elle dit vertement
devant le directeur de l'usine qui traduisait. En Inde, on dit
tout. Mais, « en ville, tout est mieux ». Quoi, par exemple ?
En ville, « on est libre, on parle à qui l'on veut, on
rencontre des membres d'autres castes sans difficulté ».
Elle pouvait même prier dans le temple des brahmanes sans
se faire expulser. Elle était persuadée qu'elle « progresserait », que sa fille irait à l'école et progresserait davantage
encore ; au village, ça n'aurait pas été envisageable. Ce qui
la freinait, c'était son mari, un plâtrier. « Il ne parvient pas
à se débarrasser de l'accent de notre village ; il se tait pour
que l'on ne se moque pas de lui ; ça limite sa capacité de
chercher un meilleur emploi. » Nandini m'a montré deux
photos qu'elle portait sur elle : l'une représentait sa petite
fille joufflue, et l'autre un canapé en velours découpé dans
un magazine. Elle avait assez d'argent pour acheter ce
canapé, mais la chambre où elle vivait avec son mari et sa
fille était trop exiguë pour qu'il pût y entrer. Entre le
canapé et la famille, elle préférait la famille mais rêvait du
canapé.

La ville et l'usine qui libèrent. En Europe aussi, les
paysans « montaient à la ville » pour échapper à la
contrainte sociale, celle du père, du curé, des voisins, autant
que pour fuir la pauvreté. Nandini a donc emprunté le

chemin universel qui conduit, de la société communautaire
à l'individualisme moderne, vers la liberté personnelle par
le truchement du progrès matériel. Elle juge son destin
enviable, ce qui nous laisse perplexes ; mais elle sait mieux
que nous ce qui est bon pour elle. Qu'on l'estime souhaitable ou non, l'aventure économique qui est la sienne n'est
pourtant pas indéfiniment reproductible ; les obstacles
physiques qui s'y opposent sont, en l'état actuel de la
connaissance et des techniques, insurmontables. Comment
cinq à six cents millions d'Indiens quitteraient-ils les
villages pour entrer dans l'économie industrielle, celle des
services ou de l'information ? Déjà les villes étouffent, l'air
n'y est plus respirable, et les migrants, sans eau courante,
croupissent dans les *slums*.

Serait-ce parce qu'il y a trop d'Indiens que l'Inde est
pauvre ? Les théoriciens de l'économie n'auront cessé,
depuis trois siècles, d'adopter sur ce point des postures
contradictoires. Il fut un temps où l'on considérait qu'il
n'était de richesses qu'humaines ; c'est toujours une opinion
dominante aux États-Unis, où il est reconnu que la croissance économique est parallèle à celle de la population, ce
qui justifie l'accueil en nombre des immigrés. En France,
l'on envisage plutôt l'inverse et il nous paraît qu'à rester
moins nombreux on en devient plus prospère. Dans les pays
pauvres, on pensa longtemps — jusqu'aux années 80 — que
le freinage, même autoritaire, des naissances contribuerait
à l'enrichissement des survivants. Outre les considérations
morales suscitées par la répression antinataliste en Chine
et en Inde, la relation entre la baisse espérée (et non
obtenue) de la population et le développement n'est jamais
apparue clairement ; ainsi, on vit mieux et on mange plus
en Chine et en Inde avec un milliard et plus d'habitants
qu'il y a vingt-cinq ans quand la population était deux fois
moindre. Depuis le début des années 80, le paradigme
dominant s'est inversé et l'on estime maintenant que le

développement est le plus efficace des contraceptifs ; il suffirait, en somme, d'entrer dans le cercle vertueux du développement pour que les parents modifient leur comportement, envisagent d'éduquer des enfants moins nombreux afin qu'ils participent à un avenir plus radieux. Mais ce postulat reste à démontrer en Inde et fait l'impasse sur les raisons non économiques — religieuses, en particulier — de la forte natalité. Au reste, dans l'attente d'un retournement vertueux, le milliard d'Indiens est déjà là : qu'en faire ?

Comme on ne saurait urbaniser et industrialiser en un tournemain un milliard d'habitants, il paraît nécessaire de réduire le nombre de ceux qui seraient susceptibles d'être urbanisés et industrialisés. C'est donc aux paysans pauvres que s'adressent en Inde — ou en Chine — les programmes plus ou moins contraignants de contrôle de la natalité. Cela paraît logique, mais c'est en réalité absurde, puisque ce sont ces pauvres-là qui détruisent le moins l'environnement, qui consomment le moins d'énergie, qui font l'usage le plus parcimonieux des ressources naturelles rares. En Inde, il n'y a donc pas trop de pauvres qui tireraient l'économie vers le bas ; il y a trop de riches dont la consommation excessive d'énergie conduit à la destruction de l'environnement. On considère qu'un quart des Indiens, appartenant aux classes moyennes, consomment les trois quarts de l'énergie ; c'est leur boulimie, et pas celle des pauvres, qui détruit les forêts, les fleuves, déplace les populations paysannes pour édifier de vastes barrages hydroélectriques. Les pauvres constituent la mauvaise cible des restrictions démographiques et le goulot d'étranglement énergétique n'est pas causé par eux, mais par les relativement riches. C'est le mode de vie de ces derniers qui enferme l'Inde dans un dilemme : soit la poursuite de la stratégie présente, avec la destruction — irrémédiable — de l'environnement, soit l'exclusion définitive des pauvres de ce modèle de prétendu développement.

Faut-il en conclure que les trois quarts des Indiens ne seront jamais « développés » pour qu'un quart le reste ? Telle me paraît être l'hypothèse cachée de la « libéralisation ». Ne pourrait-on, sans cynisme ni pessimisme, envisager une autre définition de ce que développement veut dire ? C'est ce qui va maintenant être tenté.

8

Internet à Pondichéry

Peut-être trop sévère, le procès intenté jusqu'ici à la « puissance pauvre » doit être tempéré par un acquis incontestable sur le front non négligeable de la faim. Jusque dans les années 70, l'Inde était connue comme le « continent de la famine » ; elle ne l'est plus. En cinquante ans, alors que la population était multipliée par quatre, la production agricole fut multipliée par dix. Ce « miracle », qui n'en est pas un, a été rendu possible par les progrès de la biotechnologie. En notre temps où la peur des manipulations génétiques s'empare des esprits, rappelons que, sans la création d'espèces nouvelles de céréales, l'Inde serait jonchée de squelettes. Loin de craindre les manipulations génétiques, il convient de les encourager : c'est la seule manière de faire que la production de céréales continue à progresser aussi vite que la population tout en consommant moins d'eau et moins de pesticides. La biotechnologie est donc aussi une bioéthique, car sa finalité est morale, et une écotechnologie, puisqu'elle permet de mieux nourrir l'humanité en économisant la nature. Seuls des archéos-écolos ignorants des nécessités des nations pauvres, coalisés avec des chauvins du terroir, s'opposeront à la poursuite de la recherche scientifique en biotechnologie ; ils ne savent pas ce qu'ils font.

Mais la science ne suffirait guère et n'aurait guère suffi à nourrir les Indiens si deux autres conditions propres à l'Inde, rares dans les autres pays pauvres, n'avaient été réunies : la propriété privée et la démocratie. On rappellera en effet que les grandes famines du XXe siècle furent rarement dues aux caprices de la nature ou à l'excédent de la population ; les catastrophes humanitaires furent toutes, ou presque, organisées de la main de l'homme, et leurs raisons premières en furent toujours politiques. Ainsi en alla-t-il de la grande famine russe des années 20, archétype de ce qui devait se répéter partout où des idéologues entreprirent de remplacer les paysans par des ouvriers de la terre et de les organiser en brigades sur des exploitations collectives. C'est forts de cet illustre précédent soviétique que les communistes chinois, dans les années 60, provoquèrent dans leur empire, grâce aux sinistres et mémorables communes populaires, un désastre alimentaire plus spectaculaire encore. Ce qui ne détourna pas les régimes communistes de Tanzanie puis d'Éthiopie de répéter la même expérience, sans doute pour vérifier le caractère universel de l'inefficacité dramatique de la collectivisation des terres et de la militarisation de l'agriculture. Au travers des continents et de la variété des civilisations ainsi testées, on peut effectivement conclure : supprimer la propriété privée et la remplacer par un kolkhoze conduisent partout à la famine collective.

L'Inde en réchappa, les paysans ne s'y enrichirent pas tous, mais tous survécurent et produisirent suffisamment d'excédents pour nourrir les villes. Motivés par leur profit personnel, intéressés directement à leur survie, les paysans indiens, quoique sans cesse plus nombreux, accrurent leur production et s'essayèrent aux techniques nouvelles disponibles sur le marché : contre la faim, la propriété privée marche aussi universellement que sa suppression est inopérante. Une leçon élémentaire d'économie à laquelle, on le sait, après quelques centaines de millions de victimes, ont fini par se rallier les Russes, les Chinois et les Tanzaniens.

Tout au long de ce XXe siècle de famine organisée, on a fort peu entendu les bonnes âmes humanitaires ni les organisations internationales dénoncer les causes véritables, c'est-à-dire politiques, de ces famines ; soit que l'idéologie, la haine du marché et de la propriété privée les aient aveuglées, soit qu'elles ne savaient rien, ou pas grand-chose. Il est vrai que les fomenteurs de famines, eux, savent pratiquer l'art de la dissimulation et de la propagande ; au temps des catastrophes collectivistes, nous fûmes abrutis par les proclamations portant l'Union soviétique ou la Chine de victoire en victoire. De l'Inde, à la même époque, ne nous parvenait que la vérité, celle d'une progression lente et régulière vers l'autosuffisance alimentaire ; ce n'était pas glorieux, seulement exact, parce que l'Inde était une authentique démocratie, douée d'une totale exactitude et d'une grande transparence de l'information.

En sus de la propriété privée, c'est aussi par la grâce de la démocratie que l'Inde aura surmonté le péril de famine à l'époque où il guettait le plus cruellement. Il eût en effet été inconcevable — et cela le reste — qu'une région de l'Inde fût ravagée par une mauvaise récolte sans que l'opinion publique en fût saisie et que les excédents fussent acheminés aussitôt vers les nécessiteux. Ce n'est pas le cas en Chine, où, aujourd'hui encore, on meurt de faim dans certains villages isolés où les habitants sont réduits au silence et nous à l'ignorance.

Enfin, nous l'avions déjà observé, c'est aussi la démocratie, enracinée dans la civilisation autant que dans les institutions indiennes, qui aura détourné toute la classe politique, y compris les marxistes, d'attenter à la propriété privée. Il est tout à fait remarquable que, là où le Parti communiste a longtemps géré un gouvernement local, au Bengale occidental, son œuvre majeure ait consisté à susciter une nouvelle classe de petits propriétaires fonciers grâce à une réforme agraire tout à fait justifiée ; ces petits propriétaires bengalis constituent maintenant le socle de ce Parti « communiste » d'un genre un peu particulier.

L'Inde, si elle n'est plus le continent de la faim, reste celui de la grande misère de masse : la moitié de sa population vit en dessous du seuil dit « de pauvreté », à la limite de la dignité humaine. Un tiers des habitants, essentiellement ceux des *slums* et les paysans sans terre, souffrent de malnutrition chronique ; de ceux-ci, ni les « libéralisateurs » ni les planificateurs ne parlent. Or, en tournant le dos à l'obsession de la puissance nationale, il serait possible d'engager l'Inde dans la voie d'un autre développement qui répondrait aux attentes du très grand nombre, et plus seulement à celles des « classes moyennes ». Ce développement alternatif se fonderait sur l'écotechnologie, nouvelle alliance de la science et du respect de la nature.

On ne proposera pas ici une expérimentation de plus : comme les pays pauvres qui lui ressemblent, l'Inde n'a que trop souffert de servir de laboratoire à des économistes illuminés et à des politiciens éperdus de puissance. Je m'obligerai donc à ne souligner que ce qui se pratique déjà à l'état naissant et me paraît esquisser un possible modèle. Nous découvrirons que celui-ci, sans équivalent dans la panoplie économique de l'Occident, procède du génie propre à l'Inde.

Après l'échec des stratégies de développement d'origine occidentale, l'alternative ici proposée sera une stratégie orientale que l'on pourrait appeler « économie de la dignité ». Cette forme d'économie n'est pas une vue ni une aventure de l'esprit, mais une pratique effective à la mesure de l'homme : tout ce qui va être avancé part du travail que mène à Pondichéry M. S. Swaminathan, biologiste réputé, considéré comme le père de la « révolution verte » en Inde.

Le critère de l'action économique qu'il propose n'est pas la quête de la puissance nationale, mais l'élévation de la dignité des individus ; sa démarche doit donc à la pensée du Mahatma Gandhi pour qui l'homme, et non pas l'État ou la Nation, est la seule mesure du développement. Mais, pas plus que ne le fait M. S. Swaminathan, on ne préconisera ici un gandhisme à l'état pur, car il nous paraît que le progrès technique peut être mis au service des humbles, ce dont Gandhi douta parfois. Il est vrai que la situation de la société indienne et l'état des techniques en l'an 2000 n'ont rien à voir avec ce qu'a connu Gandhi il y a soixante ans. L'ouverture au monde a propagé dans l'opinion indienne un désir d'Occident sur lequel il paraît difficile de revenir ; bien des traditions artisanales qu'idéalisait Gandhi et qu'il souhaitait encourager sont aujourd'hui perdues ; la technique occidentale, qu'il rejetait (en partie seulement), est devenue universelle, évinçant jusqu'à la mémoire d'autres formes de connaissance. En soixante ans, cette technique est d'ailleurs devenue différente, moins brutale, plus compatible avec la civilisation indienne. Gandhi, qui, en son temps, s'accommodait fort bien du chemin de fer, de l'électricité, de la chirurgie européenne, aurait sans doute admis aujourd'hui qu'un ordinateur pollue moins qu'un haut-fourneau et qu'il peut se fondre dans le paysage indien sans l'anéantir. Comme à Romain Rolland, il nous paraît que le génie de l'Ouest peut se marier désormais avec celui de l'Orient. On ignore si l'Occident acceptera la spiritualité orientale, mais les raisons gandhiennes de se méfier de la technique occidentale paraissent dorénavant aussi caduques que la planification chère à Nehru.

L'« économie de la dignité » est donc une tentative de synthèse entre l'Est et l'Ouest ; à ce jour, elle est sans véritable précédent.

L'expérience que nous allons décrire se passe dans les campagnes de l'État de Pondichéry. Comme toute innovation économique, celle-ci doit être abordée avec précaution : méfions-nous des « villages Potemkine », des modèles isolés qui laisent croire aux vertus d'une idéologie singulière. L'Inde, comme l'URSS et la Chine au temps du communisme, a édifié nombre de ces villages témoins, de ces programmes pilotes ; abandonnées à elles-mêmes, privées de l'assistance de l'État, de celle des organisations

internationales ou de l'aide d'associations non gouvernementales, ces « vitrines » s'en sont généralement retournées
à la friche. Le sachant, Swaminathan ne couve pas ces
villages « sous serre » ; il fait émerger des entrepreneurs
économiquement autonomes à partir des couches les plus
humbles de la population rurale. Il sait qu'un micro-entre-
preneur, aussi modeste soit-il, ne peut pas être recruté par
les représentants de l'État ou d'une organisation d'assistance, fût-elle bienveillante ; un véritable entrepreneur
choisit de le devenir, il n'est pas désigné par d'autres. C'est
sur ce principe que Swaminathan, dans les années 70, a
déclenché la « révolution verte » en Inde, l'une des épopées
économiques les plus positives du XXe siècle.

En collaboration avec un agronome du Texas, Norman
Borlaug — prix Nobel de la paix 1970 ô combien mérité
et oublié —, Swaminathan avait mis au point, dans les
années 70, des hybrides de blé qui permettaient d'augmenter dans des proportions considérables la production de
céréales ; tous deux devaient s'attaquer ensuite au riz et au
maïs. Cette prouesse scientifique serait restée sans suite si
Swaminathan n'avait su persuader les paysans de l'Inde de
renoncer à leurs semences anciennes pour adopter les
nouvelles. Or il n'est pas facile de convaincre un paysan
pauvre : non parce qu'il est ignorant ou rejette le changement, mais parce que son comportement conservateur est
rationnel. Le paysan pauvre *sait* que la semence traditionnelle lui permettra de subvenir à ses besoins ; le résultat,
fondé sur la coutume, est prévisible. En revanche, surtout
s'il est à la limite de la survie, il ne peut pas aisément courir
le risque du changement. Quelle assurance aurait-il en cas
d'échec de l'innovation ? Aucune. Il lui paraît donc préférable de ne pas innover.

L'économiste américain John Kenneth Galbraith, ambassadeur en Inde en 1961, avait repéré dans cette rationalité
paradoxale du paysan indien l'« accommodement à la

pauvreté », obstacle majeur sur la voie du développement ; il en avait justement conclu que toute stratégie de développement exigeait par priorité de réduire les risques de l'innovation. Ce qu'a réussi Swaminathan en recourant au Pendjab, puis au Tamil Nadu, à des démonstrations grandeur réelle dans les villages. Lui-même a planté sur place son blé et son riz hybrides ; il a invité les paysans pauvres à constater les résultats ; au terme de plusieurs récoltes dites « miraculeuses » — en réalité « scientifiques » —, les paysans les plus entreprenants se sont convertis à l'innovation. Il se trouve encore à ce jour des critiques marxistes, en Inde et aux États-Unis, pour protester contre l'enrichissement des paysans entreprenants de la « révolution verte » et déplorer les pollutions causées par les engrais. Eût-il mieux valu que les paysans indiens restent tous affamés, mais dans une stricte égalité et dans une nature préservée ? Ces critiques imbéciles ne prospèrent que dans des ventres pleins. La « révolution verte », ce n'est pas contestable, a arraché l'Inde à la famine ; les ressources alimentaires disponibles sont plus que suffisantes pour satisfaire les besoins de la population. Mais certains sont parfois trop pauvres pour acquérir une alimentation équilibrée. La question de la famine est donc devenue celle de la pauvreté, ce qui échappe à l'entendement d'organisations humanitaires qui se trompent d'analyse et, avec un combat de retard, persistent à lutter contre « la famine dans le monde ».

Après un long passage à la tête de l'Institut international du riz aux Philippines, qui aura diffusé la « révolution verte » dans toute l'Asie, Swaminathan a décidé de consacrer la dernière partie de sa vie à une nouvelle bataille — non plus contre la faim, mais contre la pauvreté — dans son pays d'origine, le Tamil Nadu. Dans le comportement de ce grand brahmane, je devine comme une variante contemporaine du « renoncement » hindou, métamorphosé dans son cas en dévouement total aux plus pauvres.

La tradition indienne distingue quatre âges de la vie, du moins chez ceux qui ont la chance de vivre longtemps et d'appartenir aux castes privilégiées : le premier âge est celui de l'enseignement auprès d'un maître ; le deuxième est consacré à construire une famille et à accumuler les biens matériels ; le troisième se passe « à la lisière de la forêt », à la marge de la société, mais encore « dans » le monde ; et l'âge ultime, le quatrième, est celui du renoncement, préparation physique et spirituelle à la disparition. Cette sage répartition du temps hante bien des Indiens, et la plupart, à leur manière, s'y conforment. Cette philosophie de l'existence s'oppose en tout au grotesque refus de vieillir qui, en Occident, remplace la sagesse par les prothèses esthétiques et psychiatriques.

C'est dans le troisième âge de la vie qu'est entré Swaminathan, et les villageois, qui ne s'y trompent pas, le révèrent comme « celui qui renonce ».

La deuxième « révolution » de Swaminathan, que je propose donc d'appeler passage à l'« économie de la dignité », ne coïncide avec aucune catégorie idéologique ancienne ; elle combine l'innovation scientifique, l'expérimentation, le marché, l'esprit d'entreprise libéral avec la morale du Mahatma Gandhi. Aux méthodes éprouvées de la « révolution verte », elle ajoute deux dimensions supplémentaires, l'une humaine, l'autre écologique : l'« économie de la dignité » s'adresse par priorité aux humbles, aux femmes, aux parias, et elle recourt à des techniques respectueuses des équilibres de la nature.

Situons le décor de ce moment de l'histoire : à vingt kilomètres à l'ouest de Pondichéry, Kizhoor est un village de dix mille habitants. Pour y parvenir depuis la capitale de l'État, il faut deux heures en Ambassador, tant les chemins sont encombrés de charrois appartenant à toutes les époques de l'humanité. Comme toujours en Inde, tout se mêle, rien n'est séparé : la route est à la fois une voie de transport et une aire de battage ; les buffles en liberté y font bon ménage avec les tracteurs et les scooters. En mars, il fait déjà très chaud. Les rizières sont inondées par endroits. En d'autres, on repique : la terre, généreuse, donne trois récoltes par an du riz miraculeux de Swaminathan. Mais le travail est intense ; il brise très tôt les femmes à qui sont attribuées les tâches les plus rudes.

Je vois que certains champs ont été asséchés et transformés en briqueteries, une utilisation du sol qui rapporte gros, mais une seule fois ; après que l'argile de surface a été transformée en briques, la terre devient inutilisable. Le propriétaire, explique Swaminathan, ne s'y sera résolu que pour satisfaire un besoin urgent, rembourser un usurier ou financer la dot de sa fille ; après ce véritable suicide économique, il deviendra un paysan sans terre — un de plus.

À l'entrée de Kizhoor, de part et d'autre de la route, deux chevaux cabrés en stuc, plus grands que nature, bariolés de couleurs vives, protègent la communauté contre les démons. Compact, replié sur lui-même, le village est composé pour l'essentiel de huttes en terre au toit de palmes. Après une ou deux moussons, le toit est percé, les murs ont fondu, il faut reconstruire ; quand on le sait, on tolère la préférence inesthétique des villageois pour un affreux béton et les tuiles mécaniques. Au centre, au plus près du temple, quelques familles plus aisées ont édifié de grandes maisons informes, mais en béton. Si l'on parvient ici au lever du soleil, on voit les femmes tracer sur le seuil de leur hutte un dessin géométrique, le *kolam*, avec de la farine de riz ; à condition d'être chaque jour différent, le *kolam* éloigne le mauvais œil. Quand on visite ces demeures, on s'aperçoit qu'elles sont remarquablement vides et propres ; dans la cuisine, en plein air, des gamelles de fer-blanc posées sur un fourneau de glaise ont remplacé la poterie traditionnelle. Derrière la maison, pour les plus fortunés, une vache ou une chèvre. En période électorale, le gouvernement local, dans un geste magnanime, fait don d'une vache aux parias pour qu'ils deviennent autosuffisants ; ceux-ci s'empressent de la revendre. Les hautes castes accusent alors les parias d'utiliser leur argent pour boire, ce qui se révèle souvent exact ; l'alcoolisme, entre autres maux, ravage les foyers les plus pauvres, et les maris battent beaucoup leurs femmes.

À l'écart, comme dans tous les villages du sud de l'Inde, le hameau des parias, au bord d'un étang. Le hameau a son estaminet, un comptoir en planches sous l'auvent d'une hutte, que ne fréquente pas le reste du village : on ne boit pas dans le gobelet d'un paria. Indira Gandhi feignit de l'ignorer : lorsqu'elle fut Premier ministre, au nom du développement économique, elle subventionna la création de troquets par les parias, qui n'eurent jamais d'autre clientèle que d'autres parias nécessiteux...

Le temple de Kizhoor, haut en couleur, est dédié à une déesse locale que l'on ne vénère qu'ici ; le prêtre, issu d'une sous-caste de brahmanes, ne sait rien m'en dire. Les villageois méprisent cet ignorant mais sont obligés de faire appel à lui. Ce jour-là je l'entends chanter les mantras sacrés qui accompagnent la cérémonie du perçage de l'oreille d'un gros nourrisson ; l'enfant, au crâne couvert de cendres, hurle, des musiciens battent du tambour et agitent des clochettes.

Il règne dans le village une activité tourbillonnante ; chacun a toujours quelque chose à faire : battre le paddy, chercher le bois pour la cuisine, l'eau à l'une des deux fontaines publiques, l'autre étant réservée aux parias. La quête du bois et de l'eau occupe considérablement les femmes ; autour des fontaines, elles se querellent ou se réconcilient. Sur leur terrasse, quelques grands propriétaires s'éventent tandis que des paysans sans terre cultivent leurs champs. Pour ceux qui n'ont que leur force de travail et aucun capital, il faut, pour survivre dans cette économie de subsistance, beaucoup se dépenser. Qu'advient-il lorsque la force physique s'évanouit ? Les couples de paysans s'évertuent à avoir de nombreux enfants, au moins deux garçons, ce qui leur est l'équivalent d'une assurance vieillesse. Mais on constate que les vieux, les faibles et par-dessus tout les veuves sont réduits à la mendicité plus souvent qu'ils ne sont pris en charge par leur famille ou leur communauté : les sociétés pauvres sont féroces envers les faibles. L'idéalisation occidentale, mais aussi gandhienne, des liens communautaires et de la spiritualité hindoue résiste mal à la visite attentive d'un village traditionnel.

Qu'entend-on au juste par tradition ? La moitié des familles de Kizhoor reçoit la télévision à domicile ; certaines ont accès au câble depuis qu'un entrepreneur astucieux a installé une antenne de réception sur son toit et vend des abonnements. Dans la plupart des foyers, la télévision est le meuble unique ; l'appareil reste allumé en permanence, l'électricité comme l'eau étant gratuites à Kizhoor, ce qui conduit à gaspiller l'une et l'autre. Cette gratuité est l'aumône du député qui, en contrepartie, a obtenu la promesse que le village voterait pour lui : un contrat électoral généralement respecté par les villageois, qui prennent les politiciens indiens pour ce qu'ils sont. Apprenant que personne, même parmi les familles aisées, n'a ici le téléphone alors que ce serait techniquement possible, je demande une explication. « Nous sommes assez riches pour acheter une télévision, me répond-on, mais pas assez pour acheter le téléphone. » L'acheter *à qui* ? « Au député », m'est-il précisé sans acrimonie aucune ; chaque député dispose en effet d'un stock de lignes qu'il vend aux plus offrants.

Voilà donc Kizhoor, où la vie est rude mais où parviennent l'eau, l'électricité, la télévision et parfois un autocar pour Pondichéry. C'est ici que Swaminathan intervient, depuis 1995, pour hisser les villageois de leur économie de subsistance à un stade supérieur, celui où ils disposeront d'un revenu monétaire. Il faut comprendre que, dans un village indien, l'argent libère : il lève le couvercle de la totale dépendance envers la récolte ou l'emploi au jour le jour. Pour obtenir un revenu, dit Swaminathan, il faut être informé : « Le savoir, c'est le pouvoir économique. » Pour apporter le savoir jusqu'au paysan indien, rien de moins cher qu'Internet.

Dans l'enceinte du temple de Kizhoor, la fondation Swaminathan, avec le soutien financier d'organisations internationales, a installé un terminal informatique. Il aura fallu quelques mois de palabres pour obtenir l'assentiment du prêtre et celui du panchayat du village : Internet ne risquait-il pas de déranger l'« ordre social », en clair, d'amoindrir l'autorité des castes supérieures ? D'autant plus que Swaminathan exigeait que les parias et les femmes accèdent à Internet. Le panchayat a finalement tranché en faveur de l'ordinateur, et Internet trône à présent dans le temple, telle une divinité nouvelle. Que les villageois consultent, mais ne vénèrent pas !

Rappelons que, dès 1980, Jean-Jacques Servan-Schreiber, dans *Le Défi mondial*, avait imaginé que chaque paysan indien disposerait d'un ordinateur alimenté par satellite qui lui apporterait les informations nécessaires au développement économique. Comme certaines divinités hindoues, J.J.S.S. avait un troisième œil : il voyait avant les autres, généralement trop tôt. L'Évangile nous dit que nul n'est prophète en son pays, et le Talmud précise qu'il faut être fou pour prophétiser quand les temps prophétiques ne sont pas advenus : cette seconde maxime s'applique à Jean-Jacques Servan-Schreiber encore plus que la première.

À Kizhoor, des volontaires, qui se trouvent toutes être des jeunes femmes appartenant aux plus basses castes, ont été formées sur place au maniement de l'appareil ; ce n'est guère compliqué, les programmes sont en tamoul. Que trouve-t-on sur l'Internet de Kizhoor ? Avant tout, ce que les villageois ont demandé. Par exemple : où acheter des semences et des engrais au meilleur prix ; les cours sur les marchés où ils vont écouler leurs produits. Des informations qui évitent aux paysans de se faire gruger par les intermédiaires. On apprend aussi l'heure de passage du car, ce qui paraît trivial mais évite de l'attendre plusieurs jours sous le soleil ou la pluie et de perdre ainsi des journées de travail : une meilleure gestion du temps est à la base de tout développement. Swaminathan a également installé sur Internet un programme qui recense les aides publiques aux pauvres. Se voulant progressiste, le gouvernement local multiplie ces aides, mais la bureaucratie les assortit de conditions que nul ne remplit jamais ; les paysans ignorent souvent leurs droits, et quand ils les connaissent, ils ne parviennent jamais à remplir les conditions — évidemment très compliquées — pour en bénéficier. Jusqu'à ce qu'Internet ait permis aux paysans de Kizhoor de se présenter au jour dit, dans les conditions requises, avec un dossier au point, devant le bureaucrate de Pondichéry, alors que personne auparavant n'était encore jamais venu lui demander quoi que ce soit. L'anecdote illustre combien les autorités politiques traditionnelles seront déstabilisées par l'entrée des peuples dans l'âge de l'information : la circulation instantanée du savoir modifiera la relation hiérarchique ancienne entre le pouvoir et le sujet, le citoyen deviendra un netoyen, mieux informé par son réseau qu'il ne l'est par la cité.

Swaminathan, grâce à Internet et à sa méthode — la démonstration sur place —, s'emploie donc à dépasser la « révolution verte ». Celle-ci, nous l'avons dit, a supprimé la famine, mais elle appauvrit les sols. Avant que trop de riz ne tue la rizière, il convient de passer à autre chose. Swaminathan souligne aussi que les méthodes agricoles

La démarche de Swaminathan n'est-elle pas trop modeste ? Elle ne ressemble pas aux ambitions soviéto-indiennes de naguère, pas plus qu'à l'intégrisme libéral nouvellement professé dans les institutions internationales. Mais les peuples dits du tiers-monde ont suffisamment servi de cobayes pour que l'on reparte des besoins manifestés à la base plutôt que des fantasmes du sommet. Au-delà, on se demandera même si le XXIe siècle ne devrait pas devenir en tout celui des petites choses après que le XXe siècle, qui fut celui des grands projets, a produit d'aussi grandes catas-trophes...

La méthode de Swaminathan n'est pas non plus empreinte de nostalgie pour une Inde éternelle qui resterait pauvre mais solidaire. Une solidarité souvent illusoire, car les pauvres n'en ont pas les moyens ! D'autres esprits chagrins, qui n'habitent pas les villages de l'Inde, s'inter-rogeront sur la vertu du développement tel qu'il est conçu par Swaminathan, à savoir exclusivement d'ordre écono-mique et sans prétention morale ; les habitants des biovil-lages ne vont-ils pas dilapider leurs profits en achetant des scooters et des téléviseurs sur lesquels ils regarderont des séries américaines ou les séries indiennes qui les singent ? Mais savons-nous mieux ici ce qui est bon pour un paria du Tamil Nadu qu'il ne le sait lui-même ? Ce que veut le paria, il l'a vu à la télévision : cela s'appelle le progrès matériel. Il n'est plus temps d'idéaliser la vie des villages, les modes anciens ; la télévision atteint les foyers les plus reculés de la planète et suggère un standard universel de confort auquel chacun compare son état présent.

Les paysans pauvres de l'Inde ne sont-ils pas aliénés, par la télévision, au matérialisme occidental ? Assurément, ils le deviennent, mais ils n'attendent pas de nous une thérapie de groupe ni qu'on leur chante les vertus de l'eau du puits par rapport à celle de la fontaine ou du robinet !

Prenons plutôt la mesure de la gigantesque course de vitesse — pour l'instant silencieuse — qui s'est engagée, dans un pays comme l'Inde, entre les aspirations matérielles stimulées par la télévision et les politiques dites de développement. Si ces politiques ne produisent pas rapidement des résultats appréciables dans les campagnes, les villageois ne se révolteront pas : ils se précipiteront vers les villes comme ils le font partout dans les pays pauvres. La planète est en passe de devenir un immense *slum* d'où surgissent les violences, les épidémies, les périls économiques. Soixante millions d'Indiens habitent ces bidonvilles en l'an 2000, chiffre important dans l'absolu, mais pas encore à l'échelle indienne. Afin que l'Inde ne devienne pas tout entière un gigantesque bidonville, les villageois doivent être assurés qu'en restant chez eux ils trouveront plus de bien-être matériel que dans l'exil, et qu'ils bénéficieront d'une plus grande considération sociale qu'en ville : le statut reste, en Inde, aussi déterminant que le revenu économique. Or le biovillage contribue à l'élévation du statut social des humbles autant qu'à leur profit économique. L'expérience démontre que les parias deviennent moins intouchables à partir du moment où ils s'enrichissent ; toute distinction de caste n'est pas effacée par le progrès des revenus, mais la relation hiérarchique entre les castes s'atténue plus efficacement grâce au marché qu'à travers les luttes politiques ou les proclamations antidiscriminatoires.

L'écotechnologie et le capitalisme aux pieds nus expérimentés à Kizhoor ne constituent pas seulement l'amorce d'une théorie du développement ; ensemble, ils dessinent un projet de société. Ce projet est libéral en ce qu'il se fonde sur l'initiative individuelle, mais il n'est pas que libéral, puisqu'il requiert une intervention extérieure, l'aide éclairée et non mercantile d'un gourou technicien. Ce gourou n'est pas l'État, qui serait peu efficace, susciterait la méfiance et exigerait des contreparties clientélistes. Le biovillage ne peut pas non plus fonctionner en autarcie : l'« économie de la dignité » requiert un État minimal qui gère les infrastructures. Elle exige aussi l'aide bénévole de ceux qui détiennent le savoir : organisations humanitaires ou institutions internationales qui pourraient, dans l'action économique de terrain, trouver là une nouvelle utilité. L'« économie de la dignité » se situe donc au-delà du libéralisme classique ; elle tend à le « dépasser », comme la social-démocratie, naguère, a dépassé le marxisme.

L'expérience de Kizhoor peut-elle à son tour dépasser Kizhoor ? À partir de ce microcosme, il me semble qu'on pourrait déduire un modèle général, les éléments du succès réunis dans ce village indien étant largement répandus dans le monde. La volonté d'entreprendre ? Elle se rencontre dans toutes les civilisations pour peu que l'on cesse de la réprimer. Une technique adaptée ? Notre planète regorge d'outils de développement, mais le stock est inutilisé : l'écotechnologie reste bizarrement négligée des experts en développement, et en butte à l'ignorance des écologistes de tendance archaïque. Le bénévolat ? C'est un des mouvements de masse qui émerge des sociétés les plus matérialistes ; le monde associatif en est une expression, mais il mobilise pour l'heure et par priorité les nostalgiques du tiers-monde et les bonnes âmes plus que les managers efficaces. Ce peuple humanitaire balance souvent entre une passion déguisée du baroud et la mauvaise conscience ; en outre, par nature, ces bénévoles plus ou moins compréhensifs interviennent *après*, c'est-à-dire trop tard. Ici, on espère donc — et l'on milite pour — qu'à l'image des Médecins sans frontières se lève une génération de cadres et d'entrepreneurs sans frontières qui contribueraient à l'écodéveloppement des peuples pauvres, *avant* et pas après les catastrophes. Cette génération-là contribuerait de manière décisive à renouveler et à enrichir la philosophie dite des droits de l'homme.

On voit comment cette dernière doctrine s'universalise, dicte toujours plus le comportement des gouvernements, se matérialise dans de nouvelles institutions diplomatiques. Mais la philosophie des droits de l'homme ne porte pas encore de projet économique ; les institutions internationales et les organisations humanitaires ne pratiquent pas encore l'« ingérence en amont » qui renforcerait les économies locales. Pour l'avenir, on espère donc que les organisations publiques et privées qui ont la religion séculaire des droits de l'homme en partage concourront à cette vision du développement que nous nommons « économie de la dignité ». Celle-ci pourrait devenir le versant économique des droits de l'homme — et pourquoi pas l'Inde sa première expression concrète ?

Quatrième partie

La tolérance des dieux

9

Chacun cherche son gourou

À peine étais-je entré dans le temple de Veerampatinam qu'un importun se précipita vers moi. J'en fus contrarié. Je ne cherchais qu'un coin d'ombre sous l'auvent de pierre qui protégeait l'autel de la déesse Ranuka. Mal rasé, un pagne autour des reins et une serviette-éponge en guise de turban, ce devait être un mendiant ; mais il paraissait trop corpulent. Était-ce le prêtre ? Pour dix roupies, il procéderait au sacrifice de la déesse, en principe prohibé au regard des non-hindous. Assis en tailleur sur une estrade de granit, je m'efforçais d'ignorer la chaleur et les déjections des rats ; la pureté d'un temple est distincte de ce que nous appellerions la « saleté », au nom du grand principe indien de la contradiction positive.

« Le temple hindou, a écrit Alain Daniélou, n'est pas un lieu de réunion où s'assemblent les fidèles. C'est, dans un endroit choisi pour des raisons magiques, un édifice construit dans le but de capter des influences subtiles. C'est un centre magnétique grâce auquel des prêtres, magiciens qualifiés, vont pouvoir, au moyen de rites, évoquer la présence réelle d'une divinité. C'est donc un centre de communication entre deux mondes qui se côtoient et s'entremêlent, et pourtant s'ignorent, un peu comme un récepteur de radio permet de capter et de révéler les ondes partout présentes mais non perçues. »

Je crains que Daniélou n'ait été plus savant que la plupart des hindous, prêtres inclus. À l'exception de quelques grands brahmanes, les religions de l'Inde sont, pour les fidèles, une addition de rites familiers et locaux dont le sens profond s'est généralement perdu. Dans la plupart des temples, des prêtres illettrés marmonnent en sanskrit des formules qu'ils ont apprises par cœur ; comme nos curés lorsqu'ils parlaient latin, ils en ignorent le plus souvent la signification, et les fidèles aussi. Mais nos églises sont vides, tandis que les temples de l'Inde sont pleins, et il s'en construit sans cesse de nouveaux. Serait-ce parce que l'Inde est « arriérée » et que nous avons « progressé » ? Mais les Indiens modernes et éduqués à l'occidentale pratiquent autant que les plus humbles. Cette persévérance de l'hindouisme tient certainement à ses rituels autant qu'à sa théologie ; la complexité de celle-ci échappe au grand nombre, alors que les rites sont familiers à tous. Ingénieur ou paysan, on s'arrête chaque matin, ne serait-ce qu'un bref instant, sur le chemin du travail pour une *puja* — un sacrifice — au dieu familier : un peu de cendre sur le front ne saurait nuire, un petit pari de Pascal au quotidien... Chez eux, les brahmanes ont leur chapelle, y compris dans les appartements modernes. Le vendredi soir, puissant ou misérable, on illuminera en famille la maison et on ouvrira la porte pour attirer la déesse Lakshmi, qui symbolise la chance ; on allumera la lampe à camphre devant les statues domestiques ; on tournera trois fois cette lampe autour du visage des membres de la famille pour éloigner le mauvais œil en prononçant quelques mantras incompréhensibles. Ces pratiques traversent les couches sociales de bas en haut et toute l'Inde au gré d'infinies variations.

Sur place, il m'est apparu que bien peu croyaient en la signification cosmique du panthéon hindou, au cycle des réincarnations, et aspiraient véritablement au salut par l'extinction du soi. Chacun, avec l'assistance des dieux, cherche plutôt le bonheur et des satisfactions matérielles ici-bas. Tous les Indiens, y compris les musulmans, pratiquent les rites, aiment les lumières, les couleurs, les odeurs, l'encens, les fleurs, suivent les mêmes pèlerinages :

plutôt qu'une foi, comme chez les chrétiens, ou qu'une connaissance, comme chez les Juifs, l'hindouisme est la somme de ces sensations fortes dont on s'imprègne dès l'enfance. Voilà pourquoi on devient rarement hindou : on le naît et on le reste. Les missionnaires occidentaux ne font pas recette ; Jésus est ici un dieu de plus dans un panthéon qui en compte déjà plusieurs millions.

Outre la fraîcheur des lieux, j'avais été attiré vers le temple de Veerampatinam par la déesse Ranuka qui y réside. Son histoire est comme une version indienne du sacrifice d'Abraham. Je la raconterai telle que les dévots me l'ont transmise, sans faire le partage entre légende et réalité. Cette distinction, pour les hindous, paraît moins nécessaire qu'en Occident. Des faits que l'on considérerait ici comme authentiques ne sont pas, en Inde classique, d'une autre nature que les légendes ou les rêves ; ceux-ci ne sont que d'autres formes de l'empreinte divine sur l'esprit humain, pas plus réels ou irréels que la seule réalité vraie pour nous.

Le mari de Ranuka, un saint qui voulait mesurer la fidélité de son fils, demanda à celui-ci de trancher la tête de sa mère ; il acquiesça. On pense à l'injonction faite à Abraham d'égorger Isaac. Dans la Bible, un bélier s'interpose ; ici, une servante de Ranuka tente de dévier la hache, mais si maladroitement que sa tête tombe en même temps que celle de sa maîtresse. Le père, ému par l'obéissance de son fils — on songe à la négociation de Dieu et d'Abraham à Sodome —, lui accorde de satisfaire le vœu de son choix. Le fils demande à ressusciter Ranuka et sa servante, ce qu'il obtient en aspergeant les deux corps et les deux têtes avec l'eau d'une rivière. Mais ce garçon décidément maladroit intervertit les têtes : Ranuka renaît greffée sur le corps de la servante, et vice versa. Les deux femmes convinrent alors de ne plus se séparer et vécurent ensemble au bord de la rivière.

Cette histoire a-t-elle une morale ? Il semble qu'elle invite chacun sur Terre à suivre sa prédestination divine, le dharma, incarné par l'ordre du père ; celui qui respecte son destin dans le premier temps de l'existence, puis choisit le renoncement à la fin de sa vie, « auprès de la rivière », pourra transcender l'ordre des castes et échapper au cycle des renaissances. La femme à tête de Ranuka atteignit le moksha, l'extinction de soi, la forme indienne du salut ; personne à Veerampatinam ne sut me renseigner sur le destin du corps à tête de servante...

Je regardais ostensiblement ailleurs, mais l'importun sur lequel j'ai ouvert ce chapitre m'accosta, ô surprise, dans un excellent anglais ! Il ne pouvait donc s'agir ni d'un mendiant ni du prêtre du temple. Il me fallut expliquer que je venais de Paris et que j'essayais d'écrire un livre sur mes impressions indiennes. Lui venait de Madras, à quatre heures de route. Directeur de l'informatique dans une banque, il avait obtenu de son patron quinze jours de congé pour venir ici après avoir eu la vision d'une déesse à la tête coupée. Celle-ci lui avait promis mille prospérités en échange de sa dévotion. L'ingénieur essaya d'être aussi précis qu'un ingénieur : « La vision m'a surpris dans mon sommeil ; elle a duré à peu près un quart de seconde. » Jamais il n'avait entendu parler de Ranuka ; l'enquête fut longue pour localiser son temple. La déesse y était représentée par une pierre noire au cœur du sanctuaire, enduite du beurre fondu des sacrifices, parée de guirlandes d'œillets d'Inde, cernée par des flammes de camphre. Une fois l'an, son effigie en bois, portée par le village en procession, allait prendre un bain dans l'océan. Non, l'ingénieur n'était jamais venu à Veerampatinam et n'entretenait aucune relation familiale avec ce village. Dormant nu à même le sol depuis deux semaines, se cuisinant un bol de riz et de piment pour toute nourriture et multipliant les dévotions à la tête coupée de Ranuka, il parvenait au terme de son pèlerinage. L'ingénieur sortit de son pagne une carte de visite sur laquelle figuraient ses fonctions et son adresse électronique. « Si vous avez besoin de services bancaires à Madras, n'hésitez pas à m'envoyer un *e-mail* ! » conclut-il en retournant à ses dévotions.

Tout cela était normal. Il n'y avait pas chez l'ingénieur, et l'on ne ressent jamais en Inde de contradiction ni de discontinuité entre la pensée magique et la pensée scientifique, le rationnel et l'irrationnel, la connaissance logique et l'embrasement spirituel ; tout est Un, comme le voisinage des déjections de rat, de la déesse, de l'encens, du temple vieux de cinq ou six siècles, et des tubes au néon qui illuminent le sanctuaire. Les cousins indiens de Zeus et de Dionysos n'objectent ni à l'atome ni à l'électricité. En Inde, rien ne s'exclut, tout s'ajoute : le progrès technique est parvenu ici sans que les dieux anciens aient été détrônés, sans que le monde se soit trouvé désenchanté par la pensée rationaliste.

À cette même époque, je visitai un autre village de la région de Pondichéry où un agronome expérimentait de nouveaux hybrides de manioc. Ce savant faisait autorité en Inde comme aux États-Unis, où il avait vécu. Je lui racontai ma rencontre avec l'ingénieur ; il n'y trouva rien d'extraordinaire. La discussion dériva vers d'autres dieux et d'autres saints. « Vous avez vu ma bague ? » me demanda soudain l'agronome. Il exhiba à l'index de sa main gauche une sorte de chevalière dorée, ornée d'une pierre verte de pacotille : « Sai Baba l'a matérialisée pour moi. » Pour les rationalistes en Inde — il s'en trouve ! —, Sai Baba est l'un des grands escrocs de notre temps ; pour ses millions de dévots, c'est un saint. Son image est omniprésente, facilement reconnaissable à son visage joufflu et à sa coiffure afro. La réputation de Sai Baba, réincarnation autoproclamée du dieu Shiva, tient à sa capacité de « matérialiser » des objets, bijoux ou pluie de cendre sacrificielle. Sa fortune, que l'on

subodore gigantesque, s'alimente à la coutume dite du
« tiers divin », propre à sa région, l'Andra Pradesh : lorsqu'un contrat y est conclu entre deux hommes d'affaires,
un tiers du bénéfice éventuel est offert aux dieux. Ceux-ci
sont incarnés dans un temple, un ashram ou un saint
auxquels l'argent est donné en pratique. Sai Baba bénéficie
ainsi depuis une cinquantaine d'années de la dévotion des
entrepreneurs de l'Andra Pradesh et de quelques disciples
en Californie.

Sur la bague, je réservai mon commentaire, décidé à ne
jamais exprimer en Inde une opinion sur ce qui m'échap-
pait. Ces mythes que je voyais proliférer dans la vie quotidienne devenaient des objets tout aussi réels que ceux que
la raison occidentale considère comme tels. L'agronome
poursuivit donc son récit. Attiré par la réputation de Sai
Baba, il avait assisté dix ans auparavant, à Bombay, à une
grande réunion publique autour du saint. Les saints en Inde,
tout comme leurs fidèles, se déplacent sans cesse, bien que
les distances soient énormes, les transports infernaux, les
routes dangereuses ; les Indiens sont en mouvement perpé-
tuel. Sai Baba, qui ne connaissait pas l'agronome, le repéra
dans la foule de plusieurs milliers de personnes ; il lui
intima l'ordre de s'approcher et « matérialisa » une bague
qui s'adapta miraculeusement à l'index de mon interlocuteur. Celui-ci insiste : « Mon doigt n'est pas d'une taille
ordinaire pour un Indien, il est beaucoup plus épais que la
moyenne. » Depuis ce jour béni, l'agronome, disciple de
Sai Baba, n'oublie jamais de lui verser son « tiers ».

Mieux vaut se taire, car certains critiques de Sai Baba,
qui révèlent la banalité de ses tours, ont tendance à mourir
prématurément. On cite un magazine du Kerala dont le
rédacteur en chef a disparu et dont le lectorat s'est évaporé
après une dénonciation de Sai Baba ; des réalisateurs de la
télévision indienne ont vu s'effacer des bandes magnétiques
démystifiant ses trucages. Ma source critique sur Sai Baba

est un musicien de Delhi qui se déclare rationaliste ; on ne la lui fait pas ! Mais il est un adepte d'Amma, une sainte du Kerala... J'ai vu celle-ci presser contre son ample poitrine les dévots qui la vénèrent et font queue des heures durant, attendant leur tour ; chacun a le droit de poser une question existentielle ou spirituelle à laquelle elle trouve toujours la juste réponse. On me dit aussi qu'à son contact physique le dévot reçoit comme une sorte de décharge électrique au bas des reins : c'est de l'énergie qu'on emmagasine...

Cette fusion du naturel, du surnaturel, du spirituel et du sensuel chez des êtres à la fois rationnels et irrationnels est-elle un trait distinctif de l'Inde ? À ce degré, sans doute. Mais toute société mêle toujours pensée magique et pensée scientifique. Qui, en Europe, ne consulte pas les horoscopes ? Seul varie d'une société à l'autre la légitimité du mélange. En Inde, le statut de la pensée magique équivaut à celui de la pensée scientifique, à un degré qui paraît sans relation avec le niveau d'éducation des dévots : ceux de Sai Baba se recrutent plus souvent parmi les classes moyennes que chez les humbles. Coupées du culte de leur communauté d'origine, les classes moyennes recherchent des gourous médiatiques au pouvoir magique plus volontiers que ne le font les villageois. De même, en Occident, le statut de la pensée magique varie-t-il sans relation évidente avec le « progrès » ; la pensée magique n'est-elle pas mieux acceptée aux États-Unis qu'en Europe ? Des Américains rationnels, qui ne cessent de rencontrer Dieu, se disent *born again*, acceptant volontiers que le surnaturel croise leur chemin. En Europe, de pareilles expériences sont rares, mais c'est particulièrement en France que la pensée magique est la moins légitime, sans doute parce que la pensée religieuse ne l'est pas davantage.

L'Inde magique me paraît donc moins l'envers de l'Occident qu'un Occident mis à nu, celui de l'homme incertain révélé à lui-même ; elle nous dit que nul ne peut vivre par la pure raison. Là-bas, cette faiblesse de la raison est l'évidence acceptée, alors qu'ici on la réprime ; ce qui, en Inde, est central, est chez nous rejeté à la marge, voire tourné en dérision. Là-bas, on admet que deux vérités contradictoires puissent être vraies l'une et l'autre : les vérités s'ajoutent et ne s'annulent pas. Des saints de l'Inde sont admirés pour leur incohérence, parce qu'ils ont réussi à unir les contraires, à vivre dans la contradiction. C'était le cas de Vivekananda, le « réformateur » de l'hindouisme, qui hésitait sans cesse entre la virilité et la féminité, la transformation du monde et le retrait du monde, le progrès occidental et le retour à la tradition, l'action et le renoncement ; pour ses disciples, la perfection de Vivekananda tenait à son incapacité ou à son refus de choisir. De l'Orient ambivalent ou de l'Occident cohérent, qui a raison, qui a tort ? Mais mieux vaut sans doute se demander qui se connaît le mieux, de l'Indien ou de l'Occidental, en admettant que l'on puisse ramener la complexité à ces catégories élémentaires.

Il se trouve que des Occidentaux à qui la raison et le progrès ne suffisent pas parviennent toujours en Inde, « en recherche », comme on dit ; c'est à l'ashram de Sri Aurobindo, à Pondichéry, qu'arrive le plus grand nombre. Beaucoup sont français. La passion française pour l'Inde s'était initialement fixée sur Vivekananda, à l'invite de Romain Rolland ; puis Aurobindo, plus « moderne », l'a remplacé dans les années 60. Depuis un demi-siècle, point de rencontre de l'Inde et de l'Occident, cet ashram héberge une tentative ambitieuse de fusion entre la pensée rationnelle de l'Occident et la pensée magique de l'Orient. Aurobindo, vu d'Occident, apparaît comme le yogi du siècle, le gourou absolu, comme Rabindranath Tagore aura été le poète indien par excellence. Vu de l'Inde, tout se complique. Tagore n'était pas indien, mais bengali, car il n'existe pas une langue et une poésie qui puissent être qualifiées d'« indiennes » ; et nous apprécions d'autant mieux Tagore qu'il savait parler en anglais des relations entre l'Orient et l'Occident. Cette fausse perspective sur l'Inde en général affecte pareillement le regard occidental porté sur Aurobindo. À Pondichéry où il vécut et mourut, la population locale, qui est tamoule, voit en lui avant tout un Bengali. S'il devint yogi à Pondichéry, c'est parce que en 1910 il avait trouvé refuge dans la colonie française pour échapper à la police britannique. Avant de se vouer à la méditation, Aurobindo participait à un mouvement de guérila indépendantiste. Vues de loin, ces distinctions entre Bengalis et Tamouls paraîtront secondaires, mais elles sont, en Inde, essentielles, parce que l'Inde est l'addition compliquée de ces peuples variés. Les Tamouls considèrent d'ailleurs que l'ashram d'Aurobindo n'est pas fait pour eux, mais est une « affaire bengalie ». « Seuls les coolies y sont admis », disent-ils, c'est-à-dire la main-d'œuvre la moins qualifiée pour y accomplir les travaux les plus durs. L'ashram de Pondichéry n'attire que des Indiens du Nord et des Occidentaux, une préférence ethnique qui ne laisse pas de surprendre, puisque Aurobindo prétendait créer une nouvelle race universelle. Mais peut-on critiquer Aurobindo ou même tenter de résumer sa pensée ?

Ses adeptes n'admettent que l'adhésion sans faille au maître et à « Mère », de son vrai nom Mira Alfassa. Française d'origine égyptienne, celle-ci fut désignée en 1927 par Aurobindo comme sa compagne de « yoga intégral ». Elle devint par la suite l'organisatrice de l'ashram en un culte structuré, une entreprise religieuse moderne, sans équivalent en Inde. Ses ennemis, qui furent et restent nombreux, soupçonnent Mère d'avoir séquestré Aurobindo : il vécut trente ans reclus dans sa chambre, en méditation et en écriture, n'apparaissant que brièvement quatre fois par an à ses fidèles, puis plus jamais lors des dernières années de sa vie. Pour contrer une rumeur qui annonçait sa mort, Mère fit venir Henri Cartier-Bresson pour photographier Aurobindo ; la photo parut dans le monde entier, révélant un gourou barbu, usé et splendide. À ses disciples que Mère froissait, Aurobindo fit comprendre que, s'il était l'Orient, Mère incarnait l'Occident, et que leur alliance signifiait la réconciliation entre l'un et l'autre afin de restaurer la complétude du monde. Après la disparition du gourou — « quand il eut quitté son corps » à la manière des saints de l'Inde —, Mère régna en impératrice, mais au nom d'Aurobindo.

Convient-il de parler d'Aurobindo et de Mère au passé ou au présent ? Dans la cour de l'ashram, une belle bâtisse coloniale repeinte en gris, on voit un monument de marbre blanc, couvert de fleurs fraîches, où reposent leurs corps, entouré de disciples indiens et occidentaux en pâmoison ; il y règne un grand silence, inhabituel en Inde. Mais cela n'est pas, à vrai dire, un tombeau. L'un et l'autre auraient « quitté leur corps » pour entrer en état de *samadhi*, une sorte de conscience supérieure que le yogi peut atteindre. À la question : « Qui dirige l'ashram depuis qu'Aurobindo et Mère ont quitté leur corps ? » (respectivement en 1954 et en 1975), les disciples s'étonnent ; ils répondent qu'Aurobindo et Mère dirigent toujours l'ashram, voire qu'Aurobindo et Mère sont une seule et même personne. Notre opinion personnelle ne serait ici d'aucune utilité ; qu'Aurobindo soit ou non parmi nous ne change rien pour ceux qui partagent son enseignement. Aucun argument rationnel ne détournera jamais qui que ce soit de rejoindre l'ashram, d'y passer une heure ou une vie, de lui abandonner ses biens terrestres.

Comme celle de tous les grands yogis, la pensée d'Aurobindo est supposée agir à distance ; ou bien tout se passe comme si elle agissait à distance, au travers du temps et de l'espace. Elle attire les disciples comme le ferait un aimant

« supramental ». Aurobindo était persuadé que, par ses exercices physiques et spirituels, le « yoga intégral », il était possible d'atteindre à un état de conscience supérieur, supramental, et de conduire ainsi l'espèce humaine vers une étape supérieure de l'évolution. Créer une nouvelle race humaine, rien de moins ! De même que l'Homme descend du singe, Aurobindo nous dit que le Superhomme descendra de l'Homme et mènera une vie divine sur Terre. Au croisement de l'évolutionnisme darwinien et du surhomme nietzschéen, Aurobindo tenta la grande synthèse entre pensée magique et pensée scientifique. Une ambition qui paraîtra très indienne aux disciples venus de l'Ouest mais qui n'est, en fait, pas indienne du tout. En cherchant à diviniser la vie ici-bas, le yogi de Pondichéry rompait avec la tradition hindoue du retrait du monde.

Plus classique fut son intervention supposée sur le cours de l'Histoire. Pendant la Seconde Guerre mondiale, Aurobindo fit reculer les armées nazies par son yoga intégral ! Du moins en était-il persuadé. Bien des saints de l'Inde considèrent qu'ils agissent sur le déroulement des événements ou sont perçus comme y étant parvenus, le monde ayant eu besoin d'eux à un moment charnière de l'histoire de l'humanité : Sai Baba, en 1962, aurait ainsi vaincu l'armée chinoise en guerre contre l'Inde ; en 1999, le gourou Maharashi Mahesh aurait proposé en vain au président Clinton quelques exercices de méditation contre l'armée serbe...

La petite-fille de Mère, Purna, qui est professeur de yoga à l'ashram, m'expliqua qu'Aurobindo était apparu au XXe siècle parce qu'il était « nécessaire » qu'une force bénéfique équilibrât la force maléfique de Hitler. Je pris note, mais mon interlocutrice ne fut point dupe de ma discrétion. « Vous essayez, me dit-elle, de vous servir de votre intelligence ! » C'était un doux reproche. Dans la tradition indienne, tout saint renaît donc à point nommé, ce qui n'est pas à l'opposé de l'attente occidentale du Messie ; mais l'Inde est peuplée de messies, avatars des dieux, tandis que les chrétiens n'en reconnaissent qu'un seul et les Juifs aucun.

Quant à décrire le stade supramental de l'humanité auquel nous prépare Aurobindo, j'en suis bien incapable. À cette question, mon éclaireuse répéta que l'expérience ne saurait être qu'intérieure — « le contraire de ce que transmettra votre livre », précisa-t-elle. Je ne décrirai donc pas ce chemin qui prétend ne pas être une religion mais une ascension vers une nouvelle « race humaine ». Je n'en pense rien. Je constate que l'on vient pour ça à Pondichéry depuis Calcutta, mais aussi d'Europe et des États-Unis, donc depuis les sociétés les plus matériellement avancées.

C'est aussi près de Pondichéry que des disciples d'Aurobindo édifièrent une version contemporaine de la tour de Babel. Quelques semaines avant les événements de Mai, en février 1968, des milliers de jeunes gens et de jeunes femmes, répondant à un appel de Mère, affluèrent des quatre coins du monde à Pondichéry et y fondèrent Auroville. Un architecte français, qui avait travaillé en Inde avec Le Corbusier à la construction de Chandigarh, dessina le plan de cette cité idéale : une spirale. Le gouvernement indien offrit aux Aurovilliens un morceau de désert au nord de Pondichéry. Pourquoi à cette époque, là et pas ailleurs ? L'amant de l'Inde que fut Alain Daniélou soutenait que sur cette terre parcourue de courants cosmiques, les temples étaient érigés sur des emplacements qui attiraient l'Esprit. Voilà donc pour le lieu. Le moment n'est pas non plus indifférent, puisqu'il anticipait sur un grand déferlement où certaines pratiques indiennes — hallucinogènes, costumes hippies, spiritualisme, androgynie généralisée, quête du Moi profond — engloutirent les idéologies positivistes de l'Occident. Le maître de musique Ravi Shankar devint le gourou des Beatles ; la jeunesse d'Occident prit la route des contreforts de l'Himalaya. L'Occident avait colonisé l'Inde ? L'Inde déstabilisait à présent l'Occident. C'était la troisième fois en deux mille ans. La première, le roi Ashoka avait dépêché vers la Grèce ses missionnaires bouddhistes ; nous en avons hérité un Christ d'une charité plus orientale qu'hébraïque. Au XVIIIᵉ siècle, les philosophes des Lumières découvrirent la tolérance et la pensée indiennes : l'Occident en fut décentré. En 1968, aurions-nous été indianisés ? L'effet de mode est passé, mais il a laissé, dans son sillage, de l'Inde en nous : la non-violence, l'écologie, le féminisme. Il est trop tôt pour prévoir la fortune du yoga et du bouddhisme.

À Auroville, une génération plus tard, le désert a disparu ; des éoliennes conçues par les ingénieurs aurovilliens ont permis l'irrigation et la plantation d'une forêt. Sur les cinquante mille « citoyens du monde » espérés, il ne sont pas trois mille. Beaucoup sont français : le peuple le plus rationaliste a dépêché le plus fort contingent dans cette aventure supramentale. Comme à Babel, tous se querellent. Les décisions sont censées être prises par consensus ; on n'y parvient pas. Chacun est supposé remettre à la communauté les profits de son travail ; la plupart ne s'y résolvent pas. Ce qui ne décourage pas plus les Aurovilliens authentiques que ne devaient renoncer les constructeurs de Babel. Leur tour à eux est un temple de marbre dénommé Matrimandir, le temple de Mère. Gigantesque, de la forme d'une balle de golf, il est posé sur des pétales de lotus en pierre rose. Au sommet du temple, une salle revêtue de marbre blanc destinée à la méditation. En son centre, une énorme boule de cristal concentre les rayons du soleil et autorise toutes les métaphores. Comme au temps de Babel, des milliers de coolies transportent sur leur tête les matériaux de construction sous la direction d'ingénieurs européens, américains et indiens.

Pierre est l'un de ces ingénieurs. Il figura parmi les premiers à entendre l'appel de Mère, par hasard, en France, en 1968, à la radio. « J'avais trente-cinq ans et j'étais *en recherche* », dit Pierre, usant là d'une expression purement aurovillienne. Cette « recherche » l'avait déjà conduit vers des paradis perdus qui l'avaient déçu, comme le Niger et le Laos. En 1968, il reprit la route pour de bon, abandonnant à Paris son épouse embourgeoisée, son emploi de cadre, son appartement trop conservateur. Que fuyait-il ? « Le fric, mon patron, l'absence de vraies relations humaines. » C'est ce qu'il en dit maintenant. Il lui fallut plusieurs mois pour atteindre Pondichéry en auto-stop en passant par l'Iran et l'Afghanistan. Cela se passait avant les révolutions islamiques qui ont coupé la route des camionneurs à la manière dont les Mongols avaient interrompu la route de la Soie. Lorsque Pierre est arrivé, Auroville se cantonnait à quelques huttes de paille posées sur un désert rouge. La forêt a poussé, plantée sous les ordres de Pierre, qui a mis au travail les paysans tamouls. Il prétend s'occuper de leur éducation, mais les villages environnant Auroville restent misérables. Comme Pierre est ingénieur, son rôle a été important dans la construction du Matrimandir. Il me fait visiter l'usine souterraine d'où part la climatisation du temple et dit, en me montrant son palais technique : « J'ai beaucoup innové pour tenir compte de la chaleur et des difficultés de maintenance. » Il est également fier de l'usine où se fabriquent les céramiques. Sous ses ordres plutôt stricts, des ouvriers tamouls découpent des feuilles d'or qui seront protégées par du verre coulé ; chaque pavé est ensuite fixé sur un support métallique et, au total, des milliers de ces céramiques viennent recouvrir le Matrimandir. Tant de science et d'argent au service d'un projet métaphysique ? Pierre ne voit pas la contradiction : « Les constructeurs de cathédrales aussi, dit-il, mettaient la géométrie au service d'une foi. » Il ajoute que « la pensée supramentale d'Aurobindo et de Mère étant scientifique, il est logique que la science serve à l'édification du temple ».

Nous sommes en fin d'après-midi, l'heure la plus douce pour explorer la salle de méditation. Malheureusement, des centaines de touristes et des enfants des écoles se bousculent pour voir le Matrimandir. Pierre enrage contre ces visites organisées : « Ces hindous sont des voyeurs ; ils ne comprennent pas où ils se trouvent. » Les yeux très bleus de Pierre font songer à la mythique invasion aryenne venue du Nord pour apporter la connaissance aux Indiens du Sud... Mais les visites rapportent, et l'argent paraît jouer un grand rôle à Auroville. Les fonds affluent, dons des disciples d'Aurobindo et d'organisations internationales. Ils sont gérés par M. S. Swaminathan, un grand savant de l'Inde dont il a déjà été question. Comment concilie-t-il sa rigueur scientifique et la déraison aurovillienne ? « Ce n'est pas, me répondra-t-il, parce qu'elle paraît irréalisable que la vision pacifiste et universaliste d'Aurobindo et de Mère doit être abandonnée. » Le savant reconnaît implicitement son propre besoin d'irrationnel, tandis qu'Aurobindo, lui, prétendait accomplir sur l'esprit un travail qu'il jugeait tout aussi scientifique que le fait d'expérimenter sur la matière.

« Il faut beaucoup d'argent pour achever le Matrimandir », explique Pierre. Souhaite-t-il l'achever ? S'ils y parvenaient, Pierre et ses camarades, que je vois si actifs, sauraient-ils consacrer ensuite leurs journées à méditer ? Auroville ne tient que par son projet ; s'il était réalisé, les peuples réunis ici se disperseraient à la manière des ouvriers de Babel quand leur tour atteignit le ciel. En attendant, des Aurovilliens ont édifié d'énormes maisons que certains utilisent comme résidences secondaires pour échapper à l'hiver en Europe. « Auroville, répond Pierre, est à l'image de l'humanité entière, c'est une grande lessiveuse où le Bien se mêle au Mal, la générosité à l'égoïsme.

À Auroville, rien ne marche mieux qu'ailleurs, mais au moins essayons-nous de construire une société nouvelle. »

« Le plus grand idéal, pour moi, écrivait Romain Rolland en 1932, est la Grande Cause du rapprochement de pensées d'Europe et d'Asie », et il rappelait que cette rencontre s'était déjà produite : « L'Europe conserve la trace de l'Inde dans ses cathédrales médiévales. » Il s'agirait donc de renouer ce lien. Pierre, le Parisien aux yeux trop bleus, serait-il un passeur entre l'Est et l'Ouest ? Les Aurovilliens témoignent plutôt de ce que la frontière entre la pensée rationnelle et la pensée magique ne passe précisément pas entre l'Est et l'Ouest ; elle partage chacun par le milieu.

Les amateurs d'Anatole France se souviendront de l'introduction célèbre d'un de ses romans, *Thaïs* : « En ce temps-là, le désert était peuplé d'anachorètes... » À notre époque, l'Inde est peuplée de gourous, magiciens comme Sai Baba, high-tech comme Aurobindo ou comme mon directeur de conscience d'un soir, un certain Srilasri Omkarananda. Dans la rue Nehru, l'artère commerçante bruyante et bondée de Pondichéry, l'ashram de ce gourou-là n'a pas été facile à trouver : je m'en suis remis à un conducteur de cyclo-pousse, un *rickshaw-walah*. J'hésite toujours à me laisser tirer par ces maigres cyclistes et je me demande où ces bonshommes en fil de fer puisent assez d'énergie pour tracter leurs passagers. Mais comment résister à leurs sollicitations ? Tout Européen est immédiatement cerné par une douzaine de *rickshaws-walahs*, si noirs de peau et si hâves qu'on ne voit que leurs yeux. Comme ils ne sont pas propriétaires de leur engin mais le louent à la journée à quelque gros exploitant, il leur faut à tout prix rentabiliser leurs mollets. Je cède donc. J'étais seul sur la banquette arrière, tandis que nous croisions d'autres *rickshaws* transportant quatre ou cinq passagers corpulents ; j'ai compté jusqu'à seize enfants tirés sur un seul cyclo-pousse ! Il m'en aura coûté dix roupies d'avance, et j'en donnerai encore vingt à l'arrivée, provoquant un regard effaré du conducteur, persuadé que je vais exiger la monnaie sur ce billet si usé qu'il en est devenu indéchiffrable...

Et puis, tout remords oublié, on prend plaisir à la promenade. Quelle que soit la lenteur du *rickshaw*, il va plus vite que les automobiles engluées dans la cohue des piétons, des scooters, des bus défoncés, des buffles qui vont leur train et des vaches qui fouillent les poubelles. Le mouvement du cycliste et la proximité de l'océan créent un semblant de brise qui dispense une illusion de fraîcheur. Autour de nous, les Tamouls vont, viennent, s'activent. Sur les trottoirs, dans les échoppes, certains cousent, d'autres repassent, raccommodent, vendent une noix de coco, des beignets, des colifichets. L'économie est une science immorale, puisqu'il n'existe aucune relation évidente entre l'énergie dépensée par chacun et le profit qu'il en retire.

Nous laissons derrière nous la « ville blanche », édifiée par les Français, pour entrer dans la « ville noire ». Un canal creusé il y a deux siècles et demi par ordre de Dupleix sépare les deux quartiers ; avec le temps, c'est devenu un égout, une latrine à ciel ouvert. Au début, on est choqué, puis on s'habitue.

Nous passons devant un temple à Ganesh, le fils de Shiva et Parvati, au corps de bébé et à la tête d'éléphant, supposé avoir rédigé, sous la dictée d'un saint, le *Mahabharata*. De sexe indéterminé, les mythes se contredisent sur son origine ; il est, entre autres, le dieu des écrivains. Je ne voyage jamais sans une amulette de bronze qui le représente ; quand j'écris, Ganesh est posé sur mon ordinateur. Le prêtre paraît prospère, non pas que Pondichéry déborde d'écrivains, mais Ganesh a une vocation plus exhaustive : il est « le dieu qui élimine les obstacles ».

Nous voici parvenus à l'ashram de Srilasri Omkarananda : une bicoque en béton surmontée d'une enseigne au néon, avec un escalier sordide rempli de chats. Il faut abandonner ses chaussures à l'entrée et marcher dans on ne sait quoi avant d'accéder à l'étage où le maître reçoit. Lui n'est pas une star destinée à l'exportation ni à la vénération des masses ; c'est plutôt un gourou de quartier, sur le modèle le plus répandu en Inde. Il ne me fera patienter qu'un quart d'heure, le temps, me dit un disciple barbu et presque nu, d'achever sa méditation. Un quart d'heure, c'est peu ; certains gourous exigent des heures, des jours, des années, et d'autres peuvent même rester invisibles vingt-cinq ans, comme Aurobindo !

Belle allure, grande barbe blanche, robe immaculée et regard très doux : le *swami* inspire confiance. Il ne prétend pas matérialiser des bagues ni métamorphoser l'humanité ; sa spécialité est la méditation dans les espaces ouverts, face au ciel, à la mer, à la forêt. Je l'ai découvert par inadvertance. Alors que je visitais une usine d'accessoires automobiles dans la banlieue de Pondichéry, son directeur m'expliqua l'alliance récente de son entreprise avec une firme japonaise, ajoutant qu'il ne parvenait à gérer son « stress » que grâce à son *swami*. Constatant qu'il avait ainsi mieux éveillé mon intérêt que par le spectacle de ses machines, il m'avait proposé de le rencontrer. Rendez-vous avait été pris à l'ashram. En compagnie du maître m'attendaient deux disciples, l'ingénieur et un instituteur, assis en tailleur sur des nattes crasseuses ; une servante très âgée nous apporta du thé au lait.

Le *swami* s'assit sur une sorte de trône ; derrière lui était accroché son portrait au format d'une affiche de cinéma. L'instituteur traduisait du tamoul. Je l'interrogeai sur le Matrimandir : « Était-ce un temple nécessaire ? — Certains, répondit-il, ont besoin de temples ; d'autres n'en ont pas besoin. Pourquoi priver de temples ceux qui en ont besoin ? » À son tour de m'interroger : « Qu'y a-t-il au-delà de l'intelligence ? » Je ne sus que répondre. « Vous devriez y réfléchir, reprit le *swami*, énigmatique. Quel est votre but dans la vie ? » À nouveau, je craignis d'avoir tout faux. « Ce devrait être le bonheur », dit-il à ma place. Ce gourou me parut bien matérialiste, et sa dialectique un peu simplette. Mais les Indiens sont matérialistes. Et qui cherche véritablement autre chose que le bonheur ? Quelle philosophie ne consiste pas à poser des questions sans réponse ? Nous en restâmes là, satisfaits l'un et l'autre de cette première rencontre ; je promis de revenir le voir, ce que je ne fis jamais. En me raccompagnant, l'ingénieur m'expliqua qu'il ne prenait jamais de décision sans consulter le *swami*. Comment, en pratique, se passait la consultation ? « Nous nous téléphonons tous les jours », répondit-il. En Inde, les saints ont le téléphone.

Cette confusion indienne de la science et de la magie ne serait-elle pas une forme de transition vers ce que nous appelons la « modernité » ? En Europe, ce qui est moderne est édifié sur les ruines de la tradition ; les progressistes occidentaux, les hommes d'État, les instituteurs, les intellectuels ont toujours estimé qu'il fallait éliminer cultes, langues et coutumes pour faire place au nouveau. Mais d'autres peuples ont procédé autrement, en ajoutant par strates l'innovation aux coutumes : on pense ici au Japon, mais aussi aux États-Unis. Chez les Américains, la science s'accommode de la foi plus aisément qu'en France ; c'est en France que laïcité combattante et progrès vont de pair. Chez nous, on tend aussi à croire que, lorsque les religions instituées cèdent du terrain, celui-ci est occupé par de la raison pure ; or il peut l'être tout autant par tout substitut de religion, sectaire ou politique. L'Inde, qui se modernise, semble donc suivre, plutôt que la française, ce qu'on appellera par convention la voie japonaise ; celle-ci est plus lente mais laisse moins de dégâts humains dans son sillage.

« Je considère, écrit Romain Rolland en 1928 à un correspondant bengali, que le devoir de ma vie est d'apporter à l'Europe, qui l'ignore encore, le grand message de l'Inde. » À New Delhi, quelque temps plus tard, je demandai à Ashis Nandy quel était, selon lui, ce grand message. « On ne peut pas vivre par la Raison seule, et ce n'est pas souhaitable », me répondit-il.

Ashis Nandy est l'intellectuel indien par excellence, l'un des plus reconnus chez lui et ailleurs, prolixe à l'écrit et loquace à l'oral. Se définissant comme psychosociologue, ce qui ne désigne rien de précis, bengali et chrétien, il pense l'Inde en entier, ce qui exige une audace hors du commun. Dans son visage mangé par une barbe grise et désordonnée, on n'aperçoit que deux yeux brillants : un regard véritablement « allumé ». Depuis quinze ans que je le connais, je lui confie mes incertitudes nées de l'Inde, du moins lorsque je parviens à le retrouver. Car, contrairement au *swami* de Pondichéry, il n'est pas joignable par téléphone. Il se prétend le plus Indien des intellectuels, il s'oppose à tous ceux qui s'occidentalisent, mais il court le monde d'un colloque à l'autre. On ne le rattrape que par Internet, sans que son adresse électronique permette de le localiser. Ashis Nandy appartient à cette nouvelle espèce de pandits itinérants que l'écrivain Arthur Koestler comparait aux call-girls, répondant à tous les appels, congrès, symposiums et colloques : tout leur est bon, aucune invitation ne les rebute !

Entre deux, Ashis vit dans une bibliothèque poussiéreuse aux marges du vieux Delhi, devant l'ultime carré de pelouse où la bourgeoisie enrichie n'a pas encore édifié un immeuble kitsch. Nous prenons le thé et, faute de temps, filons vers ce qui nous paraît essentiel. Chacun tire avantage de l'autre, bien décidé à en faire un article, une communication, un chapitre. Entre nous, telle est la règle du jeu, et tel est notre plaisir commun. Analyste critique de la modernité, pas dupe de l'Occident, adepte du Mahatma Gandhi, refusant de se situer sur un échiquier politique, défenseur d'une certaine idée de l'Inde, éternellement différente, non réactionnaire mais non progressiste, tolérant mais non laïque, Ashis est pour moi le penseur le plus intriguant de l'Inde contemporaine. Essayons, à la vitesse avec laquelle lui-même procède, de résumer sa doctrine.

La réalité, aux yeux d'Ashis Nandy, n'est ni simple ni compliquée, elle est seulement ambiguë et contradictoire. La vérité n'est jamais la synthèse d'une thèse et d'une antithèse, puisque, dans la philosophie indienne, qui vaut bien celle de l'Occident, la thèse existe, de même que l'antithèse, et elles s'opposent donc l'une et l'autre à la synthèse, qui en devient évidemment fausse. De même, dans cette philosophie, il ne saurait exister ni victoire ni défaite, puisque vaincre ou mourir, quelle importance, au fond ? Noir, blanc, vrai, faux, ce ne sont là que des conventions propres à l'Occident.

Ashis Nandy n'entre jamais dans la logique occidentale, car y entrer reviendrait à lui reconnaître d'emblée une universalité qu'il lui dénie. Il lui paraît plutôt que l'Occident crève de sa raison virile, tandis que l'Inde vaut par son androgynie, celle du corps, de l'être, de la pensée, de l'action. C'est parce que le Mahatma Gandhi, explique Ashis Nandy, fut un « fakir à demi nu » qu'il put triompher de la virilité britannique ; il déstabilisa les Britanniques au lieu de les agresser. Par suite, toute virilisation excessive, tout abandon au dieu Progrès, tout oubli de l'ambiguïté de l'être sont dénoncés par Ashis Nandy comme des renoncements à l'indianité, des victoires de la colonisation intellectuelle par l'Occident, des appauvrissements culturels de l'Orient et, au bout du compte, sa défaite annoncée. Ashis condamne pareillement toute révérence excessive envers le dieu Raison lorsque celui-ci est élevé au rang de monothéisme. De même que « l'on ne saurait vivre de la seule Raison, dit-il, on ne peut fonder la société sur le rationalisme ». Celui-ci permet, certes, « de produire de l'électricité, mais aussi des bombes atomiques ». Le rationalisme occidental aura conduit aux « grandes aventures scientifiques contemporaines, mais *aussi* aux idéologies folles du XXᵉ siècle, héritières du même positivisme ». Ashis Nandy nous invite donc à comparer le bilan de la Raison avec celui de la pensée magique : « Celle-ci ne produit pas d'électricité, mais elle ne produit pas non plus de bombes atomiques. » Il paraît subitement nécessaire de la préserver pour son innocence même. Ce qui n'implique pas que nous devions tous chercher un gourou, mais il nous faut au moins admettre les gourous parmi nous ; au rebours du rationalisme occidental, Ashis Nandy nous exhorte à ne pas excommunier ce qui nous est incompréhensible.

On objectera que cette prévalence de la pensée magique est à l'origine du retard de l'Inde. « Retard par rapport à quoi ? demande Ashis. Les Occidentaux, observe-t-il, traitent les Indiens comme des enfants et nous invitent à nous développer pour devenir de grandes personnes comme eux. Mais quel intérêt y a-t-il à sortir de l'enfance ? » Il ajoute : « Le progrès matériel sur le modèle occidental est-il la voie unique ? » À ce jour, cinquante ans après l'indépendance, les élites politiques indiennes considèrent que telle est bien la voie, ce qui conduit Ashis Nandy à contester à la fois l'authenticité de leur indianité comme leurs chances de réussite. « D'abord colonisés, dit-il, voici nos dirigeants postcolonisés sans jamais avoir été décolonisés. » Pourrait-il exister d'autres formes de progrès, au contenu spirituel et non matériel, plus magique et moins rationnel ? C'est ce que souhaitait le Mahatma Gandhi, le plus grand gourou du XXᵉ siècle. N'est-il pas aussi le grand vaincu du XXᵉ siècle, écrasé par les forces mécaniques, statufié mais ignoré en Inde ? « L'histoire de l'Inde n'est pas terminée », rétorque Ashis Nandy, qui estime que les Indiens sont lassés du matérialisme occidental avant d'y être véritablement entrés. « Parle à un Indien une heure, me

dit-il. Il t'entretiendra de ses ambitions matérielles. Parle-
lui deux heures : il t'avouera qu'il est gandhien. »

Pour avoir souvent suivi ce conseil d'Ashis Nandy, je
confirme que Gandhi est bien présent au fond de l'âme de
l'Inde.

10

À Calcutta sans Romain Rolland

À Calcutta j'étais venu, dans les années 80, rencontrer mère Teresa. Après qu'elle m'eut fait visiter son orphelinat au pas de course, elle saisit mes deux mains dans les siennes et, dans un anglais impérieux à l'accent balkanique, elle me dit : « Maintenant, vous pouvez donner de l'argent. » Je m'exécutai. J'admirais son talent pour lever des fonds, je respectais son œuvre de compassion, je ne m'habituais pas à la conversion de masse qu'elle infligeait aux enfants et aux agonisants. Indifférente aux religions de l'Inde comme le furent les missionnaires de jadis, mère Teresa cherchait le nombre...

Je suis revenu en 1999 sur les traces de Romain Rolland, lui qui avait tant écrit sur Calcutta et ne s'y était jamais rendu. Comme tant d'autres, je saurais évoquer la misère de Calcutta. Je décrirais les mendiants, les tireurs de pousse-pousse tuberculeux, la famille nombreuse qui vit sur un mètre de trottoir, le commerce dérisoire du paria qui n'a qu'une botte de piments à vendre. Je pourrais évoquer l'odeur sucrée des cadavres qui brûlent à l'embouchure du Gange, le soleil qui cogne, la mousson qui noie la ville, les palais qui s'effritent. Je dépeindrais les carcasses d'usines abandonnées, les docks qui rouillent depuis que le jute n'arrive plus du Bangladesh, les emblèmes du Parti communiste placardés sur les murs, le pont de fer donnant vers la banlieue d'Howrah qu'il faut traverser en une heure tant la foule y est dense. Comme Günter Grass, qui, en 1986, y a promené sa mauvaise conscience et rapporté un livre dans lequel il s'accuse d'être riche tandis que les Indiens sont pauvres, je pourrais déclarer Calcutta « ville morte ». Ou, à l'imitation de Rajiv Gandhi, devrais-je écrire qu'elle est « à l'agonie » ? ou encore, comme tant d'autres, « une cité bombardée » ? Je rejoins plus volontiers Khushwant Singh lorsque, de Calcutta, il dit que, « morte, à l'agonie, ou bombardée », jamais on ne s'y ennuie. Dix fois, cent fois trop peuplée, on ne sait pas, Calcutta ploie sous le nombre mais exulte de vitalité.

On s'étonnera que je compare Calcutta à New York, mais l'une fait penser à l'autre. Aux deux pôles, l'une de l'Occident absolu, l'autre de l'Orient total, les deux villes croulent et renaissent sans fin, elles électrisent le voyageur, le fascinent ou l'épouvantent. À Calcutta comme à New York, le spectacle de la rue ne cesse jamais, seuls les excès sont tolérés, tout est invention, rien ne se répète. Les deux capitales sont cosmopolites : les peuples, les ethnies, les costumes, les coutumes, les conditions, les religions, les langues se mêlent, se frôlent, s'opposent et le plus souvent cohabitent. Bien sûr, je connais les *slums* ; je sais que l'on meurt à Calcutta plus vite qu'ailleurs. Je connais aussi les riches commerçants marwaris qui dominent l'économie locale, la communauté chinoise emmurée dans sa langue, les réfugiés du Bangladesh, les immigrants du Népal ou du Bihar. Mais à Calcutta vivent les cinéastes, peintres, écrivains, chanteurs, poètes et bardes les plus créatifs de l'Inde. Ces bauls qui chantent au coin des rues sont les critiques les plus mordants de la société indienne ; nul n'oserait les faire taire. À Calcutta on rencontre aussi des mondains qui courent d'une soirée à l'autre, des universitaires bengalis qui ratiocinent, des fous de Dieu qui inventent des religions nouvelles, des étudiants qui draguent à la sortie des cinémas.

Nulle ville en Inde ne ressemble à Calcutta ; et, hors de l'Inde, seule New York sonne comme Calcutta. N'est-ce pas à Calcutta aussi que les temps modernes ont commencé ?

Ici naquit la version moderne de la colonisation occidentale, l'exploitation systématique de ce qui deviendra le tiers-monde, une exploitation sans vergogne, sans alibi moral ni religieux. Ici s'est manifestée la première exigence de décolonisation, cette grande révolution de l'esprit qui a ébranlé la suprématie européenne et la haute idée que les Occidentaux se faisaient d'eux-mêmes. Le mouvement intellectuel et religieux pour la reconnaissance de l'égalité entre les civilisations aura commencé à Calcutta dès le début du XIXe siècle. C'est à Calcutta que le lettré bengali Rammohan Roy envisagea, dès 1820, que toutes les religions se valaient, qu'elles disaient la même chose et qu'il était envisageable de les fusionner.

À Calcutta, premier foyer de la dissidence, le héros de l'indépendance n'est pas Gandhi, mais son rival « Netaji » (le « chef ») Bose, qui, en 1943, s'allia aux nazis et aux Japonais dans l'espoir de chasser les Britanniques par les armes. Sur sa statue, au centre de la ville, il apparaît à cheval, avec des petites lunettes. Le monument rappelle opportunément que les Indiens ne se sont jamais unanimement reconnus dans la non-violence gandhienne ; celle-ci fut une expression de la civilisation indienne, historiquement la plus féconde, mais pas la seule.

À Calcutta aussi a surgi, en 1976, le premier gouvernement communiste au monde à avoir été démocratiquement élu et à être constamment réélu depuis lors : une singularité de plus !

À Calcutta, enfin, d'illustres intellectuels, des artistes et des saints ont envisagé que l'Est et l'Ouest avaient chacun quelque chose d'essentiel et de complémentaire à apporter à l'autre. C'est cette Inde, « brûlante matrice des dieux », chantée par Romain Rolland, que l'on cherchera ici. Sans l'œuvre de Rolland, en particulier les trois biographies qu'il consacra à Gandhi, à Ramakrishna et à Vivekananda, serais-je d'ailleurs jamais revenu à Calcutta ? Mon regard eût certainement été différent.

Romain Rolland proposa au monde une Inde plus rayonnante que ne l'était l'Inde réelle. C'était au lendemain de la Première Guerre mondiale, et les Européens, hébétés par la ruine de leur civilisation, étaient tout disposés à recevoir sa trilogie. Ses trois livres, qui furent universellement traduits, apportaient, plus qu'une information sur l'Inde, une révélation de l'Inde, un sauvetage possible par l'Inde. Cette Inde était rêvée, mais, à l'expérience, le produit de l'imagination de Romain Rolland me paraît plus authentique que l'Inde des voyageurs. Il ne lui était d'ailleurs pas indispensable d'aller sur place, puisque ce qu'il recherchait, c'était l'Esprit qui soufflait depuis l'Inde. « Le plus grand idéal humain, écrit-il, est pour moi la grande cause du rapprochement des pensées d'Europe et d'Asie ; la grande âme de l'Inde fera basculer notre monde. »

Cette âme vint donc à lui. Elle voyagea par la parole et les écrits de deux saints du Bengale, Ramakrishna et Vivekananda : le premier avait quitté son corps en 1880, le second en 1902, Romain Rolland devina en eux respectivement le Messie et le saint Paul d'une nouvelle religion universelle.

Ce que Romain Rolland crut comprendre et ce qu'il en a écrit garde-t-il pour notre temps quelque pertinence ? Je suis venu à Calcutta parce qu'il ne l'avait pas fait et pour trouver une réponse à la question qu'il avait posée : Calcutta est-il le lieu de convergence de toutes les spiritualités, de toutes les espérances ? Je suis allé méditer sur les mausolées de Ramakrishna et de Vivekananda ; j'ai rencontré leurs disciples, des moines et des laïques. Je n'y ai pas trouvé ce que je venais chercher, mais j'en ai rapporté d'autres visions. N'est-ce pas en définitive conforme à la doctrine de Vivekananda ? Lui estimait qu'il devrait exister au monde autant de religions que d'âmes humaines ; la croyance en la diversité infinie était sa foi.

En Ramakrishna, le Messie auquel il consacra son premier livre « indien », Romain Rolland voit un « François d'Assise bengali ». Né dans une famille de brahmanes pauvres, celui-ci se fit par nécessité le prêtre d'un temple très modeste, dédié à Kali, au bord de la rivière Hooghly, en aval de Calcutta. Possédé par la « Mère », la déesse du sanctuaire, il devient son esclave. Kali est impérieuse ; des années durant, elle ne laisse jamais en repos le pauvre Ramakrishna. Aucune prière, aucun sacrifice ne suffit à l'apaiser. La nuit, elle arrache le prêtre à sa torpeur, exigeant d'être coiffée, baignée ou nourrie d'offrandes. Cette passion n'est pas inhabituelle entre les dévots de l'Inde et leurs divinités, mais Romain Rolland nous rappelle qu'elle ressemble aussi à la vie de quelques « possédés » du Christ qui s'appelaient saint Jean de la Croix ou Thérèse d'Avila.

Romain Rolland, enfant du Morvan, qui plaçait la basilique de Vézelay au faîte de la civilisation occidentale, espérait de la rencontre avec le mysticisme hindou une résurrection esthétique et morale, sinon religieuse, du christianisme médiéval. Mais il occulta dans ses biographies le fait que les saints de l'Inde y sont un peu plus que des poètes ou des philosophes ; pour les hindous, ils sont des dieux réincarnés, des avatars de Vishnou ou de Shiva. Rolland feignit de ne point l'entendre ; il était en quête d'espérance, pas de réincarnation ; il se prétendait rationaliste. Comme pour mieux nous en persuader, montrer qu'il n'est point dupe, il écrit que « les ravissements de Ramakrishna relèveraient de la psychiatrie si la vie du saint s'était arrêtée là ». La possession par Kali ne fut en effet qu'un prélude. Quant à l'inquiétude de Romain Rolland concernant la santé mentale de Ramakrishna, des psychanalystes américains la reprirent à leur compte et la poussèrent même à son terme : à partir de son rapport à la Mère et de son goût pour le travestissement, ils firent du saint du Bengale un homosexuel refoulé. Cette analyse freudienne contribua au culte que la communauté gay des États-Unis rend volontiers à Ramakrishna.

Après dix ans de possession, Kali accorda à son serviteur le repos de l'âme et du corps : Ramakrishna devint capable d'atteindre l'extase, c'est-à-dire la communion avec la Mère, de par sa propre volonté et aux moments de son choix ; il maîtrisa la technique du yoga, cette connaissance suprême. Alors les disciples affluèrent, reconnaissant en lui Vishnou réincarné. Ramakrishna, comme le Christ, ne prétendit pas être dieu : ce sont les autres qui le dirent.

Parmi eux, un intellectuel bengali, sévère, rétif, hésitera, puis s'abandonnera au gourou ; sous le surnom de Vivekananda, il en deviendra le scribe, le saint Paul. Saint Ramakrishna était illettré, mais, sous la gouverne de Vivekananda, les disciples notèrent le « flot ininterrompu de poésie et de chants qui coulait de lui » ; plus tard, ils en feront l'évangile de Ramakrishna, devenu le catéchisme de sa secte. Ses disciples étaient persuadés que, s'il l'avait voulu, leur gourou aurait pu différer sa mort ; mais, pas plus que le Christ, écrit Romain Rolland, Ramakrishna n'aura éludé l'épreuve ultime.

Ramakrishna fut-il un gourou parmi d'autres, tel qu'il en surgit incessamment en Inde ? Pas vraiment : le paysan du Gange avait rompu avec l'hindouisme classique pour regarder le monde de son temps et le changer. Jusqu'à Ramakrishna, les saints de l'Inde inclinaient à voir dans la Matière une illusion, la sagesse exigeant de nier le monde dans l'espoir d'en disparaître. Mais Ramakrishna dit que le monde est beau et que Dieu est « de tous les côtés » à la fois, dans le monde et hors du monde. De plus, il arrache l'hindouisme à l'Inde et l'offre à tous, à la manière dont Jésus a universalisé le message hébreu. Puis Vivekananda vint, qui, comme saint Paul, traduisit pour l'Occident les enseignements de l'Orient. Vivekananda révéla que, tous, nous pouvions « voir » la Déesse en suivant l'enseignement de Ramakrishna. Cette « connaissance » pouvait être expérimentée par tous ceux qui s'initieraient au yoga, que Vivekananda qualifia de « scientifique ». « L'expérience religieuse est plus importante que la connaissance et la foi », expliquera-t-il dans ses conférences en Occident. « À la limite, ajoutera-t-il, la croyance sans l'expérience n'est rien. »

Cette expérimentation du divin n'est-elle qu'indienne ? Bien sûr que non. Certains kabbalistes juifs, mystiques chrétiens et soufis musulmans proposent aussi d'accéder directement à la connaissance personnelle de Dieu. Mais ce qui, en Occident et dans l'islam, se vit en marge devient central en Inde. Si l'on osait, en une seule grande formule, esquisser ce qui sépare les grands systèmes religieux, je dirais que les Juifs connaissent Dieu par l'étude des textes, que les Chrétiens croient en Dieu parce qu'Il est venu, que les Musulmans obéissent à Dieu parce qu'Il leur a parlé, et que les Hindous expérimentent la Divinité parce qu'ils se confondent avec elle. « N'acceptez rien parce que je l'ai dit, a déclaré Ramakrishna, transcrit par Vivekananda, retranscrit par Romain Rolland. Éprouvez tout par vous-même. » Cet appel retentit dans tout l'Occident et y laisse des traces, aux États-Unis encore plus qu'en Europe.

Saint Paul s'était rendu en Grèce. Vivekananda ira aux États-Unis, l'Athènes contemporaine. Il devina que ce qui était bon pour les Américains le deviendrait pour le reste du monde. Romain Rolland rapporte comment, à l'âge de vingt-sept ans, en 1893, sans moyens, sans relations, sans avoir jamais quitté l'Inde, Vivekananda eut l'intuition de se joindre à un Parlement mondial des religions convoqué par une association catholique de Chicago en même temps que l'Exposition universelle qui révéla au monde la puissance américaine. À la différence des autres « autorités » religieuses, y compris celles de l'hindouisme et du bouddhisme, Vivekananda ne représentait que lui-même ; mais, vêtu d'une robe de soie cramoisie et d'un turban jaune, ce géant fit forte impression. Chaque orateur défendit la supériorité de sa religion ; Vivekananda fut le seul à déclarer que toutes les religions étaient vraies et que nul ne devait tenter de convertir l'autre. Le congrès changea alors de sens et se réorganisa autour du messager œcuménique. Dans les mois de conférences qui s'ensuivirent aux États-Unis et en Grande-Bretagne, Vivekananda, devinant la faille intime de la civilisation occidentale, proposa un marché : l'Ouest apporterait à l'Orient sa technique supérieure, et l'Orient révélerait les secrets de sa spiritualité. Il estimait l'échange équilibré : il était persuadé que Ramakrishna avait véritablement découvert un mode de connaissance de la Divinité inconnu en Occident. Ainsi, en conclut Romain Rolland, le monde serait-il réunifié par la matière et par l'esprit... Comme en écho à Vivekananda, il me semble entendre Alexandre Soljénitsyne, à l'université de Harvard, dénoncer, en 1978, la décadence de l'Occident et l'inviter aussi à une rédemption religieuse...

Voici donc ce qui séduisit Romain Rolland : la vision de l'unité de l'humanité. Ce qu'illustrera aussi, peu de temps après, sur le mode intellectuel et politique, un autre Bengali, le poète Rabindranath Tagore. Était-ce l'Inde qui parlait au monde, ou les Bengalis de l'Inde ? Romain Rolland ne tint pas compte de cette distinction, mais elle existait et elle perdure. Tagore, Ramakrishna et Vivekananda appartenaient à ce rameau particulier de l'Inde qui fut le plus exposé à l'Occident, à la science européenne et aux Églises chrétiennes. L'universalisme surgit donc aux lieux de la rencontre, et non à l'écart ; ce n'est pas l'Inde profonde, mais l'Inde exposée qui a produit Tagore et Vivekananda. De l'Inde profonde surgira, en revanche, le

Mahatma Gandhi, qui réfutera leur universalisme, considérant qu'il valait mieux se purifier de toute tentation de l'Occident. Gandhi et Vivekananda incarnent deux Inde possibles, toutes deux authentiques et contradictoires ; le paradoxe, on le constatera, est que Gandhi l'enraciné apparaîtra en définitive plus porteur d'universalité que Vivekananda, pourtant mondialiste avant l'heure.

Romain Rolland en tête et en poche, c'est ainsi que je gagnai Calcutta, la terre des saints universels. Ma décision fut-elle sage ? Romain Rolland n'avait-il pas eu raison de s'abstenir du voyage ? Parvenu à Calcutta, je découvris que Vivekananda fut moins le saint Paul de Ramakrishna que son saint Pierre, bâtisseur d'une œuvre, d'une Église et, pour tout dire, d'une entreprise de conversion. Le message universel s'y était égaré. Ce que l'on appelle la mission Ramakrishna, fondée par Vivekananda, est certainement utile dans la société indienne, où la solidarité matérielle laisse à désirer : une école de langues pour servir à l'unité de l'humanité, des hôpitaux et des dispensaires pour les corps. Banal à l'Ouest, cet intérêt pour le monde innove en Orient. Tous les établissements gérés par la mission sont propres, ce qui est trivial à l'Ouest, mais inattendu en Inde ; pareil résultat n'est pas facile à obtenir, il y faut une discipline de fer à laquelle sont formés les moines de Ramakrishna, ces jésuites de l'Inde. Hormis leur robe safran, ils pourraient surgir de l'Occident, mais ils sont de l'Orient. C'est une autre révolution théologique : les hindous, en principe, ne sont pas moines, et les bouddhistes, qui le sont, se situent hors du monde. Pour la Matière, Vivekananda aura donc emprunté à l'Occident autant qu'il prétendit lui apporter l'Esprit. Il rayonne depuis le monastère de Belur, qu'en aval de Calcutta l'on atteint en bateau, sur l'un de ces transbordeurs si chargés qu'ils ne flottent qu'avec l'aide des dieux. La foule s'y entasse, indifférente à la chaleur, à la promiscuité des corps : rare lieu en Inde où la distinction des castes s'efface devant elle.

La descente du Gange ramène à l'Inde originelle qui fut une civilisation du fleuve ; mais, depuis que Calcutta déborde, une même eau sert d'égout et de salle de bains pour purifier les vivants autant que les morts. Sur les quais de pierre qui descendent vers le Gange, les occupations domestiques se mêlent aux ablutions religieuses ; les hommes se savonnent presque nus, les enfants totalement, et les femmes, pudiquement, sous leur sari. L'odeur des crématoires enveloppe le navire sans que nul ne s'en incommode ; ici, la mort n'est pas un exil. Au débarcadère de Belur, le bateau déverse une foule considérable. Des adeptes de Ramakrishna et Vivekananda ? Ce sont plutôt les jardins et les guinguettes du temple qui attirent les familles, car Ramakrishna et Vivekananda déroutent la plupart des Indiens : ils ne s'y retrouvent pas. Le temple de Belur ne ressemble d'ailleurs à aucune autre pagode ; selon un plan dessiné par Vivekananda mais réalisé par un Britannique, c'est un collage d'emblèmes empruntés aux grandes religions. Belur a l'allure d'une pagode qui pourrait être une mosquée qui ferait penser à une église !

Pris en main par un moine qui repère l'étranger dès le débarcadère, je fus prié de m'incliner devant les cénotaphes de Vivekananda et Ramakrishna ; j'y déposai quelques œillets d'Inde. On me fit comprendre qu'une offrande en espèces serait également la bienvenue. Je méditai sous le manguier où Vivekananda médita ; je notai quelques observations d'ambiance sur mon carnet de route. Se méprenant sur la nature de mon intérêt, le moine insista pour que je passe un mois dans la maison des hôtes. Sans doute m'imaginait-il tonsuré et en robe blanche de novice, pareil à ceux qui déambulaient : à l'évidence, des Américains. À quoi tient que l'on devinait leur origine en dépit de leurs efforts pour se fondre dans la foule indienne ? Leur corps parlait.

Au crépuscule, un lumignon électrique s'alluma sur la plus haute flèche du temple, et un gong retentit. Moines et fidèles se pressèrent dans la salle des prières ; nous nous assîmes en tailleur sur des nattes de paille. À la place de l'autel, une statue de marbre blanc, plus grande que nature, représentait Ramakrishna ; un bonze la décora d'une guirlande de fleurs assorties à sa robe. Sous sa direction, l'assemblée entonna à pleine voix des hymnes qui nous rapprochèrent de l'hypnose. Le maître de cérémonie faisait onduler comme des serpents des lampes où brûlait le camphre. Nous ne formions plus qu'un seul corps, par la ferveur ou la sueur partagées. Je ne suivis l'office qu'avec réticence : ces moines me semblaient étrangers au message de Vivekananda et Ramakrishna tel que je l'avais compris. Vivekananda invitait à « éveiller Dieu dans l'homme », et je voyais plutôt des hommes qui cherchaient Dieu en Ramakrishna. Vivekananda avait dénoncé l'idolâtrie ; voici qu'avec Ramakrishna il était transformé en un dieu de pierre, un de plus parmi des millions d'autres. Il fallait accepter l'évidence : le rituel local avait vaincu le message universel, la tradition avait digéré l'innovation. C'est ainsi que l'hindouisme engloutit, depuis trois mille ans, tout ce qui s'en approche. Je ne partis pourtant pas déçu : contrairement à Romain Rolland, je n'étais pas en quête de transcendance. À moins que je ne me fusse trompé d'adresse ?

Évoquant le culte de Ramakrishna et la contradiction avec ce que j'en attendais, un universitaire de Calcutta qui m'avait entendu confirma que je m'étais effectivement trompé : il existait bien, au Bengale, une religion universelle, un grand œcuménisme ; mais ni Vivekananda ni Ramakrishna n'en étaient les porteurs. Il fallait que je l'accompagne au Brahmo samaj, que l'on pourrait traduire par « Maison du Tout-Puissant ». Cette religion-là ne m'était pas inconnue, mais je la croyais disparue. Fondée en 1828 par Rammohan Roy, elle s'était pour beaucoup identifiée au plus célèbre de ses compagnons de route, le poète Rabindranath Tagore, et plus récemment au cinéaste Satyajit Ray. Tolstoï en fut proche, et Romain Rolland y vit un mouvement précurseur de l'universalisme de Vivekananda.

Le Brahmo samaj naquit de la rencontre entre l'Inde et l'Occident, certains de ses disciples ayant longtemps hésité entre hindouisme et christianisme. Au christianisme, le Brahmo samaj fut certainement redevable de sa critique des injustices de la société indienne traditionnelle. Il revint à Rammohan Roy d'obtenir des Britanniques, en 1829, qu'ils interdisent le *sati*, le suicide des veuves dont les Indiens, autant que les colonisateurs, s'étaient jusque-là accommodés. Le Brahmo samaj ouvrit aussi les premières écoles de l'Inde pour jeunes filles. Mais ce mouvement n'est pas laïque ; il n'a de préoccupations sociales qu'à partir de son fondement religieux. S'il est un messager de la liberté ici-bas, c'est parce que ses fidèles considèrent que l'homme est une parcelle du divin ; sur ce point-là, il rejoint Ramakrishna et Vivekananda. Mais, contrairement aux deux saints de Calcutta, le Brahmo samaj n'a pas été récupéré par les pratiques hindoues ; malheureusement, tant de pureté n'est pas faite pour attirer les foules.

Dans les deux derniers temples qui survivent à Calcutta, c'est sans encens, sans moines, sans musique, sans décorum que se célèbrent le dimanche soir les offices du Brahmo samaj. Dans une vaste salle aux bancs de bois et aux murs blancs, nulle image, nul décor, nulle inscription. On rappellera que, sur la porte de sa maison de Calcutta, Rabindranath Tagore avait inscrit : « En ce lieu, nulle image ne sera adorée. Et la foi de nul homme ne sera méprisée. » Face aux fidèles, d'une chaire surélevée, le pasteur, qui est une femme, invite à lire en anglais et en bengali des textes qu'elle a sélectionnés dans onze religions distinctes. Tous, explique-t-elle, obéissent à un critère irréductible : ils parlent de « Dieu unique et sans forme ». Toute allusion à une représentation, à une incarnation, à une apparition, à une pluralité de dieux est haïssable et bannie. L'assemblée recrute parmi les classes aisées de Calcutta, bourgeois, bureaucrates et enseignants, avec une absence de jeunes qui laisse mal augurer du renouvellement des générations.

Après l'office, madame le pasteur admet que la sécheresse du rite ne peut séduire que des intellectuels. Si *samaj* signifie « assemblée », comment traduirait-elle *Brahmo* ? On pourrait dire « Dieu », « Créateur » ou « Tout-Puissant », mais elle préfère *Brahmo*, parce que le terme sanskrit exclut tout anthropomorphisme. Croit-elle en l'existence d'une âme distincte du corps ? Assurément. Elle croit aussi qu'après la mort cette âme réintégrera la Divinité, ainsi qu'il est dit lors des cérémonies funéraires. Paradoxale me paraît donc sa définition du Brahmo samaj comme un « théisme rationnel » ; croire en Brahmo, n'est-ce pas croire en ce que la raison ne saurait expliquer ? Les plus rationalistes des Indiens ne parviennent donc pas à ne croire à rien. Peuvent-ils se satisfaire de ce Brahmo si proche de l'Être suprême du siècle des Lumières ?

Il est envisageable que, dans une génération, les derniers temples du Brahmo samaj auront disparu ; seule une certaine idée d'un Dieu sans forme continuera à imprégner les esprits, ainsi qu'un certain sens du devoir éducatif et social, ce qui n'est déjà pas si mal en Inde. En revanche, l'on peut parier que le culte de Ramakrishna prospérera en raison même de la perte de sa substance ; Vivekananda, qui fut proche du Brahmo samaj, ne créa pas de rites, et il ne leur attachait pas d'importance, ce qui voue ses disciples à être réabsorbés par l'Inde. Romain Rolland commit la même erreur : il n'envisagea pas non plus qu'il fallait à son désir de théisme un échafaudage de rites, et, s'il avait connu Belur, sans doute aurait-il été déçu de cette dégradation du message universel en culte local.

Romain Rolland s'est-il pour autant trompé en projetant sur l'Inde son aspiration à l'Unité spirituelle ? Il ne me semble pas. Mais, au lieu de rechercher cette universalité de l'Inde chez un seul prophète, c'est, me semble-t-il, la pratique entière de l'Inde, la somme de tous ses cultes qui portent en elles la leçon. Le message n'est pas tant celui de Vivekananda ou d'un autre gourou que celui de l'Inde entière comme message ; tout culte local y vaut autant qu'un autre. Le message spirituel de l'Inde est sa capacité de faire coexister tant de pratiques souvent contradictoires, parcourues de violences mais contrôlées à l'échelle d'un aussi vaste pays. Mieux que Romain Rolland, les philosophes des Lumières avaient pressenti cette originalité profonde qu'ils appelèrent non pas l'hindouisme — terme inventé par les Britanniques au XIXe siècle — mais le « tolérantisme » : tel est le message véritable de l'Inde.

« Tolérantisme » paraît aussi une définition plus exacte des religions de l'Inde puisque tous les Indiens ne sont pas hindous ; il existe des jaïns, des bouddhistes, des musulmans, des bahaïs, des chrétiens, des parsis ou des sikhs. S'y trouvent même des militants organisés de l'athéisme. Periyar, le fondateur du parti régionaliste tamoul en 1932, dirigeait une Union athée. Sur son tombeau, à Madras, il est écrit trois fois « Dieu n'existe pas », et les Tamouls viennent s'y prosterner comme devant tout autre saint. Periyar est devenu un saint athée ! D'autres cultes mêlent plusieurs affiliations : les disciples de Kabir vénèrent Mahomet et Vishnou tandis que des chrétiens ajoutent Jésus au panthéon hindou. Chaque Indien n'est-il pas à lui seul, comme l'espérait Vivekananda, une minorité religieuse ? Tout le monde cherche Dieu à sa manière, en vénérant une ou plusieurs des quelques millions de divinités, chacune étant la réincarnation supposée ou l'expression d'un Dieu, d'un Esprit ou d'une Force. Voyageant d'un village à l'autre, on constate que rarement deux villages contigus consacrent leur pagode à la même divinité ; ce qui n'engendre aucune guerre de religion ! L'Inde a pu souffrir d'échauffourées de type communautaire, mais elle n'a jamais connu de guerres civiles religieuses ni de croisades, à l'exception de celles qui lui furent imposées de l'extérieur. Ce n'est pas un mince avantage de la révélation multiple en Orient, par opposition à la révélation unique en Occident.

Mais que l'on ne se méprenne pas sur Romain Rolland : il ne souhaitait pas l'orientalisation de l'Occident ; il guettait la synthèse, le mariage des génies entre l'Orient et l'Occident. Contrairement au dualisme simple de Vivekananda pour qui l'Occident incarnait la Matière et l'Orient l'Esprit, Romain Rolland rappelait que l'Occident aussi avait son lot de saints à réveiller et à exporter. Mais, du message spirituel de l'Occident, il faut admettre que les Indiens ne veulent généralement rien entendre. Dans une lettre qu'il adressa à Romain Rolland en 1928, son correspondant bengali, Kalidas Nag, regrettait amèrement que les élites indiennes ne voulussent « rien apprendre de l'Europe, hormis le maniement des canons et l'édification de l'État ». Ce qu'auparavant avait reconnu le père Dubois en 1820, en réponse à un pasteur anglican qui lui demandait conseil avant de partir pour l'Inde. Le plus célèbre des missionnaires de l'époque écrivit : « Pendant la longue période que j'ai habité en Inde — vingt ans —, j'ai fait entre deux cents et trois cents convertis au total. Les deux tiers étaient des parias ou des mendiants. Les autres, des vagabonds... Je ne me souviens de personne que l'on puisse dire avoir embrassé le christianisme par conviction ou pour des motifs désintéressés. »

Au lointain héritier de Dubois, le père Pierre Ceyrac, aussi renommé en Inde à notre époque que le fut Dubois à la sienne, j'ai demandé : « Combien de conversions, mon père ? » Depuis quarante ans, Ceyrac vit au Tamil Nadu parmi des orphelins qu'il recueille. Sec et tanné, infatigable à quatre-vingt-cinq ans, il me paraît l'image rayonnante de ce que furent les missionnaires de jadis, la bonté en plus. « À mon âge, observe-t-il, je pourrais rentrer en Corrèze et partager avec les miens du fromage et du vin rouge. » Mais il se sent ici chez lui plus qu'en France : il y a davantage à faire, et on le comprend ! Je réitérai ma question : « Combien de conversions ? — Plus que les Européens, répondit Ceyrac, les Indiens sont en quête permanente du visage de Dieu. » Cette quête ne lui paraît pas idolâtre : « J'ai assisté, dit-il, aux célébrations les plus sacrées ; je sais que les vrais croyants ne vénèrent pas des dieux ou des déesses, mais demandent à Dieu d'habiter Sa statue pendant le temps du sacrifice. » A-t-il au moins converti un de ces hindous ? L'évangélisation de l'Inde était bien le but que François Xavier avait assigné à son ordre. Ceyrac se remémore avec tendresse quelques demandes de baptême formulées par des enfants : « Ils étaient reconnaissants d'avoir été soignés. » Le père jésuite avoue se situer au-dessous du score atteint par Dubois. Les Indiens lui paraissent inconvertibles ; quand ils se convertissent, ils ajoutent Jésus à leur panthéon, parce qu'un dieu de plus ne saurait nuire. Le père n'approuve pas pour autant : « Les Indiens cherchent Dieu dans la mauvaise direction. Dans leur quête, ils oublient l'homme et ils se surestiment en imaginant parvenir à Dieu chacun pour soi, sans passer par le Fils. » Mais il s'en accommode : « L'Église n'est plus là pour convertir, mais pour témoigner. » Elle le fait par ses écoles, ses hôpitaux ; c'est, selon Ceyrac, pour ses œuvres et non pas pour ses conversions que mère Teresa fut respectée par les Indiens.

Je n'ai pas besoin de demander à Ceyrac si l'Inde détient un message pour le monde. Il anticipe ma question : « L'Inde, me dit-il, a un message. Il faut que vous l'écriviez. » Mais quel est-il ? « Tout ce qui monte converge », répond Ceyrac, citant son maître, le théologien Teilhard de Chardin, cet autre jésuite mal toléré à Rome, qui ne fut pas autorisé à publier de son vivant sa théorie, très indienne, de la convergence des religions vers un « point Oméga » et une « Conscience universelle ».

J'aurais dû deviner que Ceyrac était teilhardien. Ceyrac comme Teilhard espèrent que le point Oméga sera le Christ ; pour Romain Rolland, c'est l'Unité. Mais comment, dans leur commune espérance, ne pas percevoir le désenchantement d'un Occident sans transcendance, l'attente d'une rédemption par l'Inde ? Cette attente peut être une illusion, mais pourquoi ne pas envisager aussi que le matérialisme occidental vienne à croiser le « mysticisme » oriental, et, sans se dissoudre en lui, se polisse un peu à son contact ?

Mysticisme oriental : le terme est trompeur. Ce pour quoi les Occidentaux « en recherche » errent d'un ashram l'autre et, au bout du compte, d'une déception l'autre. Le désappointement tient en partie au vocabulaire : des mots comme « mystique », « gourou », « yoga » interdisent de comprendre que ce que l'on pourrait trouver chez les penseurs les plus profonds de l'Inde ne serait pas une nouvelle religion, mais une définition renouvelée de ce que nous appelons la liberté. En Occident, on considère depuis le siècle des Lumières que la liberté exige de conquérir la matière, de maîtriser le monde extérieur ; ce à quoi nous sommes globalement parvenus. Mais, dans le continent mental qu'ici nous appelons Orient ou Inde, la liberté est l'aboutissement d'une recherche sur soi-même : depuis des âges, les Indiens ont investi autant d'énergie dans cette recherche de la liberté intérieure que les Européens dans la conquête de leur liberté extérieure. Comment réunir ces deux conceptions apparemment contraires de la liberté et parachever l'unité de l'être chère à Romain Rolland ? Le peut-on, à supposer qu'on le souhaite ? À chacun son gourou. Celui que Romain Rolland s'était choisi me paraît n'avoir pas franchi l'épreuve du temps ni pu atteindre à l'universalisme. Je vais en préférer un autre, qui n'est pas de mon invention, car tous les Indiens le connaissent ; il ne se prétendit pas *saint*, seulement tisserand et poète. Son nom est Kabir, il est né à Bénarès, où il vit encore.

11

Le tisserand de la révolte

Lorsqu'il parvint à Bénarès, Pierre Loti protesta contre l'« odieuse banalisation » de la ville sainte qui lui parut « gâtée par le chemin de fer », « ce grand niveleur universel », écrit-il dans sa narration de voyage intitulée *L'Inde sans les Anglais*. C'était en 1900. Comment aurait-il décrit la route bordée de publicités pour Coca-Cola qui, à notre époque, mène de l'aéroport aux rives du Gange ? Et ces guides improvisés qui, dans un anglais sommaire, harcèlent l'étranger, l'agrippent par la manche et proposent de lui montrer *« a very nice cremation »* ? Mais il est bien connu que l'on vient toujours trop tard. Loti, il y a un siècle, se plaint de ce que Bénarès n'est plus ce qu'il fut ; mais Bénarès ou n'importe quel autre lieu mythique de la planète a-t-il jamais ressemblé à ce qu'il aurait dû être ? Pareillement, il est bien connu que l'on ne vient jamais à la bonne saison ; l'été il pleut, l'hiver il fait trop froid, et en mai la chaleur serait insupportable. Au vrai, cette notion de bonne saison est ridicule ; les Indiens, que je sache, vivent en Inde en toute saison. Contrairement à Pierre Loti, ancêtre aristocratique du tourisme, cette connaissance pervertie, il me paraît que la magie des lieux vient de ce qu'ils changent, non de ce qu'ils ne changent pas. À Bénarès, je n'allai donc guetter ni les crémations impudiques ni les ablutions rituelles dans les eaux pourrissantes du Gange.

Si l'on n'approche pas des temples et des marches du fleuve, Bénarès est une ville indienne ordinaire, seulement plus touffue encore que les autres et plus impraticable. Et,

en même temps, cette anarchie fonctionne. Dans le dénuement, à la limite de la survie parfois, chacun s'extrait de la
misère qui ploie les épaules et brise les reins pour atteindre
à quelque forme de la dignité. Bénarès, ville sainte où,
paraît-il, il fait bon mourir, mais aussi ville d'escrocs, de
faux yogis, de bandits déguisés en sages qui abusent de la
crédulité des vrais dévots ; il est probable qu'en Occident
les lieux de pèlerinage au Moyen Âge devaient mariner
dans le même jus sordide, mélange de mysticisme et d'ar-
naque. Mais je ne suis venu à Bénarès que pour rechercher
la trace et la mémoire de Kabir. Ce que tout Indien
comprendra, mais qui exige, pour les autres, quelques mots
d'explication.

Chaque peuple a son poète national dont chacun, lettré ou
non, saura réciter quelques vers ; chez nous, Ronsard ou
Hugo, en Allemagne Schiller, en Russie Pouchkine. Et, pour
les Indiens, Kabir. Il parle autant à ceux du Nord, qui
connaissent l'hindi, sa langue originelle, qu'aux Indiens du
Sud qui comprennent la langue populaire · et imagée à
laquelle il eut recours. Les lettrés citent Kabir, mais les
illettrés le chantent. Kabir lui-même prétendit n'avoir
« jamais touché une plume ni une feuille de papier » : il
aurait tout « dit » ou « chanté ». Mais, s'il me fallait poursuivre la comparaison, c'est François Villon dont Kabir me
paraîtrait le plus proche : il est à peu près son contemporain.

Kabir vécut à la fin du XIVᵉ siècle ; c'est lui aussi un
fondateur, en ce qu'il s'exprime en langue vulgaire et non
savante ; comme Villon, Kabir est un révolté qui ne se
satisfait guère de l'ordre des puissants ni du parti des
dévots. Mais, comme nous sommes en Inde, le parallèle
s'arrête ici, les voies divergent. Kabir n'a pas seulement
cinq siècles d'âge, il est de notre temps, puisque, en Inde,
hier n'est pas vraiment autre chose qu'aujourd'hui, que
cinq cents ans ça ne représente pas grand-chose et que le

Bénarès où vécut Kabir n'est pas fondamentalement différent du Bénarès présent.

Si Villon, pour les Français, est un auteur d'anthologie qui ne paraîtra actuel que par métaphore, Kabir, lui, est le voisin de la ruelle d'à côté. Il fut tisserand au bord d'un étang, et l'étang est toujours là, pollué d'immondices, cerné de buffles comme il l'était hier ; les tisserands restent eux aussi présents, accroupis dans la même position que Kabir, et, comme lui, ils chantent ou psalmodient en tissant les mêmes étoffes sur les mêmes motifs. Comme nous sommes en Inde, où le passé est présent, il se trouve aussi que le monde d'en bas, immanent, n'est pas distinct du monde de l'au-delà, transcendant ; si Kabir fut — et s'il est — un poète tisserand, il est aussi un saint, un sage, un gourou, un guide pour les « chercheurs de vérité ». Il est donc envisageable que, d'une réincarnation l'autre, Kabir ne cesse de revenir à Bénarès pour tirer les puissants par les pieds et admonester les faibles qui seraient tentés de courber le dos devant leurs exploiteurs ou de céder au mensonge.

> *Vous qui cherchez la vérité*
> *Je vois que le monde est fou,*
> *Quand je dis vrai,*
> *On se jette sur moi pour me rouer de coups,*
> *Mais, si je mens,*
> *Tout le monde me croit*.*

Comment retrouver Kabir à Bénarès ? Par ses disciples. Ce serait inattendu partout, sauf en Inde. Un siècle, semble-t-il, après sa mort, ces disciples se sont constitués en secte. Ce qui aurait profondément irrité Kabir, qui ne supportait pas que l'on glorifie qui que ce soit d'autre que Dieu. Il écrit :

---

* Les traductions de Kabir que je propose dans ce chapitre sont fondées sur leur version en anglais par Linda Hess et Shukdev Singh ; elles ne prétendent pas restituer le style de Kabir mais essaient d'en approcher la signification. Dans l'attente d'une anthologie en français...

« J'ai brûlé ma maison » (on dirait en français : « J'ai brûlé mes vaisseaux »), « j'interdis à quiconque de me suivre », « je garde la torche à la main contre celui qui voudrait m'imiter »... Cette invite, faite à chacun par Kabir, de ne rallier aucune autre autorité sociale et surtout religieuse que sa conscience intime, comment a-t-elle pu conduire paradoxalement à l'apparition de plus de mille sectes, recensées en Inde, de « disciples de Kabir » ? La réponse est qu'en Inde on ne peut s'empêcher d'adorer, de diviniser ce que l'on aime ou respecte ; ici, on ne se retient pas, on ne se modère pas : la dévotion est un minimum. Le recueil des poèmes de Kabir, collationnés de son vivant et après sa mort par ses disciples, est devenu, pour ses dévots, un livre sacré, un de plus dans la grande bibliothèque de la Révélation indienne. « Vous, peuples du Livre, me dira à Bénarès un disciple de Kabir, vous n'avez qu'un seul livre, l'Ancien Testament, l'Évangile ou le Coran ; c'est ce qui vous rend intolérants. Nous, hindous, nous avons tellement de livres que nous devons sans cesse comparer leurs mérites respectifs. »

J'ai écrit « secte » de Kabir, mais ce terme n'est pas péjoratif en Inde ; tout groupe religieux quelque peu organisé est là-bas qualifié ainsi et souvent subdivisé en sous-sectes. Au fond, comme l'écrivit Renan, une religion n'est jamais qu'« une secte qui a réussi ». Mais, en Inde, les sectes sont trop nombreuses pour qu'aucune « réussisse » jamais ; la concurrence est la règle, quand ce n'est pas l'agressivité réciproque. Des deux sectes de Kabir que je visitai à Bénarès, chacune revendiquait le monopole de l'authenticité et de l'antériorité. Ces sectes-là siègent dans des ashrams, l'une au lieu présumé de la naissance du poète, l'autre là où se serait trouvé son atelier. Le dépouillement des lieux est absolu, le dénuement des disciples, total ; nous sommes aux antipodes de la pompe des temples hindous, il n'entre ici aucune idole, et la seule image est un portrait présumé de Kabir coiffé d'une sorte de mitre, ainsi qu'il est par convention représenté. Me revint le souvenir d'un temple, au Viêt-Nam, consacré à Victor Hugo, seul exemple de poète déifié comparable à Kabir.

Le gourou de l'ashram me reçut comme on reçoit en Inde, avec quelques boissons chaudes et froides et des mets spécialement préparés pour l'hôte, c'est-à-dire tout ce que redoute l'étranger justement préoccupé par sa santé. Il est en principe impossible de refuser, sauf à offenser gravement ceux qui vous accueillent ; ils y ont investi leur honneur, du temps, mais aussi de l'argent pour ces moines qui ne vivent que d'oboles. Je m'attaquai donc à une boulette de fromage de buffle macérée dans du sucre, noyée dans un sirop de palme. Au mieux, pensai-je, je m'en tirerai avec le choléra : en Inde, on devient vite hypocondriaque ! En pareille circonstance, je me persuade qu'il faudrait m'inventer une religion personnelle interdisant de s'alimenter avant le coucher du soleil ou le lever de la lune. Mais je survécus.

Auprès du gourou, je m'étonnai de la grande pauvreté de l'ordre, alors que la gloire de Kabir est si étendue. « Kabir, m'expliqua-t-il, est trop exigeant, autant envers les hindous qu'envers les musulmans. Il demande à chacun d'entre nous d'expérimenter Dieu en soi-même et par soi-même, en se dispensant de tous les rites, sans passer par les imams, les brahmanes ou les prêtres de quelque religion établie. » Kabir estimait tout aussi superflus les statues, les images, les édifices, pagodes bouddhistes, temples hindous, mosquées musulmanes ; s'il avait connu le christianisme, il aurait rejeté sa cléricature et ses rites. Kabir n'aimait que Dieu et méprisait Ses fonctionnaires. Au muezzin qui appelait à la prière depuis les minarets de Bénarès, il dit :

Moi Kabir, je te demande : pourquoi tu cries si fort ?
Crois-tu que Dieu est sourd
alors que tu nous dis qu'Il est partout ?

Et dans un autre sonnet :

Le Turc [appellation à l'époque des élites musulmanes]
croasse : Allah ! Allah ! comme un corbeau.

Puis aux prêtres brahmanes :

*À vous, les chercheurs de la vérité, je vous dis que le
brahmane n'est qu'un boucher qui jubile en sacrifiant
des poulets,
se macule le front d'une pâte de santal, danse pour la
déesse.
Quelle race supérieure !
Quelle autorité !
Et certains attendent de ces gens-là une initiation !
Moi, Kabir, cela me fait rire !*

Pourquoi, demande-t-il aux prêtres de l'islam comme de
l'hindouisme, moi, Kabir, et les « chercheurs de vérité » (en
hindi, *sant*, la racine indo-européenne de *saint*) respecte-
rions-nous les jours de jeûne ? Les pauvres mangent si peu
que leur vie entière est comme un jour de jeûne !

Pourquoi, demande-t-il encore, pratiquer des mortifica-
tions rituelles alors que notre vie de labeur est tout entière
une mortification sous le regard de Dieu ? Un Dieu que
Kabir appelle Ram. Mais son Ram n'a rien à voir avec le
dieu mythologique hindou qui s'appelle aussi Ram. Pour
Kabir, *Ram* est un son servant à désigner un Dieu sans
forme et inexprimable. De même que, pour les hindous,
Ôm est un son servant à exprimer le Cosmos. Écoutons-le
disserter avec impertinence sur la tartufferie et les incohé-
rences des uns et des autres.

*Muezzin, quelle leçon prétends-tu nous enseigner ?
Bla, bla, bla, de jour comme de nuit, tu n'as jamais
exprimé la moindre pensée originale.
Pour exercer ton pouvoir, tu circoncis.*

Je ne peux pas te suivre, mon frère.
Si Dieu était en faveur de la circoncision,
Pourquoi n'es-tu pas né toi-même déjà circoncis ?
Si la circoncision fait le musulman,
De quelle religion sont donc les femmes ?
Et si la femme est l'autre moitié de l'homme, en quoi
es-tu musulman ?
Tu pourrais aussi bien être hindou.
Et toi, le brahmane, s'il te suffit de porter un cordon
sacré,
Pourquoi ta femme n'en porte pas ?
L'un comme l'autre, vous vous imposez par la force,
Mais quand viendra le temps de mourir,
Moi, Kabir, je vous le dis, mes frères,
Il ne vous restera qu'à pleurer.

Lecteurs d'Occident, où trouverait-on chez nous au XVe siècle une telle liberté de ton ? On ne voit d'équivalent en Europe que les fulminations de Luther. Mais, pour que Kabir puisse s'exprimer aussi crûment, c'est que prévalait en Inde une liberté d'expression inconnue partout ailleurs, alors même que les redoutables Moghols régnaient à Bénarès ! On constate une fois encore que la démocratie indienne ne date pas des Britanniques, mais qu'elle est enracinée dans l'esprit contestataire du peuple le plus modeste, fût-il illettré. Certes, il est avéré que, de son vivant, Kabir reçut quelques raclées dont il fit des sonnets ; il fut finalement expulsé de Bénarès, mais on ne le tua pas et on ne le fit jamais taire. Les vingt dernières années de sa vie, sur les routes, il continua à chanter la communion avec la divinité, la méfiance envers les cléricatures, le refus de toute discrimination sociale. Cette divagation à travers l'Inde du Nord fit de lui l'un de ces bardes errants comme il en existe encore de nos jours, diffusant par la poésie et le chant leur message de révolte sociale ou de quête de

Dieu bien au-delà de leur région d'origine. Prêcher, en Inde, c'est marcher. Kabir fut un marcheur ; Gandhi marchait ; les *social activists*, de nos jours, marchent aussi. Cantonné à Bénarès, Kabir n'aurait sans doute pas connu une gloire aussi répandue que celle conférée par l'exil.

Sur les pas de Kabir, nous sommes loin du stéréotype, diffusé par les colonisateurs européens et systématisé par l'œuvre de Rudyard Kipling, de l'« Indien passif ». Kabir n'est certes pas le premier ni le seul, mais il me paraît le plus représentatif de l'Indien en tant qu'« homme révolté ». On connaît tellement l'Inde des castes en Occident, tant de travaux savants lui ont été consacrés ; mais que n'a-t-on dédié à l'Inde de la révolte (pas celle de la révolution, qui appartient au registre idéologique) le quart de ce qui a été écrit sur les castes ! Il n'a pas fallu attendre que Gandhi vînt ni qu'il eût assimilé le *Sermon sur la montagne* pour que, du plus profond de l'Inde, de ses classes les plus démunies, surgisse l'indignation contre l'iniquité des castes. Bien avant Kabir, le Bouddha avait réfuté le castéisme sur le mode religieux, mais Kabir aura été le premier des modernes en ce qu'il fit appel à ce que l'on nomme aujourd'hui la critique sociale. Et sa voix résonne autrement plus fort à notre oreille occidentale qui, en l'occurrence, est indistincte de l'oreille orientale.

> *Tout est fait de peau et d'os*
> *De pisse et de merde*
> *Le sang et la chair sont Un*
> *De la même goutte surgit un Univers*
> *Qui est le brahmane ? Qui est le serf ?*

Quel contemporain de Kabir ou de notre temps exprimerait plus fortement des arguments plus catégoriques ? Et d'où lui vint pareil sens de la liberté ? Il me paraît qu'il n'a pas tant surgi de la religion hindoue que de sa rencontre avec l'islam. L'islam qui, à son aube, fut justement perçu par les humbles de l'Inde comme créateur de liberté et d'égalité. Voilà qui surprendra les Occidentaux, congelés dans des préjugés hostiles, nourris, il est vrai, par les islamistes eux-mêmes, et pour qui l'islam serait le contraire absolu de la liberté. Mais il n'en fut pas toujours, ainsi et la répression n'est en rien le message de l'islam. D'ailleurs, Kabir était musulman comme le sont toujours la plupart des artisans de Bénarès et comme le restent bien des grands artistes indiens.

On n'aime pas trop rappeler, en Inde, où Kabir est au programme des écoles, que ce poète national était musulman, car il conviendrait aussi de rappeler *pourquoi* il l'était. Il semble que les parents de Kabir se soient convertis à l'islam : est-ce parce que les conquérants turcs les y auraient contraints ? C'était, pour les Turcs, une préoccupation mineure. Le plus souvent, la conversion était ressentie dans les basses castes comme une libération, une échappée vers une religion du libre arbitre. Loin de l'hindouisme, par la grâce de l'islam, on n'était plus prédestiné, ni dans cette vie ni dans l'autre, par ses antécédents supposés ; il devenait permis de se sauver par ses propres actes. Le succès de l'islam en Inde vint de ce qu'il libéra de la rigueur des castes, de l'oppression des brahmanes, de la damnation éternelle et de la servitude immanente ; bien entendu, ce sont les plus humbles, les intouchables, qui se pressèrent en masse hors de l'hindouisme. On entend aujourd'hui encore les hindouistes extrémistes leur reprocher cette conversion comme une trahison. Mais que trahissaient-ils, hors leur esclavage ? Il faut donc plutôt se demander par quel malheureux avatar une frange de l'islam a pu changer de sens et se confondre maintenant en une orthodoxie rigide et une dictature des clercs. La réponse est dans Kabir : la confiscation du message religieux par une bureaucratie cléricale auto-instituée a tué la spiritualité et l'a métamorphosée en politique. L'islam, disait Jacques Berque, qui traduisit le Coran en français, est devenu la victime de la « mollacratie » incarnée selon Kabir par ce muezzin qui « crie trop fort dans les oreilles de Dieu ».

Mais écoutons encore le poète, toujours équitable dans ses polémiques anticléricales, interpeller un prêtre brahmane de son temps ou du nôtre.

> Dis-moi, grand savant,
> Cherche la connaissance dans ton cœur,
> Dis-moi d'où provient que certains seraient intouchables ?
> Mélange le sang et l'air :
> Est-ce que tu n'obtiens pas le corps d'un enfant ?

Ce sont des arguments tout simples, formulés selon la méthode interrogative chère à Kabir, probablement assez proches de ce que pouvait dire à la même époque un prédicateur musulman pour toucher les cœurs simples, et qui ne souffrent guère de contradiction possible. Kabir ne rejeta donc ni l'islam ni l'hindouisme en eux-mêmes. Il ne rejeta et ne ridiculisa que la cléricature de l'une et de l'autre religion. Homme de Dieu, il n'était pas un serviteur de Sa bureaucratie ni de Ses appareils.

Sans doute est-ce parce que l'islam était parvenu en Inde que Kabir vit dans la profusion de livres sacrés et plus encore de prophètes la preuve qu'il n'existait qu'un seul Dieu : la vérité ne surgit pas chez lui de la révélation unique, mais l'Unique surgit de la rencontre entre les révélations.

> Vishnou est à l'Est, Allah est à l'Ouest,
> Tel est ton songe.
> Cherche plutôt dans ton cœur, seulement dans ton cœur :
> C'est là que vit Ram ou Allah.
> Quel livre est faux, le Coran ou les Veda ?
> Ils ne font qu'un en vérité.
> Comment as-tu réussi à les diviser ?

Et, un peu plus loin dans le même sonnet :

Je suis l'enfant de Ram-et-Allah
Lui seul est mon gourou et mon saint !

Dieu, en somme, est Dieu, et c'est en nous qu'Il réside, pour ceux qui cherchent la vérité. Ce qui s'appelle dans l'islam la tradition soufie, telle que nous l'avons décrite à Nizamuddin, et, chez les hindous, la *bhakti*, ou dévotion. Pas de quoi se rendre populaire auprès des autorités et, de fait, soufisme et *bhakti* n'ont jamais cessé d'être, en terre d'islam comme en Inde, les sources vivantes de la résistance à l'autorité.

Le fait que chaque Indien ait su et sache psalmodier, au cours des siècles et jusqu'à nos jours, quelques versets de Kabir m'apparaît comme un fil rouge de la révolte, à fleur de peau malgré les apparences de calme ou de ce qu'à tout le moins on n'est pas dupe des autorités politiques ou religieuses. Méditant sur ce que Kabir représentait, sur les lieux où il vécut, dans le vieux Bénarès peu modifié par le chemin de fer, le petit monastère de ses disciples m'est apparu comme la tête d'épingle d'un mouvement profond de la société indienne et, au vrai, propre à toute société. Partout où l'on respecte l'autorité, ne fait-on pas *semblant* de la respecter ? Kabir, lui, refuse de faire semblant. En même temps, ce serait une erreur de le dépeindre en apôtre de la révolution sociale. La société n'est pour lui que la surface des choses, l'illusion matérielle ; la vraie libération, telle qu'il la conçoit, est avant tout l'extinction des passions de ce bas monde. Telle sera aussi l'idée que se fera de la liberté un autre tisserand qui citera beaucoup Kabir, le Mahatma Gandhi. L'un comme l'autre ont estimé que l'on ne changeait pas la société si l'on ne changeait pas au préalable les hommes eux-mêmes. La sainteté personnelle, ou la quête de la sainteté, fut l'ambition véritable de Kabir comme elle sera celle de Gandhi ; c'est au bout de cette quête, estimaient-ils, que la société changerait, et non pas l'inverse. Avec Kabir, nous parvenons à l'extrême opposé de la pensée idéologique occidentale du XXe siècle qui crut que l'on changerait l'homme parce que l'on changerait la société. On sait ce qu'il en advint.

Une autre interprétation biaisée serait de voir en Kabir celui qui a synthétisé l'islam et l'hindouisme ; on lit souvent, même en Inde, que les disciples de Kabir seraient à la fois musulmans et hindous. Ce propos est plus politique que fidèle au poète ; il l'instrumentalise dans un désir évident de rapprochement des deux grandes communautés religieuses, et de l'Inde et du Pakistan. Mais, si des hindous peuvent admettre ce raisonnement syncrétique dès lors que nul ne sait définir ce qu'est véritablement l'hindouisme, l'idée même de synthèse est absurde du point de vue musulman. Elle le serait tout autant si la question était posée dans une perspective chrétienne : ce qui est révélé dans un Livre unique ne saurait être concurrencé par un recueil de poèmes ! Il est d'ailleurs remarquable que Kabir ne se prit jamais pour un prophète, ni pour un homme de Dieu, ni même pour un gourou. Écrire et, dans son cas, dire et chanter sans se prétendre inspiré devait exiger à Bénarès, en son temps comme du nôtre, une grande force de caractère : tout pousse, dans cette ville, à se prétendre prophète. Lui ne se disait pas même poète, mais seulement tisserand, observant que le rythme de son chant ne faisait que refléter les cadences de sa machine. Ce qui ne peut se transmettre dans aucune traduction, mais qui, à l'oreille, s'entend lorsque Kabir est psalmodié dans son hindi originel. Ce que j'ai eu le privilège d'entendre au monastère de Bénarès...

Les mots à nouveau sont trompeurs, comme le sont mes traductions approximatives. Si l'on écrit « monastère », le lecteur va s'imaginer quelque vaste bâtisse patinée par l'Histoire. Ou se représenter les disciples de Kabir comme un ordre monastique structuré au sein d'une abbaye. Mais, dans ces lieux, tout est infiniment plus modeste, presque dérisoire ; la description, aussi prudente soit-elle, ajoute de l'emphase là où ne règnent que le dénuement matériel et la simplicité des hommes. Au coin d'une ruelle misérable, le monastère est une méchante bâtisse de béton colorié en bleu ; dans la cour écrasée par le soleil, les cafards le disputent aux souris ; une vache efflanquée fouille parmi quelques épluchures, tandis qu'un scooter klaxonnant couvre les conversations. D'une maison voisine montent des odeurs de graillon et le commentaire d'un tournoi de cricket à la télévision. Les disciples, qui ne veulent pas s'appeler moines, terme réservé par eux aux bouddhistes, le sont généralement par tradition familiale ; il en est de tout âge, vêtus d'une robe blanche et fort maigres. Dans leur cellule, rien qu'un lit de corde partagé avec un ou deux autres compagnons. À un novice qui devait avoir quinze ans, je demandai comment s'organisaient ses journées. « Je fais, me dit-il, ce que le gourou (c'est-à-dire le chef du monastère) me dit de faire. » Je fus évidemment déçu de ce que le message de liberté de Kabir se trouvât ainsi dissous dans la hiérarchie de l'organisation. Le novice lisait-il Kabir ? « Je ne sais pas lire, me répondit-il, mais je sais réciter par cœur le *Bijak* » (sorte d'évangile, recueil des principaux sonnets du poète).

Le gourou confirma que, Kabir étant lui-même illettré, il lui paraissait juste de le rester et de persévérer dans la tradition de la transmission orale. Les disciples de Kabir vont-ils prêcher dans les rues de Bénarès, à l'instar des innombrables gourous que l'on y voit harcelant le pèlerin et vantant leur secte contre celle du voisin ? « Nous ne prêchons pas, me dit celui-ci ; ceux qui veulent honorer Kabir viennent jusqu'à notre monastère. » Les disciples se contentent donc de témoigner en étant ce qu'ils sont ; pas plus que Kabir en son temps, ils n'essaient de bâtir une Église qui viendrait s'ajouter aux milliers d'autres. Je

demandai au gourou s'il arrivait que des musulmans vénèrent la mémoire de Kabir. Sans doute était-ce pour satisfaire
ma quête d'universalité : en fouillant dans ses souvenirs, il
dénicha une ou deux familles musulmanes de Bénarès qui
se réclamaient en effet de Kabir. Puis il se remémora
opportunément que le tombeau présumé de Kabir, qui se
trouve au Gujarat, à deux mille kilomètres à l'ouest de
Bénarès, était gardé et entretenu par une famille musulmane. Dans cette région où les musulmans restent
nombreux, on prétend que les adeptes de Kabir furent
parmi les premiers à se rallier au Mahatma Gandhi dans les
années 20.

Je citerai ici une légende sur Kabir que connaissent la
plupart des Indiens et qui est symbolique de son immuable
message. Lorsqu'il mourut, musulmans et hindous se dispu-
tèrent son corps, particulièrement ceux qui, de son vivant,
l'avaient peu écouté ; les hindous voulaient le brûler, les
musulmans l'inhumer. Kabir, sur cette ultime querelle,
aurait pu ajouter quelques vers sarcastiques de plus à son
œuvre. Les deux parties convinrent de trancher le corps par
moitié ; mais, quand l'exécuteur souleva le linceul, le corps
s'était transformé en monceau de fleurs. Les musulmans
enterrèrent la moitié de ces fleurs, les hindous brûlèrent
solennellement le reste. L'inanité des rites et la futilité des
querelles tiennent tout entières dans cette parabole ; le peu
de compte dont il en est tenu dans l'Inde contemporaine
est une tout autre histoire...

Au gourou de Bénarès qui ressemblait, derrière ses
grosses lunettes, à un instituteur, je demandai si Kabir et
ses disciples avaient quelque message à l'intention des
Occidentaux. Il parut fort embarrassé. L'interprète qui
m'accompagnait, lui-même un grand lettré, traducteur de
Kabir en anglais, m'expliqua que le gourou n'avait jamais
rencontré de non-Indiens et qu'il était particulièrement mal
préparé à cette interrogation. Le gourou réfléchissait. Il

paraissait somnoler, mais, derrière ses lunettes, les yeux mi-clos, il compulsait mentalement la collection complète des œuvres de Kabir. Tout était forcément dans Kabir. J'observai que, dans cet exercice de mémorisation, il scrutait attentivement les sillons de ses paumes ; on devait m'expliquer plus tard qu'à chaque sillon, aussi imperceptible fût-il, correspondait un sonnet. Ses mains étaient en somme comme une grande bibliothèque. Au terme de sa méditation, le gourou estima avoir trouvé une miette à me jeter en pâture : « Il faut, me dit-il, que les Occidentaux deviennent végétariens ; ils témoigneront ainsi de leur respect pour toute forme de vie. » Pourquoi pas, en effet ? Le conseil me parut plus empreint de sagesse que le salmigondis de yogis métaphysiciens que l'on révère à Paris ou à Los Angeles.

M'était-il permis de poser une ultime question au gourou sans trop perturber sa discipline ? Il posa pour condition que j'accepte une collation supplémentaire. Tel était le prix à payer que j'estimai un peu cher ; le thé au lait qui me fut servi avait une couleur insolite, mais, une fois encore, je survécus à l'épreuve. Je demandai au gourou ce que Kabir disait des femmes ; elles me paraissaient remarquablement absentes de sa poésie, sauf comme épouses, alors qu'elles sont très présentes dans la mythologie hindoue en tant que déesses. Le gourou consulta ses mains où, à l'évidence, il ne trouva pas grand-chose sur le sujet. Le temps passait, des souris et cafards animaient le silence, les autres disciples guettaient la réponse, qui se faisait attendre. Le gourou parla enfin : « Selon Kabir, dit-il, les femmes ne doivent pas être considérées comme des jouets sexuels ; elles sont en dignité les égales des hommes ; elles sont le moyen de la création. » Rien de plus, et pas de quoi engager une réflexion approfondie sur l'abaissement des femmes en Inde, toutes confessions et situations confondues.

À l'évidence, il fallait rompre ici le dialogue, qui n'était pas le mode d'expression favori des disciples. « Nous allons chanter », dit le gourou. L'atmosphère se détendit soudain, les sourires refirent surface et les yeux des novices brillèrent. Tous se mirent à parler à la fois, comme toujours en Inde, où la contradiction est le mode normal d'expression. Un disciple à grande barbe blanche et belle allure nous rejoignit, porteur d'un harmonium ; son front était décoré d'un large papillon jaune en pâte de santal. On apporta des cymbales de cuivre. Les disciples pouvaient enfin se livrer à leur véritable fonction : chanter Kabir. Ce qu'ils firent avec douceur et dévotion, sans entrer en transes ainsi qu'on le constate dans d'autres sectes plus véhémentes. Kabir était un être de raison, un mystique au quotidien plutôt qu'un fou de Dieu : tisser exige une certaine maîtrise de soi. Ces hommes chantaient comme l'on tisse.

Je demandai que l'on me traduisît ce qui venait d'être interprété ; la chanson disait à peu près : « Je suis un poisson dans l'eau qui meurs de soif. » Kabir était coutumier de ces inversions surréalistes, de ces sonnets cul pardessus tête où le poète dit le contraire de ce qu'il faut entendre. Ce style participait de sa méthode d'interpellation pour réveiller l'Indien complaisant ou « passif ». Pour la même raison, bien des sonnets de Kabir s'ouvrent par une apostrophe : « Muezzin », « Brahmane » ou « *Sant* », que le traducteur de Kabir, Shukdev Singh, propose de transcrire par « chercheur de vérité ». C'est à ces *sant* tout particulièrement que Kabir s'adresse ; ils sont ses compagnons d'impertinence et de communion mystique.

> *Assommé par le Verbe*
> *Il s'effondra.*
> *Un autre renonça à son Royaume.*
> *Celui qui comprendra le Verbe*
> *Sera sauvé.*

Ou encore :

> *Le feu brûle dans l'eau, l'aveugle voit.*
> *La vache mange le lion, la biche mange le tigre,*
> *Le corbeau se jette sur le faucon, la perdrix abat un*
> *aigle,*
> *Les souris mangent le chat, le chien dévore le chacal.*
> *Celui qui comprend cette leçon essentielle*
> *Approche de la vérité.*
> *Une grenouille avale cinq serpents.*
> *Kabir s'écrie :*
> *« Ils ne font plus qu'un ! »*

Avec Kabir on ne s'ennuie jamais, l'esprit est sans cesse en alerte tandis que le poète nous saisit par où l'on ne s'y attend pas. En même temps ressortait de ces chants simples, de ces harmonies sans apprêt, tout le mystère que recèle et répand la musique en Inde, dont je ne connais pas d'équivalent. Souvent, à ceux qui ne connaissent pas l'Inde et ne savent pas comment l'aborder, je suggère de commencer par la musique. Il n'est pas nécessaire, pour cela, d'être spécialiste ni mélomane ; il suffit de se laisser faire. Cette musique n'est jamais organisée comme celle de l'Occident ; elle est toujours improvisation, mais à l'intérieur d'un cadre prédéterminé par la tradition. L'interprète se promène dans ses états d'âme du moment mais les module en fonction de celui qui écoute ; l'auditeur influence l'interprétation et peut la prolonger des heures durant pourvu que le courant passe entre celui qui joue ou chante et celui ou celle qui vibre à l'unisson du tabla, de la flûte ou du sitar. Les concerts ne sont pas, comme en Occident, des affaires répétées, écrites et réglées d'avance sur un mode quasi militaire. En Inde, ils sont des improvisations selon la couleur de l'instant, à la manière de la conversation, autre art particulier à l'Inde où l'on divague à l'envi sans suivre une ligne apparente ; dans la joute oratoire comme dans la musique, on finit toujours par arriver quelque part, mais jamais par le chemin le plus court. Soit on est emporté d'emblée par cet art lyrique comme sur un tapis magique, et l'initiation à l'Inde peut se poursuivre par la connaissance véritable ; soit on ne grimpe pas sur le tapis et l'on ne saurait exclure que l'Inde reste à jamais inaccessible. Chacun peut se livrer à cette expérimentation toute simple.

Jusqu'à ce seuil, nous avons marché avec les disciples dans les pas de Kabir, l'homme révolté, l'ennemi des sectarismes et des cléricatures, l'ami des humbles, le tisserand de l'unité entre les castes et entre les cultes. Il en existe aussi une lecture plus philosophique, particulière aux érudits et que les simples « disciples » ne sauraient exprimer, quand bien même ils en intérioriseraient la substance. Cette lecture à plusieurs étages est commune en Inde, comme elle l'est dans toutes les grandes traditions classiques : le dévot catholique qui pratique le culte des saints n'est pas nécessairement versé en théologie, pareil en cela au dévot de Vishnou ou de Kabir qui n'est pas toujours à même de disserter sur la métaphysique hindoue. S'il me fallait la synthétiser en un mot, ce qui est absurde mais correspond aux exigences de l'Occident pressé, cette philosophie de Kabir me semblerait pouvoir se résumer à la quête de l'Unité : unité entre l'homme et Dieu, unité entre l'ici-bas et l'au-delà, entre l'immanence et la transcendance.

Entre l'homme et Dieu, on a vu que Kabir rejette tous les intermédiaires, livres, idoles, pratiques culturelles, clergés. C'est qu'il lui semble possible de connaître Dieu de l'intérieur, grâce à la méditation approfondie que l'on appelle le yoga. La connaissance de Dieu, du Bien et du Mal serait donc inhérente à chacun pourvu qu'il se dépouille de tout ce qui l'encombre. Cela est très hindou, et non moins ambitieux. Est-ce même possible ? Chrétiens et Juifs en doutent, mais, pour les hindous, c'est tout bonnement affaire de pratique, sous la direction d'un bon gourou. Kabir et les experts en méditation qui peuplent l'Inde auraient-ils découvert quelque chose plutôt que le « rien » métaphysique auquel nous sommes habitués en Occident ? On ne saurait répondre de l'extérieur, mais il paraît certain que les Indiens, depuis des âges, auront investi dans la recherche intérieure autant d'énergie que les Occidentaux dans la recherche extérieure. À l'Ouest, on s'évertue à maîtriser le monde, considérant que notre liberté ultime en dépend ; en « Orient », on se bat pour se découvrir et se contrôler soi-même, persuadé — jusqu'à ce que l'occidentalisation frappe à la porte — que la véritable liberté réside dans la maîtrise de soi. La différence entre les deux approches est invisible, puisque ce que l'Ouest produit est quantifiable alors que ce que l'Est a peut-être atteint est par nature incommensurable.

Unité entre l'ici-bas et l'au-delà, c'est-à-dire entre la vie et la mort : de même que, pour Kabir, il n'y a pas de dualité entre l'homme et son Créateur, il n'y en a pas davantage entre la vie et la mort. Comment cela ? Kabir nous dit que nous mourons à chaque instant et que notre vie se consume « telle l'huile dans la lampe » ; mais nous n'y prêtons guère attention. C'est ainsi que la mort nous surprend : par inattention ! Si, en revanche, suivant le conseil du poète, nous vivions comme des morts en puissance, la mort ne nous surprendrait ni ne nous effraierait. Voilà une approche de la mort anticléricale, puisque Kabir, ne croyant ni en la résurrection ni au paradis de l'islam, ne souhaite qu'échapper à la réincarnation sans fin que les brahmanes font redouter. Il compare notre vie à l'eau contenue dans une jarre de terre et que la mort briserait, répandant cette eau dans un océan plus vaste qu'il nomme l'Infini. Comme une illustration contemporaine de cette philosophie de Kabir, il est de coutume, à Bénarès, de souhaiter à ses parents et amis d'être morts : on leur réserve ce traitement surréaliste les jours de fête. S'ils sont absents de leur demeure en ces jours fastes, le visiteur attentionné les nommera à haute voix de manière à appeler sur eux cette mort-vie...

> *Je regardai avec attention, puis regardai de plus près*
> *La Terre s'élança vers le Soleil*
> *Un éléphant s'engloutit dans la gueule d'une fourmi*
> *Les montagnes s'envolaient sans la moindre brise*
> *Les âmes et des créatures grimpaient aux arbres*
> *Dans un lac asséché les vagues grondaient*
> *Privés d'eau, les oiseaux se baignaient*
> *Des sages accroupis lisaient les lois sacrées*
> *bavardant de ce qu'ils ne virent jamais*
> *Mais celui qui aura compris ce sonnet de Kabir*
> *lui est un saint jusqu'à la fin des temps.*

Cinquième partie

Les messages de l'Inde

12

L'Inde en nous

À trois reprises, l'Inde a déferlé sur l'Europe, chacune de ces grandes vagues laissant derrière elle des encoches dont nous gardons rarement mémoire.

La première vague remonte à vingt-trois siècles ; ses effets se font encore sentir. En ce temps-là, Ashoka, roi de l'Inde, dépêcha des missionnaires bouddhistes vers l'Orient ; ils gagnèrent la Chine. Il en dépêcha aussi, ce qui se sait moins, vers l'Occident. L'Occident, en ce temps-là, était le voisin immédiat de l'Inde ; avant que l'islam ne s'interpose, l'empire, qui fut successivement perse, hellène et romain, s'étendait de la Méditerranée à l'Indus. Les échanges entre l'Inde et l'Europe étaient paradoxalement plus immédiats qu'ils ne le sont devenus au cours de ces dix derniers siècles. Les missionnaires d'Ashoka furent donc à l'origine du premier prosélytisme religieux de l'Histoire. Dans le monde hellénique, ces moines prêchèrent une sagesse nouvelle pour l'époque et en ces lieux, empreinte de charité, d'amour et de renoncement — toutes notions étrangères aux philosophies et religions de la Grèce, de l'Égypte, de Babylone ou des Hébreux. Ces Indiens puis leurs disciples vécurent et enseignèrent plusieurs siècles au Proche-Orient, assez longtemps pour y fonder d'immenses monastères dont on connaît des vestiges à Antioche et à Alexandrie en particulier. Au IVe siècle de notre ère, saint Jérôme s'insurgeait contre les « faux prophètes de l'Inde » ; c'est donc qu'ils étaient encore présents. Mais il était trop tard pour fulminer, car ils avaient imprégné les hommes de la Méditerranée en quête de sacré ; l'enseignement du

Bouddha s'était déjà métissé avec les théologies grecque, égyptienne et hébraïque pour constituer, toutes ensemble, la nouvelle religion chrétienne. Renan l'a pressenti, écrivant dans sa *Vie de Jésus* qu'il y avait « quelque chose de bouddhiste » dans la parole du Christ. Mais pas seulement dans sa parole. Pour qui connaît les ornements des plus anciens temples de l'Inde, nos représentations médiévales de la Passion, du jardin des Oliviers à la Crucifixion, apparaissent à l'évidence comme une reprise graphique ou une réinterprétation de la vie de Bouddha, avec quelques siècles de décalage.

Avant même d'avoir pris connaissance du commentaire de Renan, il m'avait été donné de contempler les bas-reliefs des pagodes et des monastères de Taxila, située au nord du Pakistan actuel et qui fut l'antique capitale des Hellènes en Inde ; la source indienne de la représentation chrétienne m'avait alors frappé comme étant plus qu'une coïncidence. Je n'étais pas le premier. C'est à Taxila que des artistes grecs parvenus en Inde dans le sillage d'Alexandre le Grand, en 327 avant notre ère, avaient initialement rencontré des moines bouddhistes et des philosophes hindous ; les Grecs appelèrent gymnosophistes certains d'entre eux qui vivaient nus et dont on considère aujourd'hui qu'il s'agissait de renonçants de la secte des jaïns. Ces Grecs sculptèrent dans la pierre et le stuc des images de la vie de Bouddha qui nous sont parvenues, méditant sous un figuier, prêchant à ses disciples attentifs, émacié, guettant la mort ; seule la croix aura manqué à son calvaire.

Bien que la thèse soit disputée par les historiens indiens, il semble bien que l'on doive aux artistes de cette province, dite du Gandhara, les premières représentations connues de Bouddhas helléniques et d'Apollons bouddhiques. Lorsque ces temples et d'autres qui leur ressemblent furent redécouverts, au XIXe siècle, par des archéologues européens, ceux-ci ne doutèrent pas que Bouddha avait emprunté son visage à celui d'Apollon ; ils en conclurent que les Grecs avaient conféré à Bouddha une physionomie, alors qu'il n'avait auparavant été représenté que de manière symbolique, par l'empreinte de son pied ou une fleur de lotus. Le premier Bouddha aurait donc eu des traits grecs, ce qui ne peut être prouvé, mais il est certain que les Grecs rapportèrent ces images en Europe et, avec elles, la spiritualité qu'elles accompagnaient.

Pour Renan et d'autres lecteurs rationalistes des Évangiles, cette influence éclaire peut-être le sermon de Jésus sur la montagne, qui est une parole de rupture et non de continuité avec l'héritage hébraïque. Au regard de l'Ancien Testament, le sermon est en effet inexplicable, alors qu'il est aisé de l'entendre comme un écho de l'enseignement de Bouddha. C'étaient aussi les hindous qui préconisaient l'ascèse et le renoncement ; ce n'étaient pas les Hébreux.

Trois siècles avant notre ère, Mégasthènes, l'ambassadeur grec auprès du monarque indien Chandragupta, écrit — et il sera lu par les Hellènes de la Méditerranée orientale — que les brahmanes ne cessaient de parler de la mort sur un ton joyeux qui laissa l'auteur interloqué ; que la vie, pour eux, n'était qu'illusion et préparation à la mort. De quoi étonner en effet un Grec mais aussi un Juif de ce temps-là. Flavius Josèphe observa que les pharisiens d'Alexandrie avaient emprunté aux Indiens leur croyance en la résurrection des morts ; celle-ci, qui était étrangère aux dogmes des Hébreux, finira par y entrer, et on la retrouvera à l'identique chez Jésus-Christ. Pareillement, et sur un mode plus trivial, tout chrétien qui pratique le culte des reliques, qui entend sonner les cloches et se laisse griser par l'encens sait-il combien ces rites sont indiens, et de plusieurs siècles antérieurs au christianisme ? Probablement pas. Au XIXe siècle, il se trouvait encore des missionnaires catholiques pour s'indigner qu'en Inde ces païens utilisent « nos cloches » et « notre encens » — ce qu'écrivit le père Huc dans son

Voyage en Barbarie, un livre à succès publié à Paris dans les années 1860. C'est l'inverse qui était vrai, et si l'on admet qu'il existe une relation entre la forme, les rites et leur substance, on doit accepter cette dimension indienne du christianisme tel qu'il se pratiquait avant que le concile Vatican II ne se livre à l'épuration liturgique que l'on sait.

Cette imprégnation orientale, qui laissera interloqués quelques chrétiens, était fréquemment évoquée au début du XIXe siècle lorsqu'on découvrit enfin en Europe la traduction des Veda et des Upanishad ; nos philosophes — Kierkegaard tout particulièrement — se déclarèrent stupéfaits par la tonalité « évangélique » des textes sacrés de l'Inde. Puis on en resta là. Les recherches entreprises par la suite pour approfondir ces sources indiennes furent brouillées dans les années 30 après que les nazis y eurent trouvé prétexte à une sorte d'aryanisation et de déjudéïsation du christianisme ; mais, si leur perversion a pu détourner de la vérité des faits, elle n'aura su les supprimer.

Plus récemment, à partir de la découverte des manuscrits bibliques de la mer Morte, certains archéologues des religions ont à nouveau envisagé une sorte de filière indienne conduisant des moines bouddhistes à la communauté des esséniens qui vécut à côté de Jérusalem ; ceux-ci pratiquaient le renoncement et la chasteté, et il est plausible que Jésus en fut proche. Le monachisme bouddhiste aurait-il déterminé celui des esséniens qui à leur tour auraient influencé Jésus ? Nous ne le savons pas de manière certaine : il peut y avoir eu échange, imprégnation ou seulement similitude des comportements, correspondant à une même aspiration de l'esprit humain.

Tout cela, qui embarrasserait les croyants chrétiens, ne perturbe nullement les hindous ; nombre d'entre eux admettent comme évident que Jésus, dieu vivant, est un avatar du Dieu suprême, autant que le furent Bouddha ou Krishna. Ne devrait-on pas, à l'inverse, demander à ces

Occidentaux qui croient découvrir le bouddhisme s'ils ne sont pas en passe de redécouvrir le chrétien en eux ? Pareillement, à chaque fois qu'un chrétien « tend l'autre joue », ou qu'il fait acte de charité, n'est-ce pas en partie l'Inde en lui qui rebondit ?

Il va de soi que l'existence de cette « Inde en nous » ne pourra jamais être démontrée, puisque le cheminement de la pensée laisse peu de traces... Aucun indice substantiel ne permet en revanche de partager la légende indienne du Christ qui aurait été initié par un gourou et aurait achevé sa vie au Cachemire, où il aurait été brûlé selon la tradition hindoue. Toujours est-il qu'au Cachemire une stèle antique marque le lieu de cette crémation supposée. Par ailleurs, cette continuité envisagée de l'Inde au Christ ne nie en rien la Révélation chrétienne pour ceux qui y adhèrent ; mais elle introduit un coin entre juifs et chrétiens qui pourrait expliquer quelques siècles de malentendus. Si Jésus devait à l'Inde autant qu'à Moïse, le concept de judéo-christianisme perdrait également une partie de sa valeur. Il est vrai que cette perte laisserait juifs et chrétiens probablement assez indifférents, tant ce judéo-christianisme est de création récente et circonstancielle, plus politique que théologique. En revanche, la vision de Teilhard de Chardin d'une Révélation qui serait universelle et transiterait par de multiples prophètes sortirait renforcée de cette présence cachée de l'Inde en Occident. Les Occidentaux de civilisation chrétienne en deviendraient plus indiens qu'ils ne le savent et, avec les Indiens, convergeraient vers le point Oméga, cette fusion de toutes les spiritualités dans l'unicité, espérance chère à Teilhard, le jésuite, autant qu'à Romain Rolland, le théiste. Tel me paraît être l'héritage de la « première vague » indienne en nous.

La deuxième vague du génie indien, au siècle des Lumières, submergea l'Europe qui s'en retrouva comme décentrée. La pensée dogmatique et ethnocentrique qui nous gouvernait jusque-là fut ébranlée par la découverte d'autres mondes qui se révélaient tout aussi civilisés que pouvait l'être l'Occident chrétien. Certes, dès le XVIᵉ siècle, Montaigne avait inventé le « bon sauvage », indigène des Amériques, mais ce personnage incarnait un état de nature plutôt qu'une civilisation alternative. Pareillement, le monde arabe tel qu'on le connaissait paraissait décadent, et l'Afrique entière, primitive. À l'inverse, les narrations, images et objets qui, de Chine et de l'Inde, affluèrent au cours du XVIIIᵉ siècle représentaient de véritables civilisations, possibles mais autres, aussi sophistiquées et désirables que celles de l'Europe. Bien des idées reçues, qu'elles concernassent les mœurs, l'ancienneté de la planète, la métaphysique, l'origine des langues, qui paraissaient jusque-là absolument vraies, ou inhérentes à la nature humaine, se retrouvèrent, à la lumière de l'Orient, relatives, voire contestables. Dans ce grand décentrage de l'Europe, l'Inde introduisit une incertitude plus dérangeante encore que la Chine. « L'Inde, écrit Voltaire, de qui toute la Terre a besoin et qui, seule, n'a besoin de personne. » Ce qui reste vrai.

Au peuple chinois et à ses empereurs, nos philosophes et encyclopédistes attribuèrent une grande sagesse laïque, inspirée par les préceptes de celui que Voltaire appelait « Maître Kong » (Confucius), dont il suspendit le portrait présumé dans son bureau de Ferney. « À Maître Kong, écrivit-il, qui fut prophète en son pays » — un pays né des imaginations bizarrement convergentes des jésuites et du philosophe athée.

Si ces chinoiseries sont connues, et les origines exotiques de la philosophie des Lumières volontiers admises, l'influence de l'Inde sur cette époque paraît plus profonde et plus secrète. Moins politique, elle fut plus spirituelle. En Chine, les missionnaires chrétiens n'avaient pas voulu s'intéresser aux religions ; non qu'elles fussent absentes, mais la diversité des cultes leur parut vulgaire, sans profondeur théologique. En Inde, les religions n'étaient pas niables, puisqu'elles envahissaient tout ; de surcroît, les récits de l'Inde qui parvinrent en Europe, émanant d'aventuriers et de commerçants plus souvent que de missionnaires, étaient plus tolérants que ceux de la Chine. Les élites européennes découvrirent donc avec étonnement qu'en Inde les cultes foisonnaient et coexistaient : on pouvait, en un même lieu, vénérer plusieurs dieux, sans violence ni excommunication ! Pour désigner cette grande forêt spiritualiste, le terme qui s'imposa ne fut pas « hindouisme » — création plus tardive des colonisateurs britanniques —, mais, comme nous l'avons dit plus haut, « tolérantisme » : l'Inde révélait qu'il était envisageable d'être profondément religieux et en même temps tolérant. À Paris ou à Londres, c'était un discours que l'on était disposé à entendre.

Il apparut aussi que la pensée indienne constituait un véritable système philosophique ; les Chinois proposaient des préceptes et des aphorismes, mais les Indiens excellaient autant que les Européens dans la logique déductive, fût-ce à partir de prémisses distinctes. Qu'il y eût ainsi plusieurs manières de philosopher, voilà qui administra une leçon de modestie aux intellectuels européens, et, au début du siècle suivant, cette philosophie indienne allait être enseignée au Collège de France et dans les universités allemandes au même rang que la philosophie grecque. Arthur Schopenhauer, à Weimar, estima alors que les hindous étaient des penseurs plus profonds que les Européens parce que, écrivit-il, « leur interprétation du monde est intérieure et intuitive, et non pas extérieure et intellectuelle » ; ils avaient compris, ajouta-t-il, combien le Moi est une illusion, et l'Infini seul une réalité. Participant de cette influence de l'Inde en Allemagne, Friedrich Nietzsche crut deviner dans les brahmanes une caste supérieure qu'aurait légitimée sa connaissance des mystères de la religion et de la morale ; certains exégètes en ont conclu à une inspiration brahmanique de l'aristocratie de « surhommes » dont le philosophe allemand rêvait pour l'Occident. En France, sur un mode plus jovial, Paul Verlaine, dans son sonnet « indien » intitulé *Savitri*, commenta ainsi la religion hindoue : « Par Indra ! que c'est beau, et comme ça vous dégotte la Bible, l'Évangile et toute la dégueulade des Pères de l'Église ! »

La mesure du temps telle que la pratiquaient les Européens se trouva également bouleversée par une Inde ancrée dans des cycles infiniment plus longs que ceux de la Bible, jusque-là règle et mesure de toute computation occidentale. L'univers devint soudain plus ancien qu'on ne le croyait en Europe, plus à l'échelle de ce que les Indiens concevaient : sans doute les esprits en furent-ils mieux préparés aux mutations chronologiques de l'évolution darwinienne et de l'astrophysique. Citons encore la linguistique, où les Indiens excellaient avant les Européens, la découverte du sanskrit révélant une langue antérieure au grec et au latin, achevant ainsi de décentrer l'Occident dans l'espace et dans le temps.

Puis l'Inde déçut ; à la passion de l'Inde succéda son oubli. S'interrogeant sur cet « oubli de l'Inde », en particulier sur sa disparition de notre enseignement après qu'elle y fut si présente au XIXe siècle, le philosophe Roger-Pol Droit estime que l'excès d'espérance contenait la déception en puissance. L'Inde, écrit-il, aurait souffert d'avoir été l'écran de nos fantasmes où se projetait le remake d'une spiritualité sans révélation, surgie de la nature humaine, d'une morale née de la conscience sans le détour des Églises. Lorsqu'il apparut que l'Inde véritable était truffée de pagodes et de superstitions, les Occidentaux crièrent à la décadence et quittèrent la salle. L'image de l'Inde, selon Roger-Pol Droit — et on ne peut que le suivre —, aurait également souffert de la passion progressiste qui s'est emparée des esprits occidentaux après que Hegel eut assigné un sens à l'Histoire. Il apparut soudain que l'Inde n'avait pas d'Histoire, ou que celle-ci n'avait pas de sens. D'où un oubli philosophique de l'Inde, mais aussi politique puisque d'autres nations, comme la Chine, ont paru depuis lors mieux promises à un « avenir radieux » que ne l'était l'Inde : l'intelligentsia occidentale, particulièrement en France, préféra Mao Tsé-toung le révolutionnaire à Gandhi le réactionnaire, la violence à la non-violence. Jusqu'à la troisième vague, d'une tout autre ampleur et toujours présente...

Cette troisième vague indienne, frémissante à partir des années 60, aura déposé sur nos rives occidentales des apports aussi essentiels que la non-violence, le pacifisme gandhien, le mouvement hippie, les drogues douces et psychédéliques ; elle aura ainsi contribué à la lutte pour les droits civils de Martin Luther King, à la résistance contre la guerre au Viêt-Nam, aux mouvements étudiants de 68, à la découverte de la méditation et du yoga, aux musiques et chorégraphies de Maurice Béjart, des Beatles et de Phil Glass.

Tout cela, qui dérive de l'Inde, n'est-il qu'un bric-à-brac de voyage ou bien une révolution de l'esprit ? Essayons de distinguer l'artifice de ce qui est profond.

Considérons 68. Trente ans après ces événements, certains se demandent encore s'il s'est agi d'une révolution ou, comme l'écrivit à l'époque Raymond Aron, d'une mascarade de révolution. Avec le temps, il est incontestable que ce fut une sorte de révolution culturelle ; elle aura transformé les mœurs occidentales par une « libération » anticonservatrice et antiautoritaire. Si le caractère révolutionnaire en paraît encore insaisissable, c'est qu'il s'agissait du premier mouvement de masse « gandhien » en Occident, visant à changer la vie plutôt que la société, en rupture avec l'idée de révolution telle qu'elle avait été jusque-là prônée et pratiquée. Ce refus de la violence et du principe d'autorité, ce primat du spirituel sur le matériel, du personnel sur le collectif, du Moi sur le Nous n'étaient-ils pas un peu indiens ? La généalogie de la révolte des étudiants, qui commença en Californie en 1967 avant de déferler sur l'Occident, est clairement ancrée dans l'Inde. Dès 1962, le poète précurseur Allen Ginsberg avait rapporté d'un voyage en Inde un bric-à-brac, *Beat-Zen*, base de l'accoutrement à venir et de la non-violence des *flower people*. N'est-ce pas les *hippies cool*, à Paris ou à Berkeley, qui l'emportèrent sur la philosophie de la violence, que celle-ci fût marxiste, trotskiste ou maoïste ? Consciemment ou non, le gandhisme aura hanté la stratégie pacifique des étudiants de 68, qui eut raison à la fois de la brutalité policière, du machisme ambiant et de l'hostilité des communistes orthodoxes. Hors de France, on rappellera qu'à cette même époque les Tchèques résistèrent par la non-violence et une non-coopération toutes gandhiennes à l'invasion soviétique ; n'est-ce pas, à terme, les chars qui furent vaincus ?

L'héritage de 68 reste évidemment présent. Mais quel est-il ? Pour l'essentiel, le féminisme et l'écologie le résument, ce qui est considérable et on ne peut plus indien. L'écologie et le féminisme issus de 68 comme valeurs d'origine indienne, ou provoquées par la rencontre entre l'Inde et l'Occident ? Rien ou peu de chose, dans la pensée occidentale contemporaine, ne prédisposait à rejeter la virilité, le respect de l'autorité, la maîtrise de la nature, tandis qu'en Inde l'individu, par tradition, se plie à la nature, en fait partie intégrante ; la nature y a conservé le caractère sacré qu'elle a perdu en Occident depuis la révolution industrielle.

Il existe bien une tradition guerrière virile en Inde, dont témoigne au moins le *Mahabharata*, mais elle est seconde, derrière la vénération d'innombrables déesses ; l'Inde, pour les Indiens, est avant tout la Mère Inde. Les soixante-huitards qui « ont fait » la route ont pu, dans leur comportement ou leur accoutrement, caricaturer cette androgynie de l'Inde, mais ils ne se trompèrent point sur sa féminité essentielle et son ambiguïté sexuelle, au rebours de la virilité occidentale. Nul mieux que Gandhi n'exhiba ce que l'homme avait de féminin ; entouré de femmes, d'enfants, de faibles, il ne reniait pas sa masculinité mais conviait à porter sur le monde un regard féminin, aimant plutôt que conquérant.

Cette souche gandhienne de l'écologie et du féminisme, qui me paraissent les seules véritables innovations en matière de philosophie politique de la fin du XXe siècle, valides pour le XXIe, n'est pas seulement d'ordre métaphorique, nous l'avons constaté pour les États-Unis. En France, il existe aussi une réelle filiation historique entre Gandhi et l'écologie, qui passe par Lanza del Vasto. Disciple direct de Gandhi, il fut le premier à protester de manière non violente, dès 1959, contre les tortures en Algérie ; en 1972, il entreprit un jeûne « gandhien » contre l'extension du camp militaire du Larzac. Cette manifestation, qui connut un immense retentissement, peut être considérée comme le moment fondateur de nos mouvements écologiques et des modes de vie alternatifs.

Le fait qu'écologie et féminisme soient pour l'instant « instrumentalisés » en Occident par des porte-parole autoproclamés ne saurait conduire à confondre cette récupération politique avec leur valeur réelle. L'un comme l'autre portent en eux une négation radicalement neuve de l'exercice du pouvoir, qu'il s'agisse du pouvoir des hommes sur les femmes, du père sur l'enfant, de l'humanité sur la nature, des forts sur les faibles, des virils sur les féminins, des puissants sur les peuples, des exploitants sur les exploités — une révolution en gestation, sans véritable précédent en Occident, du moins dans l'ordre politique et social. Les seuls antécédents auxquels on pourrait éventuellement songer seraient de caractère religieux, empruntant à certains ordres monacaux réservés à quelques initiés, tandis qu'il s'agit ici d'une nouvelle conception de masse de la vie en commun.

L'écologie et le féminisme étant ainsi compris dans leur signification essentielle, la récupération à laquelle chacun songe est évidemment cocasse, puisqu'elle contredit totalement ce qu'elle prétend représenter. Ainsi, lorsqu'une féministe exige au nom du féminisme sa juste part du pouvoir exercé jusque-là par les hommes, elle nie, inconsciemment ou délibérément, que le féminisme serait la négation du pouvoir plutôt que son grappillage ! La même observation vaut pour les écologistes quand eux aussi veulent du pouvoir afin de l'exercer dans des termes identiques à ceux qui prévalaient précédemment. Là encore, la contradiction est grande dès lors que l'écologie bien comprise ne serait pas l'exercice de l'autorité, mais une redistribution de tout pouvoir jusqu'à la base, assortie d'une réflexion sur les finalités du développement.

L'écologie et le féminisme ainsi redéfinis, nul ne les exprima mieux que Gandhi en son temps, même s'il ne fut pas toujours compris, surtout par ceux qui ne voulaient pas comprendre... Ainsi, lors des grandes manifestations publiques contre la colonisation, attendait-il des femmes non qu'elles y participent avec les hommes, ni qu'elles restent à la maison, mais qu'elles s'expriment *autrement*. Pareillement, en invitant chacun à tisser ses propres vêtements, il ne signifiait pas son refus de tout machinisme ; il invitait à s'interroger sur la diversité, la multiplicité des voies qui pouvaient et peuvent encore conduire au développement dans la dignité.

Que le féminisme et l'écologie soient encore balbutiants, mal compris, ne saurait contredire ce fait essentiel que l'un et l'autre deviennent des valeurs centrales et indissociables en Occident. Qu'ils soient récupérés en politique ne change rien à leur vérité mais prouve plutôt leur caractère éminent. Ces valeurs nouvelles nous invitent à regarder le monde au féminin après des siècles de masculinisation conquérante, scientifique et belliqueuse : halte au viol de la Terre comme au viol des faibles !

Les années 68 : écologie, féminisme, non-violence, route des Indes. Il est certain que des esprits progressistes, persuadés que nous ne saurions vivre qu'à l'heure du marché mondial, vont se récrier et sourire de ces réminiscences. Il me paraît plutôt — ce qui, bien entendu, ne saurait être qu'une hypothèse — que ces thèmes que l'on pourrait appeler « indiens » ne sont qu'à l'aube de leur développement. Nous ne savons pas encore quoi en faire, tant ils sont inattendus, en rupture avec nos habitudes de pensée et d'agir. Voilà pourquoi certains s'attachent à les marginaliser ou à les réduire en charpie partisane. Mais l'aventure à venir de ces concepts va bien au-delà du politique ; ils conditionnent de futures manières de faire de la politique, de gérer le pouvoir, et pas seulement par des quotas ou des coalitions. Le féminisme et l'écologie, qu'il est décidément impossible de dissocier, orienteront aussi — s'ils s'imposent, comme on le croit ici — une nouvelle économie. Celle-ci ne sera pas dictée par l'État mais par le marché ; seulement ce marché devra incorporer à leur véritable prix des valeurs supplémentaires qui ressortiront à la nature, à l'esthétique, au respect des humbles, à l'inscription dans la durée.

Je rappellerai que l'un des tout premiers penseurs de l'écologie en France, qui fut également très proche du féminisme (au sens où on l'entend, ici, de regard féminin, non violent, sur le monde), fut l'un des rénovateurs de la philosophie libérale ; il s'appelait Bertrand de Jouvenel. Il inventa ce qu'il proposa de nommer « futurologie » et, dans son effort, révolutionnaire pour l'époque, de recherche prospective, il fut le premier, dans les années 60, à suggérer que la nature soit valorisée dans le calcul économique. Il estimait aussi qu'il fallait compter sur l'action privée pour respecter cette valeur de la nature, car les serviteurs de l'État, qu'il n'aimait pas, lui paraissaient, par leur vocation même, toujours épris de puissance et jamais de compassion.

On ne prétendra pas pour autant que le XXIe siècle sera indien ou ne sera pas. Mais il pourrait devoir à la pensée indienne ses caractères les plus neufs, dans une version relativement optimiste de l'Histoire où la faiblesse deviendrait une force, la beauté une valeur, la nature un trésor, le féminin, en nous et autour de nous, un principe plus digne et plus respectable que la force brute. Tel serait l'héritage de ce que l'on a appelé ici la « troisième vague » indienne.

En attendant la quatrième, qui pointe : un léger bruit pour l'instant, rien de plus. Cette vague qui vient — ou qui viendra peut-être — serait-elle mystique pour complaire à la prophétie que l'on attribue si souvent à André Malraux, encore qu'il ne l'ait jamais proférée ? N'est-ce pas d'ordinaire ce que l'on attend de l'Inde : un supplément de mysticisme au cœur aride de l'Occident désenchanté ? Telle n'est pas ici notre attente. Si « quatrième vague » il devait y avoir, plutôt que la Divinité ou la Spiritualité, je l'appellerais Tolérance. C'est-à-dire acceptation de l'autre, reconnaissance de la part de vérité en l'autre.

« L'Inde brûlante, matrice des Dieux », écrivit Romain Rolland. Le XXIe siècle sera-t-il mystique et Dieu sera-t-Il indien ? Doutons-en. Depuis que le christianisme se délite en Europe, la fonction de l'Inde semble de révéler en creux un désir de religiosité plutôt que de conduire à une spiritualité nouvelle. Tels qu'ils sont interprétés par les Occidentaux qui s'y réfèrent, l'hindouisme et par-dessus tout le bouddhisme tibétain me paraissent relever davantage des fantasmes que d'une adhésion véritable à des théologies effectivement connues. L'hindouisme qui se pratique en Inde n'est pas celui qui s'exporte et qui est pratiqué en

Occident sous couvert de yoga, réduit à une gymnastique.
Pareillement, le bouddhisme vulgaire qui intéresse les Occidentaux me paraît souvent refléter la passion individualiste
que chacun a pour lui-même plutôt qu'une aspiration au
renoncement et à l'extinction. Ainsi le dalaï-lama passe-t-
il à l'Ouest pour un « marchand de bonheur », ce qui est
pour le moins une définition paradoxale du désir d'extinction de soi qu'il propage ! L'adoration occidentale pour le
dalaï-lama nous en apprend plus sur l'Occident que sur le
bouddhisme. De celui-ci, on laisse de côté la compassion,
le renoncement absolu et le désespoir métaphysique ; on ne
retient que l'exotisme, les tours de magie, la méditation,
mais de soi sur soi, et le sanglot de l'homme blanc sur les
Tibétains. Rien qui laisse présager une vague de conversion. Sur un même mode, celui du malentendu, les Européens qui persistent sur la route des Indes aboutissent le
plus souvent à quelque ashram pour étrangers dont ils
rapportent des pratiques de méditation très aseptisées.

En Inde, il est vrai, la religion n'existe pas non plus à
l'état pur ; bien des Indiens, chez eux, hésitent aussi entre
des fakirs archaïsants et un nouveau dieu plus séducteur
qui se nomme le matérialisme occidental ; la plupart des
Indiens ne sont pas des « renonçants ». L'Inde, cependant,
reste plus chargée de religiosité, de mysticisme, de spiritualité — quel que soit le terme retenu — que ne l'est
devenu l'Occident.

L'Orient serait-il religieux en soi, et l'Occident matérialiste par destination ? Cette distribution des rôles ne résiste
pas à l'analyse : l'Ouest aura engendré autant de saints et
de mystiques que l'Est, ainsi que le rappelaient Sri Aurobindo et Romain Rolland. On ne peut d'ailleurs parler d'un
seul Occident : les États-Unis aujourd'hui constituent une
nation d'apparence aussi dévote que l'Inde, et c'est l'Europe, passionnée de laïcité, qui fait exception. Le principe
explicatif que l'on pourrait en déduire paraîtra affreusement

déterministe aux croyants : plus une religion est décentralisée, diversifiée et ritualisée, plus elle résiste aux assauts critiques de la pensée rationaliste. Tocqueville, en son temps, avait déjà pressenti pareille relation entre la vitalité du protestantisme américain et la variété de ses sectes. En Inde, pareillement, sous couvert de l'hindouisme, il existe autant de cultes que de villages, chacun d'eux plus localement enraciné que prétendant à l'universel.

Aucune de ces authentiques sectes hindoues n'étant ni portée au prosélytisme ni véritablement exportable, on ne saurait donc s'attendre à une hindouïsation de l'Occident pas plus qu'à une vague bouddhiste ni à un déferlement du mysticisme oriental. En revanche, on assiste à ce que l'on pourrait appeler une « orientalisation » du christianisme en Occident, une recherche de Dieu en nous qui tend à se substituer à la recherche de Dieu au-dessus de nous. L'intérêt manifeste porté au dalaï-lama en Occident, déjà noté, pourrait s'expliquer, certes, par « sa recette du bonheur », mais avant tout par l'invitation bouddhique faite à chacun de diviniser son Moi. Pareillement, les Églises évangélistes, qui rayonnent depuis les États-Unis et tendent à devenir majoritaires dans les deux Amériques, proposent un culte où le narcissisme se substitue à l'amour du Christ sous couvert d'une possession par Lui. Cette sorte de privatisation d'une religion sans Église est un futur possible pour l'Esprit en Occident : un spiritualisme individualiste, au croisement du yoga indien et du pentecôtisme américain, cohérent avec l'évolution des sociétés modernes où chacun pour soi se fait une très haute idée de lui-même. Ce glissement envisageable du religieux qui « reliait » vers un automysticisme qui « séparera » témoigne évidemment moins de la présence en nous de l'Inde réelle que d'une Inde imaginée. Au total, seule la vision teilhardienne de la convergence spirituelle, bien qu'elle se prétende catholique, nous paraît véritablement indienne : si « tout ce qui monte converge », ainsi que l'espérait Teilhard de Chardin, l'Inde est incontestablement teilhardienne, et l'Europe pourrait le devenir — un peu.

Par-delà cette Inde imaginée, si l'on devait maintenant s'intéresser à l'Inde réelle, le message m'en paraîtrait moins spirituel, plus humaniste et plus temporel : l'Inde véritable illustre une manière de vivre ensemble qui est différente de la manière occidentale, précisément en un temps où les Occidentaux s'interrogent sur leur devenir en société. La grande incertitude des Européens et des Nord-Américains n'est-elle pas d'ordre social et culturel plus que religieux ? Comment pourrons-nous continuer à vivre ensemble tout en devenant de plus en plus plus différents les uns des autres ? Ainsi que l'a justement souligné le sociologue Alain Touraine, l'Europe a édifié au XIXe siècle la démocratie politique, au XXe siècle la démocratie sociale, il lui reste à inventer, au XXIe, la démocratie culturelle.

Nos sociétés, qui tendaient à l'uniformité des comportements, se précipitent vers leur diversification ; le brassage de populations d'origines, de confessions et de langues infiniment variées, la légitimité reconnue à toute minorité rendent désormais insaisissable la définition simple de ce qu'est l'identité nationale, voire de ce que deviendra l'identité européenne. Désarçonnés par ce multiculturalisme de fait, certains espèrent en une réaction national-chauvine qui réenfermerait chacun dans une identité unique, contrainte par une autorité supérieure. Mais ce national-chauvinisme ne figurera probablement plus au XXIe siècle que comme une épave des idéologies du XIXe ; les moyens de communication aidant, nos sociétés évoluent inéluctablement vers la cohabitation d'identités multiples entre nous et en chacun de nous. En plus de ce multiculturalisme, des nouvelles communautés virtuelles, que réunit l'adhésion symbolique à des codes, à des langages, à des comportements ou à quelque *Website*, s'ajoutent aux anciennes affiliations locales et nationales. Pourrons-nous tous cohabiter dans cet Occident pluriel et virtuel, pluriculturel et polyterritorial ? La plupart de nos politologues et de nos sociologues en doutent, mais leurs outils d'analyse et de prévision appartiennent aux disciplines positivistes du XIXe siècle. Que ne regardent-ils l'Inde où un milliard d'individus différents vivent ensemble sans trop démêler les langues, les religions, les mœurs, et sans violence excessive ! « Chaque Indien est une minorité », dit Ashis Nandy. « Chaque Indien est un mutin », a écrit le romancier V. S. Naipaul — ce qui revient au même...

Bien entendu, il ne règne pas en Inde qu'une harmonieuse anarchie. Il s'y trouve des intégristes qui recourent à la violence pour contenir la diversité et fabriquer de l'uniformité nationale ; à l'inverse, certains mouvements religieux ou ethniques — sikhs, musulmans ou régionalistes — préféreraient une Inde éclatée en communautés homogènes. Mais ces craquements sont insignifiants, rapportés à la stabilité et à l'immensité du tout. On ne voit d'ailleurs pas selon quelles frontières ou lignes de force se réorganiserait l'Inde, tant ses communautés sont enchevêtrées. Au reste, chaque Indien n'est-il pas aussi une personnalité métisse ? Il faudrait tuer Kabir en chacun avant d'en faire un citoyen réduit à une religion, à une langue, à une nation.

En fait, c'est l'identité telle qu'on l'entend en Europe que l'expérience indienne bouscule. Nous avons ici une conception trop simple de l'identité ; nous l'aimons assez réductrice pour tenir sur une carte, alors qu'en Inde les contours de l'identité culturelle, religieuse, sociale, sexuelle, linguistique, restent généralement flous, voire contradictoires. À l'opposé des Occidentaux, la contradiction des comportements n'embarrasse guère en Inde, et il est communément admis que l'on y soit, à l'image des dieux androgynes, plusieurs personnes à la fois. En Europe, il convient d'être de droite ou de gauche, libéral ou socialiste, religieux ou anticlérical, ceci ou cela, et surtout de s'y tenir ; il ne faut surtout pas, enseigne-t-on très tôt aux enfants, faire deux choses à la fois ni gérer deux convictions antagoniques. Au mieux, en Europe, nous sera-t-il permis de changer de camp, mais avec fanfare et au terme d'une conversion affichée. Tout cela, que l'on appelle parfois l'esprit cartésien, et qui est fondé sur la distinction des genres, contribue certainement à faire progresser les Occidentaux sur la voie du matérialisme et de la maîtrise de la nature — à défaut de la maîtrise de soi. Rien de tel en Inde où les inconséquences sont reconnues comme appartenant à l'ordre éternel des choses ; à défaut de progrès soutenu, ce principe indien de la contradiction assumée alimente et stimule l'imagination et la fantaisie. Contradictoires, dissidents, mutins, minorités : la plupart des Indiens ont une identité floue, ce qui ne les rend pas moins indiens. Tel est le fond du message contemporain de l'Inde au reste du monde.

Cette Inde réelle, dans la « quatrième vague » à venir, devrait donc réapparaître comme un symbole du tolérantisme ; mais, contrairement à ce qu'il en fut au XVIIIᵉ siècle, le nouveau tolérantisme englobera toutes les facettes du comportement, et pas seulement les religions. De l'Inde, nous apprendrons aussi que ce tolérantisme de la différence n'a rien de spontané : il aura fallu aux Indiens des siècles d'apprentissage pour qu'ils intériorisent le fait que la différence est la norme.

On peut voir en Inde que l'ingénieur à attaché-case parvient à ne pas s'étonner de croiser dans une rue de Bombay ou de Madras un mendiant nu couvert de cendres ou un travesti dansant. S'étonner reviendrait à douter qu'il existe mille et une manières d'être humain, or chacun apprend à n'en pas douter. Cette tolérance est une discipline sociale.

Tel me paraît être le quatrième message possible de cette Inde réelle : un permanent effort pour ne plus discriminer, encouragé par cette grande université du relativisme et de l'infinie richesse des civilisations. J'entends d'ici protester les « souverainistes » et autres national-chauvins qui nous somment de choisir entre l'uniforme et le bannissement. Qu'ils protestent ! Par sa connaissance très ancienne de l'identité multiple en nous, l'Inde me paraît plus authentique qu'ils ne le seront jamais. Ainsi que le pressentait André Malraux, l'Inde réelle, pour qui désire la connaître, « enseigne à vivre ».

13

Gandhi qui vient

Parmi toutes les doctrines du siècle écoulé et du précédent, une seule n'a pas encore été expérimentée : le gandhisme. On m'objectera que Gandhi, le « fakir à demi nu », que Catherine Clément a plus joliment appelé l'« athlète de la liberté », n'apparaît plus tellement comme un prophète en son pays ; bien des Indiens lui préfèrent Ambedkar ou Netaji Bose, qui furent des combattants sur le mode occidental. Peut-être la vocation de Gandhi est-elle maintenant de devenir prophète hors de l'Inde. Nous avons vu qu'il l'était déjà par sa descendance écologique et féministe, mais l'essentiel de son enseignement politique et économique reste à explorer.

Le gandhisme est-il une doctrine universelle, convient-il d'en faire une idéologie au même titre que celles qui ont déjà été testées ? Socialisme, léninisme, tiers-mondisme, fascisme : de toutes celles-ci, qui furent conçues en Occident, aucune n'a tenu ses promesses. On en conclut volontiers que toutes les idéologies ont échoué ; mais peut-on se passer d'idéologie ou, au moins, d'utopie ? Doutons-en. L'homme n'étant pas complètement raisonnable ni exclusivement rationnel, le principe de réalité ne lui suffit pas, ni même la vérité. Ainsi qu'ironisait le philosophe britannique Isaiah Berlin, « tout le monde cherche la vérité, mais, si on la découvrait, on s'apercevrait qu'elle n'est pas intéressante ». Et il est revenu à un maître du libéralisme, Friedrich von Hayek, de nous exhorter à concevoir « des utopies de rechange », sauf à être débordés par d'autres utopies plus dangereuses*.

Le gandhisme est l'une de ces utopies possibles ; il est ancré dans la tradition indienne, mais il a croisé les Évangiles, Tolstoï, Thoreau et Ruskin, dont il s'est métissé. C'est sans conteste la contribution contemporaine essentielle de l'Inde au monde. Comme toute grande pensée révolutionnaire, le gandhisme est un assemblage. A-t-il une portée universaliste, ainsi qu'a pu y prétendre le socialisme ? Gandhi n'a pas structuré le gandhisme en doctrine complète ni comme une reconstruction de toute société ; c'est sa vie — il le répétait à ses disciples — qu'il convient de considérer comme un recueil d'expériences signifiantes.

En surface, son projet de vie n'apparaît pas tant s'adresser à l'homme en société qu'à l'individu en quête de salut, conformément à la tradition indienne du sage qui change le monde non en agissant sur le monde, mais en agissant sur sa propre personne — ce qu'à la même époque tenta Sri Aurobindo par la puissance de son yoga intégral. Aurobindo voulait changer l'homme. À la fois moins ambitieux et plus immédiat, Gandhi invitait seulement chacun de nous à l'imiter, ce qui est universellement envisageable.

« Gandhisme », « gandhien » : utiliser ces termes, n'est-ce pas trahir Gandhi ? Comme Marx qui refusait d'être qualifié de marxiste, Gandhi n'était pas gandhien. Mais il s'agissait chez lui d'un peu plus que de la modestie ; il se méfiait des idéologies ou de l'idéologisation de sa pensée ; il ne croyait pas en l'efficacité d'une doctrine qui aurait été proclamée sans être vécue. Son ambition, autant que celle de Marx ou des libéraux, était bien de changer la société, mais il ne croyait pas que ce fût possible par la transformation des structures de la société selon la logique occidentale. Pour lui, seul l'individu, parce qu'il fera sur

---

* Voir Guy Sorman, *Les Vrais Penseurs de notre temps*, Fayard, 1989.

lui-même l'effort de se changer, parviendra à changer le monde ; ce n'est pas le changement du monde qui suscitera l'homme nouveau, mais le contraire.

Ce gandhisme est-il seulement une doctrine religieuse ? Le rapprochement s'impose avec le judaïsme traditionnel et le christianisme des origines. Mais, au-delà de ces convergences, le gandhisme est *en même temps* une pensée religieuse et une action politique, puisque son but ultime est de changer l'homme et la société.

Une autre distinction éminente de la pensée gandhienne qui fait contraste avec nos habitudes contemporaines est que l'exemplarité du comportement est plus efficace que toute proclamation, mobilisation partisane ou lutte politique ; en somme, il ne peut exister de gandhisme que s'il existe des gandhiens bien vivants et exemplaires. Être gandhien n'exige pas de mimer le Mahatma Gandhi jusque dans ses petites manies, parfois étranges, mais de s'inspirer de sa morale et de son ascèse : de faire passer, en somme, ce qu'il appelait la « recherche de la vérité » avant celle du pouvoir. Par exemple, l'un des plus notoires intellectuels gandhiens de l'Inde contemporaine, l'écrivain Khushwant Singh, membre d'une sorte de fraternité informelle des disciples de Gandhi, est réputé pour sa passion de l'alcool et des femmes. Il s'en vante, en fait des livres ; il n'en est pas moins gandhien en ce que, dans tous les combats politiques auxquels il a participé depuis cinquante ans, il n'a jamais adopté d'autre position que morale et non violente. Il lui revient aussi d'avoir proposé le remplacement de l'actuelle fête nationale par une célébration de l'anniversaire de Gandhi qui présenterait le double avantage de tomber à la belle saison et de prohiber tout défilé militaire.

Le gandhisme n'est donc rien d'autre que l'addition de tous les actes accomplis par des gandhiens, fussent-ils une poignée de disciples. À chaque fois, par conséquent, que nous écrirons « gandhisme », ce sera par commodité, tout en gardant à l'esprit qu'il n'existe pas une idéologie gandhienne qui serait distincte du comportement personnel de ceux qui s'en réclament.

Considérons l'enseignement premier du gandhisme, le plus connu mais pas nécessairement le mieux compris : la non-violence (*ahimsa*) ou « désobéissance civile ». Cette non-violence n'équivaut pas à la passivité ; au contraire de la couardise, elle est une façon d'agir sur l'Histoire, une alternative pratique à la politique ou à la guerre. Elle se fonde sur une détermination personnelle, sans possibilité de s'abriter derrière de prétendues nécessités, déterminismes ou forces collectives qui ont noms Histoire, Prolétariat, Nation. Elle exige l'héroïsme insurpassable que manifestèrent Gandhi et ses compagnons lors de la « marche du sel » de 1930, lorsqu'ils choisirent de tomber comme des mouches sous les coups de bâton de la police anglaise. Cette non-violence, comme toute action politique, balance entre succès et échecs : elle aura contribué à l'indépendance de l'Inde, mais elle n'empêcha pas les massacres entre hindous, sikhs et musulmans. Aux États-Unis, la non-violence de Martin Luther King, gandhien affirmé, a conféré aux Afro-Américains les droits civils mais pas l'équité économique. Le mouvement Solidarnosc en Pologne, la Charte des 77 en Tchécoslovaquie, choisirent délibérément la non-violence comme instrument de leur libération du communisme et condition d'une harmonie future. En Afrique du Sud, la non-violence gandhienne de Nelson Mandela a permis une transition relativement douce de l'apartheid à la démocratie ; il est trop tôt pour en conclure que l'Afrique du Sud restera une société multiculturelle. En Birmanie, Aung San Suu Kyi, par sa non-violence, a déstabilisé la dictature militaire ; mais elle ne l'a pas renversée. En Chine, la secte non violente Falun Gong ébranle l'autorité du Parti communiste par une résistance passive toute gandhienne et radicalement neuve dans l'histoire chinoise. Au Kosovo, le leader autonomiste Ibrahim Rugova, adepte de Gandhi, n'a pas obtenu l'émancipation des Albanais de la tutelle serbe par la non-violence.

Quelles que soient les nuances de ce bilan de l'Histoire, on constate l'expansion du principe de non-violence à des civilisations aussi variées que la Birmanie, la Chine, l'Albanie, les États-Unis et l'Afrique du Sud : de l'Inde à l'universel. On en retiendra aussi que la non-violence, n'agissant que sur la conscience de l'autre, suppose que celui-ci ait une conscience. C'était là le cas des colonisateurs britanniques : ils ne cédèrent pas aux indépendantistes aussi longtemps qu'ils estimaient morale leur présence en Inde, mais ils plièrent devant l'insignifiant Gandhi quand celui-ci leur révéla combien la colonisation était inique. Pareillement, en Afrique du Sud, Nelson Mandela n'aurait jamais pu imposer la démocratie par la non-violence si ses adversaires afrikaaners, parce que chrétiens, n'avaient été troublés par l'immoralité de leur domination. La non-violence suppose, en somme, une morale partagée, qu'elle soit religieuse, humanitaire ou universaliste. À l'inverse, la non-violence ne peut agir contre l'adversaire quand celui-ci entend détruire toute morale ; Gandhi lui-même sembla ne pas l'avoir compris quand il recommanda aux Juifs de ne pas résister aux nazis. Ce pour quoi le gandhisme d'Ibrahim Rugova a échoué contre le dictateur serbe Milosevic. De même, l'efficacité du Falun Gong contre le régime communiste de Pékin reste aléatoire.

La non-violence n'est donc pas la fin de toute violence, mais elle est une option supplémentaire offerte à l'humanité en un temps où se développe une conscience universelle ; qu'elle soit spiritualiste, « droit-de-l'hommiste », au-dessus des nationalismes et des idéologies anciennes, cette mondialisation éthique étend le champ possible du gandhisme. La médiatisation des conflits, qui rend toute violence locale universellement intolérable, contribuera grandement à cet avenir de l'*ahimsa* ; l'influence des « fakirs » sera également confortée par la féminisation du monde : moins le féminisme que la prévalence croissante du regard féminin sur le monde, préférant la douceur à la contrainte et les minorités aux forts. Cette féminisation ou androgynie gand-hienne pourrait également contribuer à sortir plus aisément des crises internationales. Là encore, le gandhisme ne se substituera pas complètement à la diplomatie classique ni aux règlements militaires ; mais, comme dans les conflits civils, il offrira une voie de plus. Celle-ci, à l'image de ce que Gandhi expérimenta contre la colonisation britannique, ne consiste pas à rechercher la victoire mais la paix. Il ne convient pas, selon Gandhi, de gagner, de battre l'autre, mais de reconnaître par anticipation, dans l'adversaire d'hier ou d'aujourd'hui, l'ami ou, à tout le moins, le voisin de demain. On pense ici à la réconciliation de la France et de l'Allemagne, des Israéliens et du monde arabe, demain à celle de l'Inde et du Pakistan. Tous ces rapprochements auraient pu être plus rapides ou pourraient s'accélérer par un supplément de réflexion gandhienne ajouté au mode traditionnel, plutôt cynique, de la diplomatie convention-nelle. On regrette évidemment qu'aucun dirigeant indien n'ait voulu incarner jusqu'à présent ce mode de résolution des conflits : son pays y aurait gagné la paix et l'autorité morale. Cela peut encore se produire ou arrivera ailleurs qu'en Inde. On en conclura que les « fakirs à demi nus » feront l'Histoire à venir autant que la firent jusqu'à présent les généraux étoilés et les dictateurs fous.

Mais bien des Occidentaux douteront de la légitimité de l'Inde, des Indiens ou de n'importe lequel de ses représen-tants pour donner à quiconque en Occident des leçons de non-violence. L'Inde n'est-elle pas parcourue de violences primaires, archaïques, qui renverraient à notre Moyen Âge plus qu'elles n'annonceraient une ère nouvelle ? De fait, la plupart des nouvelles qui nous en parviennent font référence à des brutalités premières entre communautés religieuses adverses, entre castes, entre l'Inde et ses voisins. À ces rumeurs quasi balkaniques s'ajoutent les rapports de brutalité domestique, en particulier des exactions perpétrées par des maris sur leur épouse lorsque celle-ci n'apporte pas une dot à la hauteur des espérances ou des promesses. La violence essentielle, celle qui résume souvent la société indienne telle qu'elle est maintenant médiatisée, est celle de la jeune épouse transformée en torche vivante par sa belle-famille. À ce misérable destin des jeunes femmes s'ajoute parfois un drame plus sombre encore, celui de la jeune veuve poussée malgré elle sur le bûcher de son mari défunt. Ce que nous rapporte ainsi la presse occidentale, qui ne fait là qu'écho à la presse indienne, tendrait à disqualifier les sermons gandhiens, et parfois à les dénoncer comme la grande hypocrisie d'un fourbe, ce qu'on peut lire en Occident aussi bien qu'en Inde même. Sans nier ces atrocités, qui sont réelles, il me semble qu'elles n'invalident en rien l'authenticité du message gandhien et, qu'à s'essayer à un bilan honnête, on peut prouver que la société indienne reste la moins violente des civilisations contemporaines ; nous montrerons aussi que, lorsque violence il y a, celle-ci est moins le fruit de la tradition indienne qu'une incursion de la modernité mimant l'Occident au sein de cette tradition.

A priori, toutes les conditions paraissent rassemblées pour que les peuples qui constituent l'Inde, divisés par les religions, les castes, les inégalités sociales, s'affrontent en permanence. Le miracle indien me paraît consister en ce que, pour un milliard d'habitants, les affrontements sont extraordinairement peu nombreux ; ce n'est pas du fait de l'ignorance, car aucune nation ne contient autant de journalistes à l'affût de sensations et une presse aussi libre de les rapporter. On n'est pas en Chine ni au fond de l'Afrique : en Inde, tout se sait et tout se rapporte. Ce calme fondamental des villes et des campagnes indiennes n'est pas non plus le signe d'une apathie ; il tient à une discipline intériorisée par laquelle on apprend à vivre avec les différences. Outre ce trait fort ancien, on observera que l'Inde, hormis le déchirement de la partition en 1947 et quelques flambées entre confessions, n'aura pas connu, en ce siècle écoulé, les immenses catastrophes humaines qui ont été provoquées par les idéologies totalitaires en Europe, en Russie et en Chine. L'absence de fascisme, de stalinisme et de messianisme politique aura épargné à l'Inde les révolutions culturelles et autres guerres de classes ou de races. Toutes les tentatives pour chasser les Britanniques par la violence, de même que tout projet d'instaurer l'égalité des conditions par la révolution, s'est dilué non pas dans l'« apathie » indienne, comme le prétendent les amateurs de violence historique, mais dans la connaissance indienne de ce que la violence conduit à davantage de violence encore. L'Inde, par comparaison avec ce qui est comparable, ne serait-ce que la Chine à la même époque, est un havre de non-violence historique : ce n'est pas niable, et il n'est donc pas accidentel que Gandhi en ait surgi.

De même, les violences domestiques dites archaïques, que symbolisent les « suicides » d'épouses mal dotées ou encore ceux, bien peu volontaires, des veuves, le sĵati, restent l'exception ; ces drames, peu fréquents à l'échelle d'une aussi vaste nation, ne sont bien connus que dans la mesure où les médias en font grand cas. Si ces atrocités sont rapportées et commentées avec autant de véhémence par les médias occidentalisants, il convient aussi de s'interroger sur leurs motivations. Ces médias, notamment lorsqu'ils sont de langue anglaise, sont toujours les hérauts du projet moderniste des classes moyennes et de la nomenklatura brahmano-socialiste. Toute affaire de dot ou de « suicide » de veuve est donc prétexte à dénoncer les mœurs d'une société « archaïque », par contraste avec la société éclairée qu'incarneraient ces modernisateurs. Si l'on devait comprendre la société indienne au travers du prisme de ces médias et du discours de ces classes dominantes, il subsisterait dans la société indienne, à l'état résiduel, une sorte de violence primitive qui devrait disparaître à mesure que le pays se moderniserait. C'est dans ce miroir orienté que nous sommes invités à croire au mythe d'une violence archaïque.

En vérité, ces violences, que l'on voudrait faire passer pour traditionnelles et susceptibles de disparaître grâce à l'occidentalisation, sont la conséquence de l'échec du modèle mimétique de modernisation brahmano-socialiste.

Considérons l'archétype de la dot : les médias occidentalisants et les commentateurs occidentaux se gardent d'expliquer, à supposer qu'ils le sachent, que la dot n'est pas une ancienne tradition indienne mais une création récente, propre aux nouvelles classes moyennes : les hommes qui ont fait quelques études à l'occidentale essaient de valoriser le diplôme qui leur donnera accès à des statuts sociaux modernes en se « vendant » sur le marché à la belle-famille la plus offrante ; celle-ci va se trouver lourdement taxée par la passion du futur mari pour les objets de consommation. Loin de révéler la violence traditionnelle infligée aux femmes par la société classique, la dot et les drames qui en dérivent révèlent en réalité la perversion du modernisme mimétique.

La même analyse vaut pour les affrontements communautaires entre musulmans et hindous ; ceux-ci, ainsi que nous l'avons observé plus haut, éclatent rarement dans l'Inde traditionnelle où les religions cohabitent depuis des siècles ; la quasi-totalité de ces conflits se produisent dans les villes « modernes », quand elles sont surpeuplées, et dans les *slums*, ces semi-villes qui suffiraient à elles seules à condamner la voie brahmano-socialiste.

Il est d'ailleurs significatif que la presse progressiste
consacre une place aussi considérable aux affaires de dot
comme au plus petit conflit intercommunautaire ou de
castes, et ne rende pratiquement pas compte de ce qui est
très nouveau en Inde et banal en Occident : la violence
quotidienne des adolescents en quête d'objets de consommation. Ce nouveau type de violence moderne obligerait à
s'interroger sur la course à la consommation telle qu'elle
est engendrée par le mimétisme et la destruction de la non-
violence classique que ce mimétisme engendre. À suivre le
discours dominant des nouvelles classes moyennes, tout se
passe donc comme s'il existait une bonne délinquance,
acceptable parce que moderne, celle des jeunes urbanisés,
et une violence haïssable parce qu'archaïque. En vérité, le
mimétisme modernisateur est la véritable cause de la
violence en Inde. Le gandhisme est donc cohérent en dénonçant leur étroite association par une double récusation de la
violence et du mimétisme. Gandhi avait compris que la non-
violence, fondamentalement indienne, ne saurait perdurer
que si l'économie devenait également non violente.

Le deuxième message au monde que l'on pourrait aussi
qualifier de « gandhien » sera donc de nature économique,
et cohérent avec la non-violence. À la croissance sans finalité des nations les plus prospères et à l'absence de croissance des pays pauvres, la quête gandhienne de la dignité,
telle que nous l'avons esquissée en marchant sur les pas de
M. S. Swaminathan, s'imposera comme une alternative. En
économie, nous savons que l'étatisme a échoué ; nous
constatons que le libéralisme n'est pas partout nécessairement efficace et qu'il lui advient de privilégier les forts
sans pour autant élever les faibles. Le gandhisme ne viendra
certes pas se substituer à l'économie de marché, mais il y
ajoutera une dimension morale, ainsi que nous avons essayé
de l'illustrer. Ce « supplément d'âme » apporté au marché
ne renie pas le progrès technique : le rouet de Gandhi avait,

en son temps, une vocation essentiellement pédagogique. Lui-même ne refusait pas la science et, souffrant, recourait plus volontiers aux techniques médicales occidentales qu'à la médecine traditionnelle à base de plantes. On considérera plutôt son rouet comme un symbole, une invitation à juger la science, le progrès, l'économie à l'aune de la dignité et des besoins personnels : une approche pratique que la révolution informatique permet maintenant d'atteindre.

Le progrès économique n'exige plus d'arracher les hommes à leurs communautés pour les transplanter en masse dans des manufactures et des agglomérations ; les nouveaux modes de communication diffusent du savoir, de l'enseignement, des informations, sans détruire les équilibres anciens. Internet va aux villageois, les transforme en entrepreneurs aux pieds nus sans les déraciner ; là où ils vivent, ils peuvent produire les objets ou services spécialisés et miniaturisés que requiert l'économie moderne, ainsi que nous l'avons observé dans les biovillages. Nous ne prétendons pas que le biovillage informatisé et gandhien sera le seul et unique avenir du développement ; longtemps encore, il faudra, en amont, une centrale nucléaire ou un barrage pour apporter l'énergie au village. Mais la centrale et l'entrepreneur aux pieds nus ne sont plus contradictoires, ils se complètent : la dignité de l'homme et la nature préservée sont au bout du progrès technique, elles n'en sont plus les opposés. La conversion gandhienne en économie n'implique donc pas l'hostilité à l'innovation, mais une réflexion renouvelée sur son bon usage.

Le gandhisme conduit-il à renoncer à la consommation, ainsi qu'il est souvent présenté ? La vie de Gandhi apparaît certes comme un éloge du dénuement, mais, ainsi que le disaient les riches entrepreneurs d'Ahmedabad qui finançaient son ashram, « cela nous coûte très cher d'entretenir Gandhi dans la pauvreté » ! Dans la même veine, l'écrivain Alexandra David Neel brocardait Gandhi, qui, ne voyageant qu'en troisième classe, exigeait que l'on rajoutât des wagons de troisième là où il n'y en avait que de seconde et de première classe ! Sans doute cette part d'histrionisme était-elle nécessaire dans sa guerre des symboles contre les Britanniques : le gandhisme est aussi notre contemporain en ce qu'il fut médiatique. Sans la photo, sans les actualités filmées, pas de Gandhi.

Un gandhisme actualisé et universalisé pourrait donc être réinterprété moins comme le refus de toute consommation que comme une réflexion critique sur la société de consommation. Celle-ci constitue-t-elle la seule fin du développement ? On peut envisager que la société de consommation de type occidental ne soit qu'un moment de notre Histoire. Après des millénaires de stagnation et de pauvreté où seule l'aristocratie « consommait », le tiers état à son tour s'est précipité sur le superflu. Dans une phase initiale, la consommation est donc une démocratisation du luxe ; à ce stade, elle est plus morale que les modèles économiques inégalitaires qui l'ont précédée. Mais cette société évoluera à son tour vers d'autres arbitrages ; déjà certains s'esquissent en faveur de valeurs gandhiennes comme la nature, la culture, la santé collective. Ces nouvelles options, parce qu'elles ne peuvent être que collectives, réduiront nécessairement la part des revenus consacrée à la consommation individuelle. On ne peut donc exclure que les économies occidentales deviennent spontanément moins exhibitionnistes et plus ascétiques. Cette mutation des comportements sociaux exigera-t-elle un supplément d'autorité politique ? On peut estimer que des arbitrages favorisant la santé ou l'éducation passent par une nouvelle forme de despotisme éclairé plutôt que par la délibération démocratique ; mais on peut aussi envisager qu'au lieu de puiser en permanence parmi les anciens modèles de gouvernement des formes inattendues émergent. Là encore, Gandhi éclaire la voie.

Gandhi considérait l'État-nation comme une invention européenne, inadaptée à la société indienne et à d'autres civilisations classiques. S'il avait vécu plus longtemps, il aurait vu son intuition confirmée par l'échec des États-nations à peu près partout où ils furent artificiellement créés du fait de la décolonisation ; à de rares exceptions près, ces États, comme des sangsues, anémient les sociétés pour n'enrichir que les « kleptocrates ». En sus de ces désastres économiques, il devient évident que l'État-nation est une catégorie institutionnelle trop rigide pour épouser toutes les situations politiques possibles. Certaines nations coïncident avec un État, d'autres pas ; ce pour quoi l'on assiste à l'éclosion, délibérée ou brutale, de nouvelles organisations que sont les fédérations, confédérations, villes-États, protectorats militaires, mais aussi au chaos ou au règne des mafias. On ne peut donc plus prétendre que l'État-nation restera pour l'avenir la seule forme souhaitable et acceptable d'organisation des sociétés humaines et des relations internationales : par le haut, nous allons vers la mondialisation ; par le bas, vers la tribalisation. À l'évidence, l'ONU, les gouvernants qui composent la communauté internationale, les juristes ont tous pris un grand retard sur les faits. Gandhi l'archaïque ne préfigurerait-il pas quelque autre futur possible ?

À côté, en plus ou à la place de la forme occidentale de l'État-nation, il proposait que fût reconnue l'« anarchie harmonieuse » des fédérations de communautés et de villages autogérés : une utopie délibérément floue, qui puise dans la pratique souvent obsolète des assemblées de villages indiens. La démarche mérite d'être rapprochée de celle d'Alexandre Soljénitsyne imaginant de reconstruire la Russie à partir des communautés de jadis qu'étaient les zemstvos. Deux rêveurs dans le siècle ! Mais, de même que dans les sciences exactes, les métaphores conduisent parfois aux grandes découvertes, en philosophie politique la nostalgie façonne les utopies pour demain : le socialisme ne fut-il pas, à l'origine, une nostalgie de la communauté médiévale ? Le gandhisme me paraît opérer selon un mode comparable, du passé au futur plutôt que du présent au futur, de la poésie au réel plutôt que du réel à l'idéologie.

Comme pour l'« économie de la dignité », l'innovation technique contribuera à la réalisation de l'utopie politique : au fur et à mesure que la cyberculture débordera les États centralisés et renforcera les communautés virtuelles, la fédération de communautés gandhienne deviendra plus opérationnelle grâce aux nouveaux modes de communication. Cette mise en relation de la cyberculture, originellement surgie de Californie, et de la civilisation indienne paraîtra à beaucoup improbable ; elle est cependant attestée. Les fondateurs du Web, les pionniers d'Internet et de l'intelligence artificielle furent le plus souvent d'anciens hippies ; beaucoup avaient pris naguère la route de l'Inde ; la plupart vécurent en communautés autonomes ou végétariennes dans les années 60. Tous se sont réclamés de Gandhi. Comment passèrent-ils des fleurs au clavier d'ordinateur ? Le mouvement hippie était une quête du dépassement des perceptions ordinaires vers ce que Sri Aurobindo appelait le « supramental » ; les *flower people* l'ont initialement recherché dans le chanvre, le yoga puis le LSD. En vain. Ce qu'ils n'ont pas trouvé dans leur Inde réelle ou de fantaisie, ils pensent par la suite l'avoir découvert dans l'intelligence artificielle et le vertige que procure Internet. Cette filiation entre la cyberculture et l'Inde peut n'être qu'une métaphore ; elle peut aussi être prémonitoire. Au « village global » que crée la cyberculture correspondrait alors une nouvelle organisation du monde où le « village », plutôt que la nation, deviendrait la cellule de base. Partout dans le monde se constituent de nouvelles communautés virtuelles ; chaque communauté est comme un village dont la base n'est pas territoriale mais culturelle ;

la solidarité au sein de ce village virtuel tend à devenir plus forte que la citoyenneté politique, ce qui ébranle l'État-nation. On constate aussi que les échanges électroniques permettent des mouvements de capitaux, de biens et de services qui échappent toujours plus aux États, ce qui désta-bilise les économies nationales ; la cyberculture engendre un marché économique mondial sans autre régulation que le libre choix individuel.

Le netoyen remplacera-t-il le citoyen ? Les affiliations multiples, la multi-identité, le pluriculturalisme, le multilin-guisme ne l'emporteront-ils pas sur la classique identité nationale ? Le consensus ne va-t-il pas devenir un mode de décision mieux admis que la loi de la majorité ? Et que signifiera la majorité quand chaque communauté se comportera comme une minorité ? Si l'on admet qu'il a existé un lien fondateur entre la galaxie Gutenberg, la légi-timité de l'écrit et la constitution des États modernes, on peut parier que la cyberculture générera de nouvelles insti-tutions qui ressembleront davantage à des fédérations de communautés, réelles et/ou virtuelles, qu'aux États actuels. Le gandhisme, s'il devenait au XXIe siècle une doctrine de référence, épouserait ainsi la chronologie constante de toutes les doctrines philosophiques et de bien des religions : il est habituel qu'un siècle sépare l'énoncé d'une théorie de son application. Il est aussi constant que les utopies s'ap-pliquent hors des contrées où elles furent initialement conçues : tel fut le cas pour le libéralisme politique et pour le socialisme entre le XVIIIe et le XXe siècle. Tel peut être aussi le cas pour le gandhisme entre le XXe et le XXIe.

À l'aube du XXIe siècle ne subsistent que deux grandes théories politiques : le néo-machiavélisme à l'Ouest et le gandhisme à l'Est. Après la catastrophe des doctrines posi-tivistes et totalitaires, l'échec de tous les grands projets d'amélioration de l'ordre humain par la force, la vie poli-tique en Occident s'en est revenue à ses origines premières telles que Nicolas Machiavel les avait systématisées : le but du pouvoir est le pouvoir, tout est bon pour le prendre et le conserver. Certes, l'exercice machiavélien du pouvoir se voile derrière un reste de rhétorique ; les puissants ou ceux qui aspirent à le devenir puisent encore dans le magasin aux accessoires nationalistes, tribaux, sociaux, « droit-de-l'hommistes », peu importe ! Qui est dupe ? Si on le tolère, c'est que ce néo-machiavélisme n'est pas sans vertus ; s'il est cynique, il est assez peu violent ; son scepticisme tempère la tentation de l'excès ; il s'accommode de la démocratie libérale et parfois l'impose, non parce qu'elle est morale, mais parce qu'elle est efficace. L'efficacité est la légitimité du néo-machiavélisme, la morale n'étant convoquée qu'en cas d'urgence. Une morale supplétive, à géométrie variable, bonne pour les Albanais mais pas pour les Kurdes ni pour les Tibétains. Cet asservissement de la morale, de règle dans le champ international, vaut aussi à l'intérieur de nos démocraties : le néo-machiavélisme conduit à préférer n'importe quelle minorité bruyante à toute majorité silencieuse s'il appert que le bruit est plus utile au pouvoir que le nombre. Le néo-machiavélisme contemporain instrumentalise ainsi ce qui, naguère, était considéré comme des valeurs, et les réduit à un petit outillage de la démocratie libérale.

En face, le gandhisme est un regard moral porté sur les moyens autant que sur les fins. Dans le gandhisme, la dignité de chacun est la mesure de toute action ou inaction ; une fin juste ne saurait légitimer des moyens qui sont injustes ou violents ; le progrès demain ne justifie pas que l'on sème aujourd'hui la confusion ; le pouvoir n'a en soi aucune valeur ; l'efficacité n'a aucun intérêt ; il faut se méfier des héros, des sauveurs, des rédempteurs. Ce gandhisme-là s'infiltre en Occident, non pas en bloc, mais par les chemins de traverse qui s'appellent le féminisme, l'écologie, la non-violence. Au-delà de leur politisation, et malgré leur récupération, ces thèmes imprègnent progressivement la société entière. On peut envisager que le nouveau regard, féminin, porté sur le monde, l'alliance avec la Nature, la morale placée au-dessus de la souveraineté des États finiront par miner le néo-machiavélisme ; ils en corrodent déjà les fondations. Ils n'en constituent pas encore une alternative cohérente et complète, mais ils sont déjà plus qu'une posture critique. Ces premiers signes annoncent la « quatrième vague » indienne, celle où une pensée clairement exprimée, une politique et une économie morales s'imposeront comme l'utopie de rechange au néo-machiavélisme.

Le gandhisme est-il envisageable sans Gandhi ou sans un Gandhi ? Alors que le néo-machiavélisme et les idéologies qui lui ressemblent peuvent, par leur essence même, être appliqués par n'importe qui et notamment par des opportunistes, le gandhisme exige l'exemplarité du chef. On n'imagine pas Gandhi corrompu ou violent dans l'intimité, préconisant en public la résistance passive et l'ascèse. On ne conçoit pas plus, demain, que des politiciens gandhiens puissent mener une double vie, porteurs d'une nouvelle morale en public et se livrant à la débauche intime. Le double jeu, qui est ici et maintenant de règle, disparaîtrait en même temps que l'idéologie néo-machiavélienne qui sous-tend cette amoralité. Certains protesteront contre cette esquisse de remoralisation de la vie publique ; mais nul n'étant obligé de solliciter un mandat, ceux qui n'accepteraient pas l'éthique gandhienne n'auraient qu'à s'abstenir. De même, l'argument selon lequel on ne trouverait plus de candidats à des fonctions électives si la vérité était faite sur leur vie privée n'est pas recevable ; la vague gandhienne, si elle devait se manifester, susciterait d'elle-même une nouvelle génération de femmes et d'hommes désireux de participer à la vie publique, précisément parce que les règles du jeu auraient changé. Enfin, le public est suffisamment las des dérives du milieu politique pour qu'un vent de fraîcheur soit accueilli avec faveur par le grand nombre. On ne prêche pas ici le rétablissement d'un ordre moral qui se voulait, en son temps, une contrainte imposée à tous de suivre une règle donnée ; le gandhisme n'impose rien à personne, sauf aux volontaires de la nouvelle ascèse et du nouveau message.

En appelant l'émergence du gandhisme, nous souhaitons seulement offrir un choix entre des politiques bien connues, surexposées, globalement néo-machiavéliennes, portées par des machiavéliens, et une véritable alternative qui pourrait être « incarnée » — et pas seulement exposée — par des élites morales.

Le réenchantement du monde

Au terme du XXe siècle, les principes du libéralisme l'ont nettement emporté sur les idéologies totalitaires, les grands mythes historicistes et tous les vents contraires. Cette victoire est mondiale. Bien entendu, des résistances subsistent, mais elles se situent spontanément par rapport au libéralisme comme pensée centrale. En outre, il demeure d'innombrables recoins géographiques et écarts idéologiques où cette supériorité présente de la doctrine libérale n'est pas acceptée : le libéralisme, pensée dominante, s'en accommode d'autant plus facilement qu'il n'est pas une idéologie totalitaire. Mais, dans l'ensemble, particulièrement dans le monde occidental, les débats intellectuels ou politiques remettent moins en cause le libéralisme en soi qu'ils ne disputent de sa véritable nature et de son champ d'extension.

Ce que l'on entend ici par libéralisme mérite une fois encore d'être hâtivement redéfini : il s'agit de l'alliance de la liberté individuelle, de l'État de droit, de l'économie libre et de la liberté de pensée et d'expression. Au sein de ce cercle vertueux, les nuances épousent les cultures et les circonstances, contrairement au communisme qui n'envisageait qu'un modèle universel ; le libéralisme, lui, est toujours « sur mesure ».

En même temps, cette victoire du libéralisme, provisoire comme tout ce qui relève de l'ordre humain, laisse comme un goût d'insatisfaction. Celle-ci résulte peut-être de la nature même de la pensée libérale qui, n'étant ni idéologique à l'excès ni totalitaire, ne saurait par là complaire à toutes les exigences de l'âme. Le libéralisme n'occupe jamais et ne prétend surtout pas occuper tout l'espace social ou imaginaire, invitant donc au doute, à la critique et à son propre dépassement. Ce léger désenchantement que chacun ressent naît donc de la doctrine même, et sans doute est-il affermi par la coloration américaine que la mondialisation confère au libéralisme tel qu'il est en ce moment vécu.

L'empire des États-Unis, qui a bien des vertus, surtout par comparaison théorique avec ce qu'auraient pu devenir d'autres empires possibles, a l'avantage d'être peu violent, et ses prétentions sont plutôt — sinon exclusivement — d'ordre matériel. Mais on ne souligne pas assez que le libéralisme classique américain est distinct de la tradition européenne du même nom en ce qu'il attend beaucoup du marché, voire tout de l'économisme ; cela l'appauvrit et nourrit des critiques, hors des États-Unis comme aux États-Unis même, qui paraissent dirigées contre la pensée libérale en tant que telle, mais qui, en réalité, s'adresseraient plutôt à sa version américaine. Le versant européen de cette même pensée, sans être contraire, recherche un plus subtil équilibre entre le marché, l'individu, mais aussi l'inquiétude et les passions collectives. Celles-ci existent et le marché ne les résorbe pas toutes, surtout là où il n'y a pas de marché...

Une fois distingué le libéralisme européen de son grand frère envahissant d'outre-Atlantique, il n'en faut pas moins reconnaître qu'il subsiste aussi du désenchantement au sein même de la pensée libérale européenne. Chacun ressent que l'économie, fût-elle libérale, et l'État-nation, fût-il démocratique, ne sauraient marquer la fin de l'Histoire ; nous espérons un « supplément d'âme ». Pour ceux que satisfont déjà les grandes religions révélées, cette attente est peut-être sans objet ; il n'en va pas nécessairement de même dans leur vie sociale. Pour tous les autres, majoritaires en Europe, qui se reconnaissent peu ou pas dans les croyances ancestrales, l'attente est plus vive encore. Où se ressourcer ? À l'Ouest, rien de bien nouveau n'est à espérer. La dernière grande et bonne nouvelle venue d'Amérique s'appelle Internet, qui fait de nous, potentiellement, des hyperconsommateurs universaux, peut-être des netoyens de la planète. Fort bien, mais ensuite ? Devrait-on écrire, comme Jules Michelet dans *La Bible de l'humanité* : « Tout est étroit dans l'Occident. La Grèce est petite, j'étouffe. La Judée est sèche, je halète. Laissez-moi un peu regarder du côté de la haute Asie, vers le profond Orient » ?

J'invite donc à regarder vers cet Orient, ainsi que les Européens le firent si souvent jadis. Non pas pour se déguiser en Orientaux ni pour mimer n'importe quels pratique ou culte exotiques. Ici, il n'est pas question de tourisme culturel ou spirituel. On invite seulement — ce qui est déjà beaucoup — à chercher en Orient — et à reconnaître qu'il existe — mille manières, dont nous avons perdu le souvenir ou que nous n'avons jamais pratiquées, d'être des frères humains. Ainsi, il serait permis d'être tolérant dans une acception mille fois plus extensive et généreuse que ce que nous appelons en Europe aujourd'hui la tolérance. Tolérer ne reviendrait pas seulement à « supporter » l'autre ; au sens où nous pourrions l'entendre à l'avenir, la véritable tolérance exigerait de reconnaître que l'autre détient ou incarne une vérité aussi forte que la nôtre.

Ainsi serait-il permis d'entretenir un autre rapport à l'économie, dont la finalité serait non plus un pur exhibitionnisme de la consommation devenue folle, mais l'accès pour tous à une équivalente dignité. Ainsi, dans l'ordre du politique, pourrait-on découvrir qu'il existe des alternatives envisageables à l'exercice du pouvoir tel qu'il se pratique actuellement avec la seule puissance pour fin, animé par un machiavélisme nu. Et qu'au plus près du lieu où nous vivons, dans des communautés géographiques ou virtuelles, il serait envisageable de partager le pouvoir et de l'exercer sur un mode éthique, la personne étant la seule mesure de cette éthique-là.

De l'Orient toujours — dont j'ai plusieurs fois reconnu qu'il s'agissait d'une catégorie mentale autant que d'un site géographique — peut également surgir un nouveau rapport à la nature. Il aura été maintes fois souligné que ce qu'on appelle « écologie » n'est chez nous encore que le balbutiement d'une nouvelle approche de l'exploitation de la nature et du travail des hommes. L'écologie demain pourrait, sur le mode oriental, correspondre à une sorte de ralentissement de nos existences, à une redécouverte de la lenteur, à une nouvelle mesure du temps ; ce que j'appelle l'écologie orientale reviendrait en somme à regarder le temps passer, à l'opposé du temps aujourd'hui dévoré. Cet éloge de la lenteur, qui séduit ou irrite tout voyageur en Orient, n'est pas distinct d'une leçon d'histoire que nous pouvons aussi apprendre là-bas — ou plutôt d'une leçon de non-histoire. Nous sommes en Occident si imprégnés du sens de l'Histoire que nous avons perdu, à l'inverse des Indiens, le sens de ce qui mérite d'être immuable : la beauté, par exemple, plutôt que la mode, ou la constance au lieu de l'histrionisme.

Venue aussi d'Orient, la féminisation du monde, telle qu'on l'a évoquée, ne passe pas, dans notre esprit, par des quotas de femmes dans les lieux d'exercice du pouvoir, mais par une douceur attentive envers l'autre et envers soi, quel que soit le sexe auquel on appartient ; la féminisation ne se réduit surtout pas au féminisme.

Sur ce qui ne saurait s'achever, on conclura par un bon mot prononcé aux tout derniers jours de sa vie par Gandhi en réponse à un journaliste européen.

— Que pensez-vous, lui demanda le journaliste, de la civilisation occidentale ?

— Une civilisation occidentale ? répondit Gandhi. Oui... je crois que ce serait une bonne idée !

On ne nie pas ici notre civilisation ; on n'idéalise pas non plus l'Inde réelle ou imaginaire. On croit seulement, comme Romain Rolland qui y invitait en son temps, que le mariage de l'Inde et de l'Occident enrichirait l'une et l'autre ou que, par l'Inde, nous retrouverons notre Orient intérieur.

New Delhi, décembre 1999.

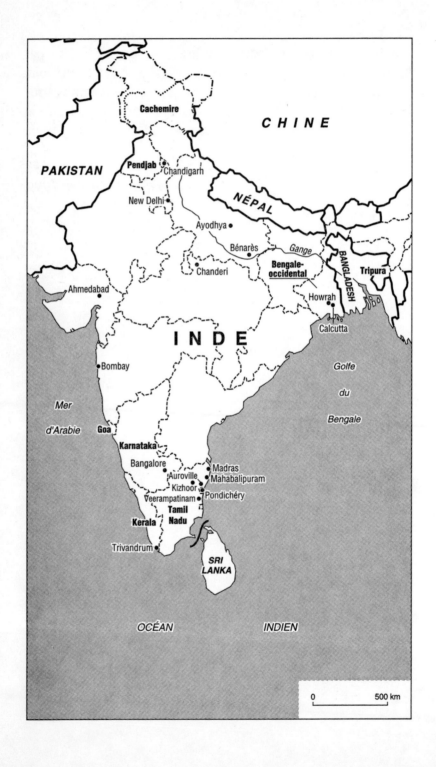

Repères bibliographiques

Sources

Le Génie de l'Inde est fondé pour l'essentiel sur des observations personnelles et les rencontres de l'auteur ; celles-ci eurent lieu au cours de l'année 1999. Mais certaines observations remontent à des séjours antérieurs, le premier en 1974. Ce travail n'aurait pas été possible sans de nombreux guides et médiateurs qui seront cités dans les chapitres concordants ; de nombreux ouvrages ont conforté ou précisé la recherche. Les plus utilisés seront mentionnés, répartis par chapitre ; certains recoupant plusieurs chapitres, ils ne seront cités qu'une fois, là où leur présence paraît la plus justifiée. La bibliographie n'est pas exhaustive et tous mes guides ne sont pas cités, certains d'entre eux ne l'ayant pas souhaité.

Prologue

- Les derniers jours d'Alexis de Tocqueville ont été relatés par André Jardin dans sa biographie, *Alexis de Tocqueville. 1805-1859*, Hachette, Paris, 1984.
- Les notes de Tocqueville sur l'Inde ont été publiées dans ses *Écrits et Discours politiques*, Gallimard, Paris, 1962.
- Les perceptions de l'Inde en Europe aux XVIIIe et XIXe siècles ont été recensées dans *L'Inde et l'Imaginaire*, réunies par Catherine Weinberger-Thomas, revue *Purusartha*, EHESS, Paris, 1988.
- L'expression « oubli de l'Inde » est due à Roger-Pol Droit, *L'Oubli de l'Inde — Une amnésie philosophique*, PUF, Paris, 1989.

- La trilogie de Romain Rolland a été rééditée chez Stock, en 1978 pour *La Vie de Vivekananda*, en 1993 pour *La Vie de Ramakrishna* et *Mahatma Gandhi*.
- De nombreuses citations de Romain Rolland sont extraites de sa correspondance avec Kalidas Nag, éditée en anglais par Chinmoy Guha, *The Tower and the Sea*, Papyrus, Calcutta, 1996.
- Pour une introduction à Gandhi, voir *Gandhi, his Life and Message for the World*, de Louis Fischer, Penguin Books, Londres, 1954.

1. Un milliard de républicains

- Sur l'histoire de l'Inde, on pourra consulter le livre d'Alain Daniélou, *Histoire de l'Inde*, Fayard, Paris, 1971, dont le propos est souvent très hostile aux musulmans. Romila Thapar est plus rigoureuse dans *From Lineage to State*, Oxford University Press, New Delhi, 1984. Sur le sud de l'Inde, voir *A History of South India*, de Nilakanta Sastri, Oxford University Press, New Delhi, 1975.
- Les principaux essais d'Ashis Nandy ont été regroupés dans *Exiled at Home* et *Return from Exile*, Oxford University Press, New Delhi, 1994 et 1995.
- Le grand ouvrage de Gunnar Myrdal sur l'Inde a fait l'objet d'une édition condensée, *Le Drame de l'Asie, enquête sur la pauvreté des nations*, Seuil, Paris, 1971.
- L'enquête dans les villages de l'État de Pondichéry a été rendue possible par la fondation Swaminathan à Madras.
- La citation de Nirad Chaudhuri est extraite de son chef-d'œuvre, non traduit en français, *The Autobiography of an Unknown Indian*, McMillan, Londres, 1951. Cet ouvrage est considéré comme la première œuvre littéraire remarquable en anglais, écrite par un Indien. Il est également reconnu comme apportant une magnifique descrip-

tion de la vie au Bengale au début du XXᵉ siècle. Il est enfin très controversé pour l'hommage qu'il rend aux bienfaits de la colonisation britannique et pour sa critique cinglante des leaders de l'indépendance. Après sa carrière de journaliste à la radio indienne, avant et après les Anglais, Chaudhuri fut employé par le service de presse de l'ambassade de France ; il est mort centenaire, à Oxford, en 1998.

– Karl Popper, conversations avec l'auteur, voir *Les Vrais Penseurs de notre temps*, Fayard, Paris, 1989.

– Les considérations sur les panchayats ont été enrichies par les entretiens avec George Mathew, directeur de l'Institute of Social Sciences à New Delhi.

– Les perspectives politiques d'Internet ont été initialement envisagées par Howard Rheingold dans *Virtual Reality,* Simon and Schuster, New York, 1991.

– L'œuvre de Khushwant Singh est immense, romans, essais et une *Histoire des Sikhs.* On recommandera *Delhi, a Nove*l, Penguin Books, New Delhi, 1990, et, en français, *Une épouse pour le sahib et autres récits*, Kwok On, Paris, 1998.

2. Le char d'Arjuna

Pour ceux que la lecture du *Mahabharata* découragerait, on recommandera vivement le film qu'en ont tiré Peter Brook et Jean-Claude Carrière, diffusé en vidéo par FIL, 1991.

– Pour une interprétation nationaliste de l'histoire indienne, on se référera en français à *Un autre regard sur l'Inde*, de François Gautier, éditions du Tricorne, Genève, 1999.

– Les fondamentalistes contemporains, en Russie, en Inde, aux États-Unis, dans le monde musulman, ont été décrits dans *Le Capital, suite et fins*, de Guy Sorman, Fayard, 1990.

- Christian Jaffrelot est le seul chercheur français à s'être intéressé en profondeur au fondamentalisme hindou dans *Les Nationalistes hindous*, FNSP, Paris, 1993.
- Pour une version favorable au RSS, on consultera *A Vision in Action*, édité par H. V. Seshdri, Jagarana Prakashana, Bangalore, 1988, et *A Bunch of Thoughts*, de M. S. Golwalkar, un ancien dirigeant du mouvement, chez le même éditeur, 1966.
- Pour une vision critique de l'Hindutva et du RSS, on se rapportera à *The Brotherhood in Saffron*, de Walter Andersen et Shridhar Damle, Westview Press, 1987.
- Sudhir Kakar est l'auteur de *The Ascetic of Desire*, biographie présumée de l'auteur du *Kama-sutra*, Viking, New Delhi, 1998, et de nombreux essais d'interprétation psychanalytique des conflits en Inde. On doit à Sudhir Kakar la description minutieuse des affrontements communautaires dans la vieille ville de Hyderabad ; ceux-ci obéiraient, selon l'auteur, à des rites qui, après l'émeute, permettront de reprendre la vie en commun. Les adversaires éviteraient particulièrement les viols. Voir *The Colors of Violence*, University of Chicago Press, 1996. En français, Sudhir Kakar a publié, avec Catherine Clément, *La Folle et le Saint*, Seuil, Paris, 1993.
- Pour une version sociologique progressiste des relations entre hindous et musulmans, Rafiq Zakaria fait autorité : voir *The Widening Divide*, Penguin Books, New Delhi, 1995.
- K. R. Malkani propose une histoire de sa région, le Sind, passé au Pakistan en 1947, dans *The Sind Story*, Sindhi Academy, New Delhi, 1997.

– Le roman d'Arundathi Roy, *The God of Small Things*, a été traduit en français sous le titre *Le Dieu des petites choses*, Gallimard, Paris, 1998.

3. Les deux islam

– Les références au Coran sont toutes empruntées aux ouvrages de Jacques Berque : *Relire le Coran*, Albin Michel, 1993 et *Le Coran*, Albin Michel, 1995.
– Mon guide dans le quartier de Nizamuddin fut Claire Devos, auteur de *Qawwali : la musique des maîtres du soufisme*, Makar, 1995. Les noms des interlocuteurs de Nizamuddin ont été modifiés par discrétion envers les intéressés.
– Sur le soufisme, voir *Sufism*, de Carl Ernst, Shambala Publications, Boston, 1997, et, sur la musique, *Sufi, Music of India and Pakistan*, de Regula Burckhardt Qureshsi, University of Chicago Press, 1995.
– Sur les origines des confréries soufies, l'ouvrage de référence en français est d'Alexandre Popovic et Gilles Veinstein, *Les Voies d'Allah*, Fayard, Paris, 1996.
– Laurence Bastit, à New Delhi, fut l'obligeante médiatrice avec la famille Dagar.
– Sur la musique indienne, l'ouvrage de référence est *Musique de l'Inde du Nord*, de Francis Tupper, Makar, 1993.
– *Le Choc des civilisations*, de Samuel Huntington, est édité en français chez Odile Jacob, Paris, 1997.
– L'interprétation de la non-violence entre les communautés religieuses doit beaucoup à la remarquable description de la ville de Chanderi par Kankaiya Lal Sharma, sous la direction de Gérard Fussman, De Boccard, Paris, 1999.

4. La faute à Rousseau

- L'ouvrage fondamental sur les castes est *Homo hierar-chicus*, de Louis Dumont, Gallimard, Paris, 1966.
- La critique classique de Dumont en Inde est avant tout l'œuvre de M. N. Srinivas, auteur de *Social Change in Modern India*, Oxford University Press, Delhi, 1966, et d'André Béteille, *Society and Politics in India*, Oxford, 1991.
- La vie d'une paria a été racontée par Viramma elle-même, en collaboration avec Josiane et Jean-Luc Racine, dans *Une vie paria, le rire des asservis de l'Inde du Sud*, Plon, coll. « Terre humaine », Unesco, Paris, 1994.
- *La Solution indienne*, de Jean Baechler, a été éditée aux PUF, Paris, 1988.
- La citation de Desvaulx sur les castes est extraite des *Indes florissantes*, Robert Laffont, 1991. On trouvera dans cet ouvrage des narrations de voyageurs français en Inde de 1750 à 1820.
- *Caste Today*, recueil sous la direction de C. J. Fuller, Oxford University Press, New Delhi, 1996, propose la vision contemporaine et optimiste des sociologues indiens sur la disparition spontanée des castes.

5. Discours sur l'inégalité

- Les hypothèses de ce chapitre sont pour l'essentiel fondées sur mes entretiens avec les sociologues M. N. Srinivas et André Béteille. L'ouvrage de Thomas Sowell auquel il est principalement fait référence est *Preferencial Policies*, William Morrow, New York, 1991.
- Sur Gandhi et l'égalité, on pourra consulter *Gandhi and Women*, de Madhu Kishwar, Manushi Prakashan, Delhi, 1986.

- Sur Bhimrao Ambedkar, le livre de Prem Prakash, *Politics and Scheduled Castes*, Ashis Publishing, Delhi, 1993, retrace fidèlement la démarche du héros des *dalits*.
- Maître Gaikwad, avocat à Thane, fut mon guide à l'université Kalina de Mumbai.
- Mon analyse du Kerala a été enrichie par mes entretiens avec les dirigeants du Parti communiste, en particulier E. M. S. Namboodiripad et A. M. Baby.
- Je dois à l'écrivain M. Mukundan ma découverte du Kerala.

6. La bombe et le choléra

- Les thèses d'Amartya Sen sur la planification ont été exposées en particulier dans *India, Economic Development and Social Opportunity*, en collaboration avec Jean Drèze, Oxford University Press, New Delhi, 1995.
- Le concept de brahmano-socialisme est dû à Jean-Alphonse Bernard, dans *L'Inde : le pouvoir et la puissance*, Fayard, Paris, 1985.
- La notion de « puissance pauvre » a été développée par Georges Sokoloff dans un ouvrage sur l'économie russe, *La Puissance pauvre*, Fayard, Paris, 1993.
- Le célèbre discours de Jawaharlal Nehru, prononcé la veille de l'indépendance, *Rendez-vous avec le destin*, a été publié en particulier dans une anthologie de la littérature anglo-indienne, *Mirrowork*, éditée par Salman Rushdie, Henry Holt, New York, 1997.
- Sur l'échec de l'État indien, l'ouvrage le plus influent récemment publié en Inde est *The Idea of India*, de Sunil Khilnani, Penguin Books, Londres, 1997.
- Sur l'interprétation politique du cinéma indien, Ashis Nandy a publié une collection d'essais sous le titre *The*

Secret Policy of Our Desires, Oxford University Press, Delhi, 1998. Il ressort de l'analyse filmographique que le politicien est devenu un héros négatif et le Parrain le protecteur des pauvres.

7. Le libéralisme ne suffit pas

– Ce chapitre fondé sur des rencontres ne s'appuie pas sur d'autres sources. On signalera cependant les articles fréquents d'Amiya Kumar Bagchi dans *Economic and Political Weekly*, publié à Calcutta.

8. Internet à Pondichéry

– La « révolution verte » en Inde a été décrite par l'auteur dans *La Nouvelle Richesse des nations*, Fayard, Paris, 1987.
– L'authenticité des statistiques indiennes, par contraste avec la manipulation des statistiques chinoises, a été démontrée par Jean-Claude Chesnais, *Cahiers de l'INED*, Paris, juin 1999.
– L'ouvrage de Jean-Jacques Servan-Schreiber auquel il est fait référence est *Le Défi mondial*, Fayard, Paris, 1980.
– M. S. Swaminathan a exposé sa vision du développement de manière exhaustive lors de la Conférence mondiale sur la science à Budapest, le 26 juin 1999, dans *Science in Response to Basic Human Needs*.
– La thèse de John Galbraith sur l'accommodement de la pauvreté se trouve dans *Théorie de la pauvreté de masse*, Gallimard, Paris, 1980.

9. Chacun cherche son gourou

- L'aventure de Sai Baba dans sa réincarnation contemporaine a été décrite de manière apologétique par V. K. Gokak, Abhinav Publications, New Delhi, 1989.
- L'œuvre de Sri Aurobindo étant gigantesque, mais souvent répétitive, on pourra se cantonner en français à ses *Fondements de la culture indienne*, Buchet-Chastel, Paris, 1997, et au commentaire de son disciple, Satprem, *Sri Aurobindo ou l'Aventure de la conscience*, Buchet-Chastel, Paris, 1995.
- Sur les religions de l'Inde en général, nous nous sommes sans cesse référé à Heinrich Zimmer, *Les Philosophies de l'Inde*, Payot, Paris, 1953 et 1985.
- L'hindouisme populaire, qui retient rarement l'attention des indianistes occidentaux, est bien décrit dans *The Camphor Flame, Popular Hindouism and Society in India*, de C. J. Fuller, Princeton University Press, 1992.
- La description du temple hindou par Alain Daniélou est extraite du *Temple hindou*, Buchet-Chastel, Paris, 1977.
- Pour Ashis Nandy, je renvoie au recueil de ses essais déjà cité.

10. À Calcutta sans Romain Rolland

- La citation de Günter Grass est extraite de *Tirer la langue*, Seuil, Paris, 1989.
- Outre les ouvrages déjà cités de Romain Rolland, on se reportera aux œuvres complètes de Vivekananda, éditées par Advaita Ashrama, Calcutta, 1997.
- Sur l'ambiguïté sexuelle de Ramakrishna, on consultera *Ramakrishna and his Disciples*, de Christopher Isherwood, Vedanta, 1980, et *Kali's Child*, de Jeffrey Kripal, University of Chicago Press, 199‌.

– Sur la relation entre Ramakrishna et le *new age*, lire *Sri Ramakrishna, a Prophet for the New Age*, de Richard Schiffman, Ramakrishna Mission, Calcutta, 1989.

– Les œuvres de Rammohan Roy sont publiées par Sadharan Brahmo samaj à Calcutta, et l'histoire du Brahmo samaj a été racontée par Sivanath Sastri chez le même éditeur. Sur ce sujet, on peut aussi se référer à *The Philosophy of Rabindranath Tagore*, de Chandra Mohandas, Deep and Deep Publications, New Delhi, 1996.

– Le père Ceyrac a publié ses réflexions spirituelles, *Pèlerin des frontières*, aux éditions du Cerf, Paris, 1998.

11. Le tisserand de la révolte

– La citation de Pierre Loti est extraite de *L'Inde sans les Anglais*, Kailash, Paris, 1999, nouvelle édition.

– À Bénarès, mon guide fut le professeur Shukdev Singh. Sa traduction du *Bijak* de Kabir avec Linda Hess, éditée par Motilal Banarsidass, Delhi, 1977, est disponible à Bénarès.

– La première traduction de Kabir en français revient à H. Mirabaud-Thorens, à partir de la version anglaise de Rabindranath Tagore, Gallimard, Paris, 1948.

12. L'Inde en nous

– Sur les possibles influences du bouddhisme et des hindous en Occident, le point le plus récent a été fait par Frédéric Lenoir dans *La Rencontre du bouddhisme et de l'Occident*, Fayard, Paris, 1999.

- Sur l'influence de la philosophie indienne au XIXᵉ siècle, on se reportera à Roger-Pol Droit, *L'Oubli de l'Inde*, déjà cité (bibliographie du Prologue).
- La version indienne de l'influence de la civilisation de l'Inde sur le reste du monde, *India and World Civilization*, de D. P. Singhal, McMillan, Londres, 1972, me semble exhaustive.
- L'influence de l'Inde sur la cyberculture a été plus particulièrement analysée par Mark Dery dans *Escape Velocity, Cyberculture at the End of the Century*, Grove Press, New York, 1996. L'auteur rappelle que Steve Jobs est passé par l'Inde et le bouddhisme avant de fonder Apple Macintosh, et que Bill Gates, avant de créer Microsoft, fut également passionné par l'Inde et le psychédélisme.
- L'ouvrage cité de V. S. Naipaul est *India, a Million Mutinies Now*, Minerva, Londres, 1990.
- Parmi tous les ouvrages sur le dalaï-lama, on retiendra *L'Art du bonheur,* Robert Laffont, Paris, 1999, et, pour une vue plus profonde du bouddhisme, *Le Moine et le Philosophe*, de Jean-François Revel et Matthieu Ricard, Nil, 1997.
- La citation d'André Malraux est extraite de *Malraux et l'Inde*, publié par l'ambassade de France en Inde.

13. Gandhi qui vient

- Pour un rappel — illustré — de la vie de Gandhi, voir *Gandhi, l'athlète de la liberté*, de Catherine Clément, Gallimard, « Découvertes », Paris, 1989.
- Sur *L'Influence de Gandhi en France*, on renverra à l'ouvrage de Marie-France Latronche qui porte ce titre (L'Harmattan, Paris, 1999) et rappelle le rôle de passeur de Lanza del Vasto.

- Les réflexions de Gandhi sur l'environnement ont été recensées et analysées par Savita Singh dans *Global Concern with Environmental Crisis and Gandhi's Vision*, APH Publishing, New Delhi, 1999.
- La non-violence de Gandhi, plus que décrite par lui, fut avant tout expérimentée ; sa manifestation la plus spectaculaire, la « marche du sel » de 1930, a été narrée par Thomas Weber dans *On the Salt March*, Harper Collins, New Delhi, 1997. L'auteur a suivi le chemin de Gandhi en retrouvant des témoins.
- M. K. Gandhi a publié ses mémoires, quelque peu prématurées, en 1927, sous le titre *Mes expériences de vérité*. Traduit en français par Olivier Lacombe et Pierre Meile, PUF, 1982.
- L'analyse de la dot comme phénomène social moderne a été développée par M. N. Srinivas dans ses entretiens avec l'auteur.
- La désinformation médiatique sur la violence en Inde a été développée par Ashis Nandy dans ses entretiens avec l'auteur et dans ses œuvres déjà citées.

TABLE DES MATIÈRES

CINQUIÈME PARTIE
LES MESSAGES DE L'INDE

Impression réalisée sur CAMERON par BRODARD ET TAUPIN - La Flèche
pour le compte des Éditions Fayard en janvier 2000
Imprimé en France
Dépôt légal : février 2000 – N° d'impression : 1928X
ISBN : 2-213-60572-6
35.57.0772.01/0